盛期之風貌

臥龍生作品 帶動武俠風潮

《飛燕驚龍》開一代武俠新風

《飛燕驚龍》(1958)爲臥龍生成名作，共48回，約120萬言。此書承《風塵俠隱》之餘烈，首倡「武林九大門派」及「江湖大一統」之說，更早於香港武俠巨匠金庸撰《笑傲江湖》(1967)所稱「千秋萬世，一統」達九年以上。流風所及，臺、港武俠作家無不效尤；而所謂「武林盟主」、「江湖霸業」等新提法，竟成爲社會大眾耳熟能詳的流行術語了。

《飛燕》一書可讀性高，格局甚大。主要是寫江湖群雄爲覬覦傳說中的武林奇書《歸元秘笈》而引起一連串的明爭暗鬥；再以一部假秘笈和萬年火龜爲餌，交插敘述武林九大門派（代表正派）彼此之間的爾虞我詐，以及天龍幫（代表反方）網羅天下奇人異士而與九大門派的對立衝突。其中崑崙派弟子楊夢寰偕師妹沈霞琳行道江湖，卻如夢似幻地成爲巾幗奇人朱若蘭、趙小蝶之絕世武功技驚天龍幫，而海天一叟李滄瀾復接連敗於沈霞琳、楊夢寰之手；致令其爭霸江湖之雄心盡泯，始化解了一場武林浩劫云。

在故事佈局上，本書以「懷璧其罪」（與真、假《歸元秘笈》有關）的楊夢寰屢遭險難，卻每獲武林紅妝垂青爲書膽(明)，又以金環二郎陶玉之嫉才害能，專與楊夢寰作對(暗)爲反派人物總代表。由是一明一暗交織成章，一波未平，一波又起，極盡波譎雲詭之能事。最後天龍幫冰消瓦解，陶玉帶著偷搶來的《歸元秘笈》跳下萬丈懸崖，生死不明，卻予人留下無窮想像空間。三年後，作者再續寫《風雨燕歸來》以交代陶玉重出江湖，爲惡世間，則力不從心，當屬狗尾續貂之作。

在人物塑造方面，臥龍生寫男主角楊夢寰中看不中用，固然乏善可陳，徹底失敗；但寫其他三名女主角如「天使的化身」沈霞琳聖潔無瑕，至情至性，處處惹人憐愛；「正義的女神」朱若蘭氣質高華，冷若冰霜，凜然不可犯；「無影女」李瑤紅則刁蠻任性，甘爲情死等等，均各擅勝場。乃至寫次要人物如「賓中之主」海天一叟李滄瀾之雄才大略，豪邁氣派；玉簫仙子之放蕩不羈，爲愛痴狂；以及八臂神翁聞公泰之老奸巨猾，天龍幫軍師王寒湘之冷傲自負等，亦多有可觀。

與

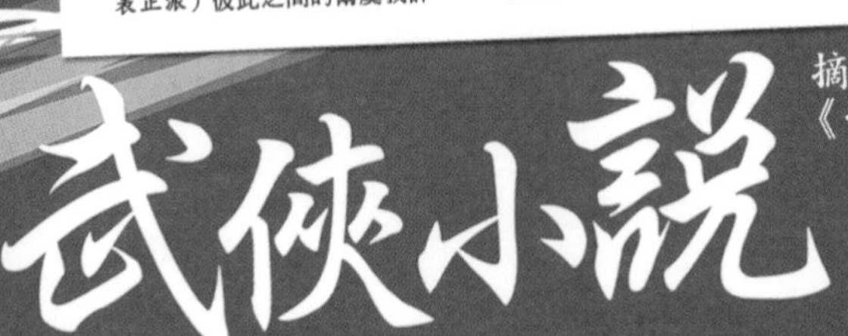

摘自 葉洪生、林保淳著《台灣武俠小說發展史》

台港武侠文

流行天

臥龍

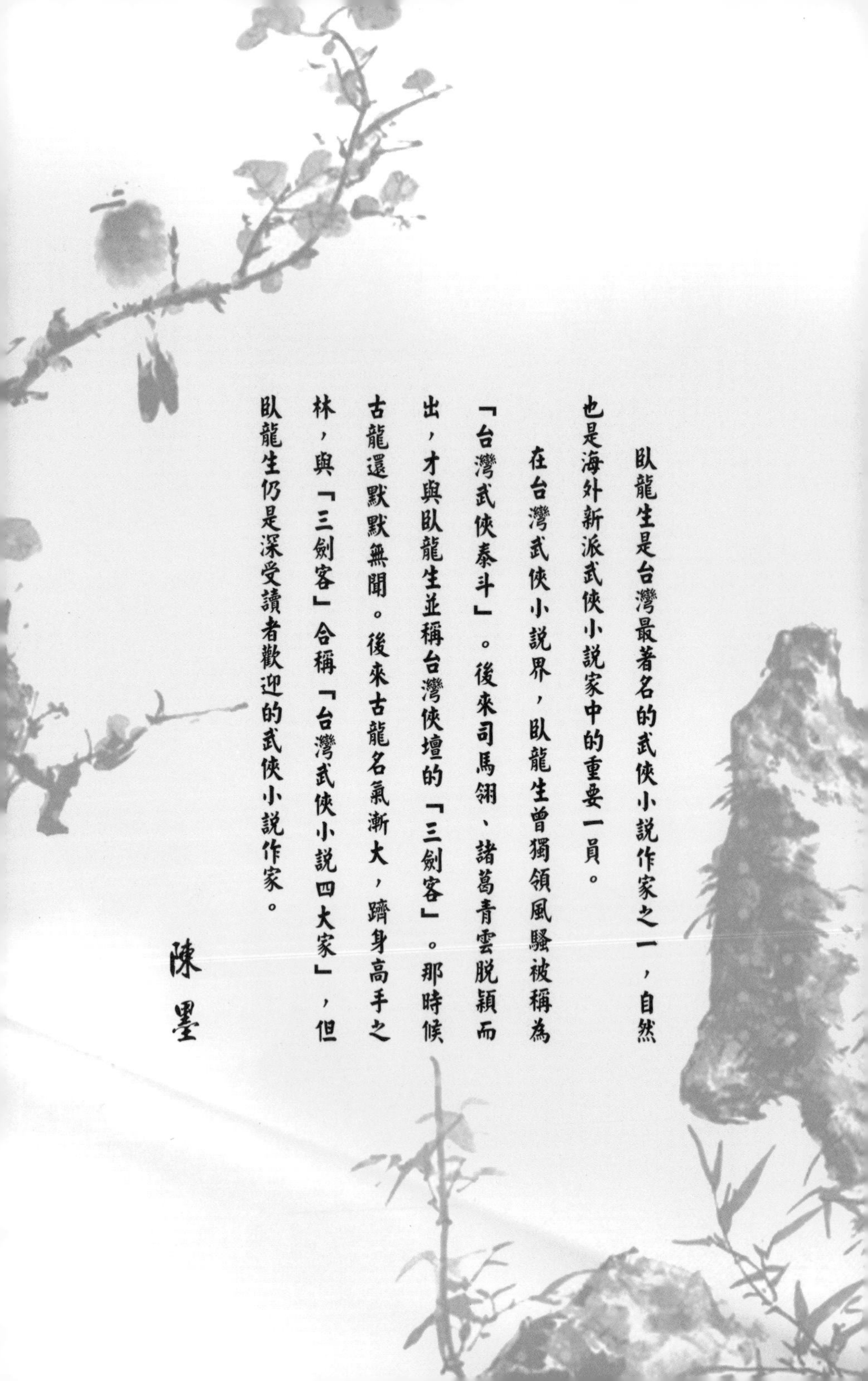

臥龍生是台灣最著名的武俠小說作家之一，自然也是海外新派武俠小說家中的重要一員。

在台灣武俠小說界，臥龍生曾獨領風騷被稱為「台灣武俠泰斗」。後來司馬翎、諸葛青雲脫穎而出，才與臥龍生並稱台灣俠壇的「三劍客」。那時候古龍還默默無聞。後來古龍名氣漸大，躋身高手之林，與「三劍客」合稱「台灣武俠小說四大家」，但臥龍生仍是深受讀者歡迎的武俠小說作家。

陳墨

臥龍生
臥龍生
武俠經典珍藏版
19
風雨燕歸來
（三）

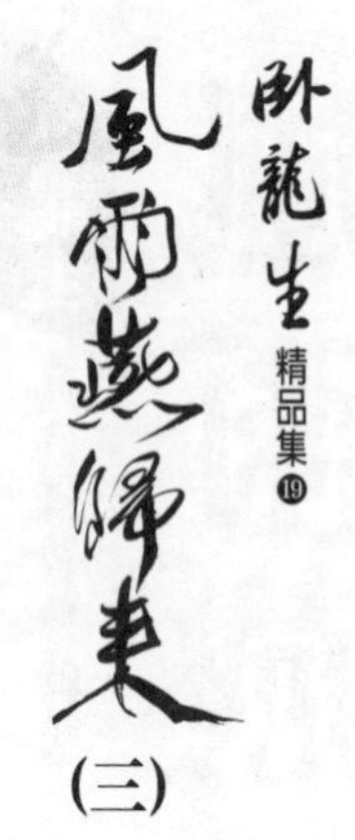

(三)

錄

廿一　驚險重重

陶玉冷笑道：「還是一些鬼鬼祟祟的無名鼠輩。」

口中在罵，人卻不自覺的抬頭看去。

只見一條橫過的大道上，十幾個仗劍女婢，護著一個騎馬少女，疾奔而過。

匆匆一瞥之下，馬上少女頗似趙小蝶，不禁為之一呆，回頭低聲對王寒湘道：「王兄，可曾瞧清楚那馬上少女麼？」

王寒湘道：「看到了。」

陶玉道：「可是那趙小蝶麼？」

王寒湘道：「屬下之見，她只是有些像那趙小蝶而已，但卻未必就是。」

陶玉點點頭，道：「我倆所見相同，如是趙小蝶真的被他們救了出來，以那趙小蝶的為人，早就找我陶玉拚命來了。」

王寒湘道：「咱們此刻，只能以不變應萬變，先過了這一片葦叢再說。」

只聽葦叢中又傳出一個聲音，道：「王寒湘，你是武林中有頭有臉的人物，數年之前，那陶玉還要尊你一聲老前輩，想不到竟是自甘下流，追隨陶玉身側，執鞭墜鐙，一口一個幫主，

一句一個屬下，也不覺著難過麼？」

這幾句話，罵得十分尖刻惡毒，任那王寒湘面皮老厚，也有些承受不住，只覺臉上一熱，緩緩垂下頭去。

陶玉一皺眉頭，暗暗忖道：這人定然對我等十分熟悉了。

心念轉動，口中卻低聲對勝一清，道：「你問問他是什麼人？」

勝一清應了一聲，高聲喝道：「閣下既然能在葦叢之中，設下重重埋伏，想來亦非無名之輩，似這般藏頭露尾，不覺有失丈夫氣度麼？」

只聽那蘆葦叢中，傳出一聲冷笑，道：「勝一清，你不用多口饒舌，昔年天龍幫五旗壇主中，原本算閣下為人正直，不失豪俠之氣，武林中人，談起你勝一清，大都是刮目相視，想不到你竟然也效那王寒湘寡廉鮮恥，投效在陶玉手下。」

勝一清重重咳了一聲，道：「閣下什麼人？為何不肯現身一見呢？」

陶玉低聲說道：「奇怪呀！聽他說話情形，分明是瞧我們瞧得十分清楚，為何我們卻瞧不見他們的形跡呢？」

于方低聲說道：「敵暗我明，咱們自是瞧他們不到了……」

只聽蘆葦叢中，又傳出一個清亮的聲音，道：「姓于的，你們兄弟崛起江湖，不過是近幾年中事，但卻頗受武林同道尊重，好好的一方雄主不幹，卻甘心為那陶玉爪牙，有一天你們兄弟必將嘗到鳥盡弓藏，兔死狗烹的滋味。」

于氏兄弟被罵得面面相覷，半晌講不出一句話來。

陶玉目光一掠王寒湘，心中暗道：蘆葦叢中，不知藏的何人，分明在施展挑撥手段，分散我陶玉實力，不可讓他們鬼計得逞。

念頭一轉，拔出金環劍，目注葦叢，冷冷說道：「閣下再不現身，激得我陶玉心頭火起，我要放一把火，燒去這片葦叢。」

葦叢傳出來一陣哈哈大笑之聲，道：「放起一把火，只怕葬身火窟的是你陶玉和你那班狐群狗黨，那是最好不過了，老夫拭目以待。」

陶玉眉頭聳動，臉上泛現出一片殺機，道：「閣下口氣如此托大，何以不敢現出身來，和我陶玉面對面的說幾句話。」

那聲音又自蘆葦叢中傳出道：「急什麼呢?難道閣下今日還想生離此地不成?」

陶玉冷笑一聲，道：「我不信能有人使我陶玉留在此地。」

那人道：「不信就試試看……」

話還未完，陶玉突然躍起發動，身劍齊起，直向葦叢中射去。

這一劍速度之快，有如電光石火一般，但聞一陣刷刷之聲，密密的蘆葦，秆斷葉飛，飛秆舞葉中，陡閃出了一道白光，接下了陶玉的一劍。

陶玉一吸氣，腳落實地，抬頭看去，只見一個五旬左右的老人，手中舉著單刀急急向蘆葦叢中逸去了。

他心中雖然極恨那人，恨不得把他斬碎劍下，但他知道這葦叢之中，泥水過膝，已不是武功高低，可以決定速度，見那人動作十分熟練，穿林而行，片刻間已然走得蹤影不見，只好退

了回來。

王寒湘道：「他們是有意的激怒幫主，幫主不用理他們也就是了。」

勝一清道：「王護法說得不錯，咱們只要行出這一片葦叢，就沒有什麼事了。」

陶玉點點頭，道：「咱們盡快的越林而過就是了。」

王寒湘招扇護胸，道：「屬下開路。」

當先大步向前行去。

王寒湘轉過兩個彎子，瞥見地上插滿竹籤，旁側一塊木牌上，寫著：「明人不做暗事，竹籤上塗有劇毒，諸位請由蘆葦中走過去吧！」

勝一清道：「也許那葦叢中還有暗算。」

陶玉抬頭看去，只見竹籤密排甚長，而且又向一側彎去，決非一躍可過，立時低聲說道：「看來他們並非只用疑兵之計，倒有和我們在此一決雌雄的用心了。」

勝一清突然一翻腕，拔出九環刀，道：「我為幫主開路。」刀光一閃，橫向那竹籤之上削去。

他手中刀沉勢猛，九環刀鋃鋃作響，那插在地上的竹籤應手飛去。

陶玉等緊隨勝一清身後四五尺處，緩步向前行走。

勝一清揮刀開道，動作甚快，轉眼間已繞過彎子。

只聽一聲沉喝傳來，道：「住手！」

勝一清抬頭看去。

只見李滄瀾手執龍頭拐，站在道中，攔住去路，不禁咳了一聲，向後退了兩步。

陶玉冷笑一聲，道：「又是這個老匹夫。」仗劍一躍，越過了勝一清，冷冷說道：「李滄瀾，你這般陰魂不散的纏住我，可不能怪我陶玉無情無義了。」

李滄瀾怒道：「你早已無情無義了。」呼的一拐，迎頭劈下。

陶玉一閃避開，揮劍攻去。

金環劍閃起朵朵劍花金芒，龍頭拐有烏雲盤頂，挾帶著呼嘯之聲。

這一戰打得十分慘烈，李滄瀾用出了全力求勝，他天生神力，再加上數十年精修的保原內功，一條龍頭拐，有如出海蛟龍一般，威力惡猛無比。

論招術，陶玉要高過李滄瀾。

李滄瀾那雄渾的內力和威湧氣勢，卻逼得陶玉有無法下手之感。

王寒湘、勝一清呆呆的站在一側觀戰，眼看前後兩代天龍幫主的較技鬥力，心中是感既萬千，不知是否該出手相助。

川中四醜追隨了李滄瀾數十年，從未見過老主人如此惡鬥，鬚髮怒張，直似要生吞陶玉，顯然他內心正燃燒著憤怒的火焰。

又鬥十餘合，陶玉突然長嘯一聲，由重重拐影中衝天而起，懸空而轉，旋劍下擊，劍化萬道銀蛇，有如千百條金環劍一齊擊下。

李滄瀾大喝一聲，揚起右手，運起乾元指力，一指點出。

指風、劍芒一觸之下，立時分開，陶玉回身一掠，退到一丈開外，喝道：「咱們繞道而過。」轉身急奔。王寒湘、勝一清和于氏兄弟，隨護身後，風馳電掣而去。

川中四醜正待追趕，忽見李滄瀾身子搖了兩搖，一跤坐在地上，黯然說道：「老邁了，老邁了。」

四醜大吃一驚，顧不得追趕敵人，急急扶起了李滄瀾。

只見他左肩、後背緩緩流出血來，心頭大震，齊聲問道：「老主人傷得很重麼？」

李滄瀾道：「不要緊，但那陶玉也未占得便宜，招呼玉簫姑娘，撤出埋伏。咱們也該走了。」

但見葦叢中人影一閃，玉簫仙子足著水鞋，一躍而出，道：「老前輩傷勢如何？」

李滄瀾道：「三處輕微的劍傷，老朽還可支撐得住，只可惜陶玉已兔脫而去……」

玉簫仙子道：「縱然依計而行，也未必能困住陶玉，咱們阻延他行動，目的已達，老前輩休息一下，咱們也該往百丈峰去，會會朱姑娘了。」

李滄瀾點點頭，道：「看將起來，除了朱姑娘之外，當今之世，只怕無人能夠制服陶玉了。」言下不勝淒然，扶拐轉身行去。

這日，中午時分，到了一座山谷旁邊，李滄瀾眺望著谷中景色，低聲對玉簫仙子說道：「入山半日，既未見朱姑娘指示，亦未見武林同道來援之人……」話未說完，瞥見一個身披黃

色袈裟的老僧，手執玉如意，在四個執禪杖的和尚護衛之下，緩步而來。

玉簫仙子低聲問道：「老前輩認識那些和尚麼？」

李滄瀾仔細瞧了一陣，道：「似乎是少林掌門人天宏大師。」

那些和尚似是亦瞧到了李滄瀾等，突然加快了腳步，直行過來。

只聽一個高昂的佛號，傳了過來，道：「李老英雄別來無恙。」

李滄瀾欠身抱拳道：「托大師的福佑。」

說話之間，幾個和尚已然行到李滄瀾等身前。

來人正是少林掌門人天宏大師，只見他目光轉動，掃掠了玉簫仙子一眼，道：「這位女施主，可是玉簫姑娘？」

玉簫仙子道：「大師還能記得賤妾這等無名人物……」

天宏大師道：「姑娘言重了……」目光轉到李滄瀾的身子上，道：「老衲聽得楊大俠蒙難消息，盡出寺中百名高手，分成十路去追他的消息……」

玉簫仙子道：「可曾找到麼？」

天宏大師道：「老衲一路追到此地，既未遇上陶玉，亦未再聽到楊大俠的消息。」

李滄瀾道：「老朽也是一路追來，倒是曾和陶玉交手數次。」

天宏大師道：「楊大俠不知是否已經到了此地？」

李滄瀾道：「照事情經過而言，小婿早已被運來此山中了。」

天宏大師道：「只要那楊大俠確已來此，不愁找他不到，老衲派出的十批人手，至少尚有五批，可望於兩日內趕到。」

李滄瀾道：「那是最好不過，老朽正覺著實力不夠。」

天宏大師道：「據老衲所知，趕往這百丈峰來的不止我少林一派。」

李滄瀾道：「朱姑娘也趕來此地了……」

天宏大師捧起如意，說道：「可是那五年前力救九大門派的朱姑娘麼？」

李滄瀾道：「不錯，除她朱若蘭之外，別人趕來此地亦是無用。」

天宏大師道：「那很好，有朱姑娘在此調度，當可統一各大門派之力。」

李滄瀾道：「老朽在來此途中曾和貴寺中兩批高手相遇，得他們助力很大。」

天宏大師道：「那是應為之事，老英雄不用放在心上。」

李滄瀾道：「大師可曾遇上過……」

只聽玉簫仙子叫道：「有五位道長到了，定然是武當派的高人。」

抬頭看去，只見谷口處，又走出五個身佩長劍，長髯飄飄的道人，大步行了過來。

天宏大師望了道人一眼，道：「不錯，是武當派靜玄道兄。」

李滄瀾道：「為了小婿的事，有勞大師和靜玄道長親自下山……」

天宏大師接道：「老衲常和寺中長老談起令婿，咸認今後三十年江湖大局，繫於楊大俠一身，老衲此次親率寺中高手馳援，實是為武林大局著想。」

說話之間，靜玄道長等已然走近。

李滄瀾一抱拳道：「道兄別來無恙。」

靜玄稽首一笑，道：「李老英雄安好。」

天宏大師道：「道兄可曾發現什麼線索？」

靜玄搖搖頭，道：「貧道聞得警訊，立率高手兼程而來，沿途一直未遇上陶玉的人手，貧道昨夜一抵此，連夜搜尋了兩道山谷，亦未發現陶玉伏兵，大師可有發現麼？」

天宏大師搖頭歎道：「老衲亦和道兄一般。」

玉簫仙子默查靜玄道長等五人，眉宇隱隱泛現出睏倦之色，心中暗道：這幾位道長都是高強之士，除非極度辛勞，決不會有此睏倦之容，當下接道：「敵暗我明，咱們雖無法見他，但恐怕早已落在他的監視之中，此時此地，隨時有和陶玉相遇的可能，諸位最好能夠利用此刻時光，好好坐息一下，遇上強敵，才能應付。」

靜玄道長道：「玉簫姑娘說得不錯，貧道等兼程而來，連夜搜山，已有數日夜未曾坐息了。」

玉簫仙子道：「左側有一片草地，甚是清靜，道長等可借此機會休息一陣，我等為道長護法。」

靜玄道：「有勞諸位了。」帶著隨行四位道人而去。

李滄瀾歎道：「為小婿一人生死，驚動天下英雄，實叫老朽難安。」

忽聽一個花娥叫道：「陶玉來了。」

群眾吃了一驚，齊齊轉頭望去，果見陶玉背插金環劍，手舉著一面令字旗，直對群眾行了過來。

玉簫仙子道：「這人不是陶玉。」

李滄瀾道：「形貌雖似，但缺少了陶玉那一股陰狠之氣。」

天宏大師道：「此人裝著、形貌，都和陶玉一般，不是陶玉是誰呢？」

李滄瀾道：「不論是誰，咱們也不能讓他好好退走。」

只見來人行到群眾身前二丈左右處，停了下來，道：「我奉家師之命而來……」

天宏大師迫：「令師何人？」

那人應道：「家師陶玉。」

天宏大師微微一怔，道：「你們師徒倒是像得很，不知施主如何稱呼？」

那人道：「在下蒼龍。」

玉簫仙子接道：「是啦！閣下就是陶玉那四靈之首了。」

蒼龍道：「不錯……」

李滄瀾冷冷說道：「你那師父何在？」

蒼龍搖動了手中令字旗，冷冷說道：「家師正忙於佈置天羅地網，無暇和諸位相見。」

玉簫仙子一側身，擋住了那蒼龍的去路，冷冷說道：「陶玉既是不肯現身，閣下就留這裏作爲人質如何？」

蒼龍右手摸了摸背上的金環劍把，搖動著左手的令旗，道：「諸位如是想見楊夢寰和趙小蝶，最好是能聽在下的吩咐。」

李滄瀾道：「聽你之命麼？」

蒼龍道：「不錯，諸位請跟隨在下之後，前往一處秘密所在，也許還可見到楊夢寰。」

天宏大師望了靜玄道長和李滄瀾一眼，冷冷說道：「那陶玉爲人狡詐萬端，你既是那陶玉弟子，叫我如何能信得過呢？」

蒼龍冷冷說道：「諸位如果不肯相信，那也是沒有法子了。」右腕一抬，唰的一聲，抽出了金環劍，接道：「諸位可是想以衆凌寡麼？」

天宏大師搖手擋住了亮動兵刃的群豪，說道：「好，老衲跟你去見那楊大俠，你如是胡說八道，那時，有你苦頭好吃。」

蒼龍道：「去見那楊大俠，必得先要經過一番險關，諸位如是沒有過那險道之勇，那就不用隨我去了。」

天宏大師道：「老衲等只要確能見到楊大俠，渡一道險關，又算什麼。」

蒼龍道：「在下帶路，諸位請隨我身後走吧！」轉身向前行去。

玉簫仙子心中暗暗忖道：想不到楊夢寰在短短數年之中，成了武林中英雄人物，以少林掌門之尊，對他如此推重，其他之人，定然是更爲仰慕了……

但聞靜玄道長說道：「大師，如若此人把咱們帶入一片絕地，豈不是中了那陶玉的詭計了。」

天宏大師回顧李滄瀾一眼，道：「天下險地，只怕無出昔年李幫主那索橋懸山之右了。」

李滄瀾微微一笑，未曾接口。

談話之間，人已轉入一道狹長的山谷中。

抬頭看兩側峭壁，高有百仞，巖石光滑，寸草不生，縱有世間第一的輕功，也是無法攀登。

愈向前行，狹谷愈窄，深入三十丈後，狹谷只可容一人通過了。

李滄瀾急行兩步，追在那高舉令旗，帶路而行的蒼龍之後，舉起龍頭拐，頂在他的背心之上，冷冷說道：「閣下如若想妄生什麼惡念，老夫就一拐先震斷你的心脈。」

蒼龍回過臉來，淡淡一笑，道：「如是閣下不願再見那楊夢寰，儘管下手就是。」

李滄瀾道：「只要你不妄圖施展鬼計，老夫自然不會傷你。」

蒼龍也不反抗，任那李滄瀾的龍頭拐抵在背心之上，高舉令旗，搖動而行。

天宏大師，靜玄道長和玉簫仙子等，都是久在江湖走動，閱歷是何等豐富，看他一直不停的搖動著令旗，已知道狹谷之中，定然有著埋伏，立時小心留意，暗中觀察。

哪知以幾人的目力，竟然是無法看出一點可疑之處。

走完了狹谷，景物一變，只見一片廣大的盆地中，青草如茵，擺滿了桌椅。

蒼龍回過頭來，神色鎮靜的掃掠了群豪一眼，道：「諸位請坐吧！只要諸位不生妄念，此地十分安全。」

玉簫仙子道：「楊夢寰現在何處？」

蒼龍淡淡一笑，道：「家師言出如山，諸位安心的坐在這裏，少則半個時辰，多則一個時辰，自然可以瞧到他了。」

玉簫仙子目光一轉，除了那道狹谷之外，四面都是聳立山峰，別處再無出路，心中暗自忖

道：「只要擋住這道狹谷出口，諒你也無法逃出此地。」

天宏大師和李滄瀾卻是別有所思，打量盆地景物，想著陶玉一旦施展火攻時，要如何躲避，撲滅。

只見蒼龍行到一處，突然仰起臉來，長嘯一聲。

嘯聲未落，絕峰上突然垂下來一根長索，蒼龍伸手抓住長索，垂下的長索立時疾快的向上收去，片刻已升起數十丈。

他並未直登峰頂，升到峰腰間一處突出的巖石處，忽然一鬆手中長索，隱入那大巖石後不見。

李滄瀾默查過山勢形態之後，低聲對天宏大師和靜玄道長，說道：「兩位道兄，這地方似是陶玉佈置的重點。」

天宏大師道：「不錯，如若能誘他下谷，咱們倒可在此和他決戰一場。」

李滄瀾道：「此時此刻，陶玉決不會和咱們正面爲敵。」

靜玄道長道：「貧道顧慮的是那陶玉以楊大俠的生死，迫咱們就範，那就麻煩了。」

天宏大師道：「不錯，老衲顧慮的亦是此事。」

李滄瀾長眉聳動，拂髯一笑，道：「兩位道兄，對小婿的愛護，我李滄瀾是感同身受，但如情勢所迫，勢非得已時，那也顧不了許多，以搏殺陶玉，除害江湖爲主……」

天宏大師接道：「陶玉固是要殺，楊大俠亦得要救，咱們此來，最爲重要的還是救人。」

李滄瀾口不再言，心中卻是暗暗歡喜，暗自忖道：啊！他們如若是把救人擺在第一，不論

那陶玉提出的是什麼條件，他們都會答允了。

原來李滄瀾口中雖然說得大方，還是以搏殺陶玉為主，但他最擔心的事，卻仍是楊夢寰的安危。

靜玄道長一掠李滄瀾和天宏大師，說道：「如若那陶玉把咱們騙到此地，只守著那狹谷入口，和四面山峰，也不和咱們動手，那又該當如何？」

天宏大師道：「除非是咱們能設法把消息傳遞出去，召請救兵趕來，如若不成，即使武功和李老施主一般，只怕也不易闖得出去。」

李滄瀾道：「老朽這身旁門技藝，如何能和大師的佛門神功相比……」

靜玄道長接道：「兩位不用客氣了，眼下要緊的是咱們如何才能脫出這片險地……」

談話之間，瞥見狹谷入口處，又一個形如陶玉的少年，手中高舉令旗，大步行了過來。

在他身後，緊隨著崑崙三子之首的一陽子，和一個手執青竹杖的老者，直向幾人停身之處走來。

李滄瀾站起身子，一抱拳，道：「道兄才到麼？」

一陽子欠身說道：「路上有點耽誤，遲來了一步。」

李滄瀾目光轉到那手執竹杖的俗裝老人，說道：「聞兄別來無恙。」

那人哈哈一笑，道：「言重，言重，兄弟這裏統候諸位了。」

抱拳一個環揖。

天宏大師、靜玄道長一齊起身還禮，道：「聞兄請坐。」

原來這手持青竹杖的老人，乃華山派掌門人，彈指神丸聞公泰。

聞公泰輕輕咳了一聲，道：「兄弟在華山聽到了陶玉重出江湖，網羅無數高手，重振天龍幫的聲威，楊大俠孤身和他周旋，本擬早日趕來，只因兩種武功未成，不能半途而廢，想不到稍一耽誤，楊大俠竟然被陶玉鬼計誘擒，兄弟兼程追蹤，趕來此地，在谷口遇上一陽子道兄，被那小子引來此地……」

轉眼望去，那手執令旗，形如陶玉的少年，早已走得不知去向了。

聞公泰冷哼一聲，道：「這小子好快的一雙腿。」

天宏大師道：「咱們要設法阻止武林同道，再入這片絕地。」

一陽子道：「只要一進那谷口，再想回頭，就非易事，除非有一人能夠衝過狹谷，守在那入口之處才行。」

聞公泰道：「兄弟願冒此險。」

玉簫仙子道：「這個不妥。」

聞公泰道：「哪裏不妥了？」

玉簫仙子道：「陶玉選擇這片狹谷，用心就是引咱們進入絕地，想那狹谷之中定有著很厲害的埋伏，聞兄武功雖然高強，亦不可冒此奇險。」

聞公泰道：「如若不設法衝出狹谷，來此救楊大俠的英雄，豈不是盡都要被人誘入絕地麼？」

玉簫仙子道：「賤妾已然查看過這片盆地的土質，都未經翻動，證明陶玉並未在這片盆地中設有埋伏，所有埋伏，都設在四面山峰之上，和那片狹谷之中，如其衝出狹谷，倒不如等待一陣，了然敵情之後，設法衝上山峰。」

天宏大師道：「玉簫姑娘說得不錯，聞兄實也不用冒此險了。」

聞公泰道：「好吧！待了然敵情之後，咱們再決對策就是。」

談話之間，突聞一陣鐘聲傳來。

靜玄道長一皺眉頭，道：「陶玉耍的什麼花招，怎的會有鐘聲傳來？」

玉簫仙子道：「大概他有事要對咱們說……」

語聲未落，果聞西面山峰之上，傳過來一個宏亮的聲音，道：「楊夢寰即將出現，爾等只能看到，卻無法和他交談……」

天宏大師道：「為何不能和他交談，他可是受了重傷？」

那人應道：「他只是被點了穴道，雖然有耳能聞，但卻不能開口說話……」語聲微微一頓，接道：「有一件事，在下必須得事先說明，他全身都不能操動，爾等只能看看而已，如是妄想動手相救，那可是要他的命了。」

話剛說完，西側山峰之上，突然伸出一根鐵竿來。

竿上用繩索繫著一塊木板，楊夢寰盤膝坐在木板上，木板四面沒有阻攔之物，由削壁間伸了出來，看上去驚險萬狀。

天宏大師望著盤膝坐在木板上的楊夢寰，氣納丹田，說道：「楊大俠，天下英雄大都趕來

此地，助你脫險，任那陶玉鬼計多端，武功高強，也難拒抗天下英雄，但請安心忍耐，一兩日必可救你脫險。」

那楊夢寰靜坐在木板之上，也不知是否聽到天宏大師之語意，始終未發一言。

但聽那宏亮的聲音，重又傳來，道：「爾等有什麼話，快些說完，他出來的時間不能過久。」

聞公泰抬頭看去，只見楊夢寰距地不下四十餘丈，如是摔了下來，不論武功何等高強，也是無法承受，當下高聲說：「我等和楊大俠，有事相商，你們可否能把他所坐之木板，放低一些，也好和他親近一下……」

那宏亮的聲音縱聲而笑，道：「諸位不用打如意算盤，楊夢寰此刻現身讓爾等相見，目的在昭大信，使爾等身入絕地，口無怨言。」

說罷，那探出鐵竿上的繩索，緩緩收動，升起不見。

群豪雖都是武林中第一流的身手，但見到楊夢寰緩緩向上升去，亦是無可奈何。

聞公泰輕歎一聲，道：「他如能放低二十丈，咱們就可以救他下來了。」

靜玄道長道：「不錯，咱們飛刀斷索，然後合力接住楊大俠，不讓他落著實地，這機會應該是十拿九穩。」

天宏大師望著西面那高聳的山峰，沉聲說道：「諸位如若都有冒險之心，解救楊大俠，老衲願爲先驅，設法衝上峰去。」

舉步直向山峰下面行去。

群豪知道他已有妙策，立時隨在他身後行去。

天宏大師行列峰下，突然縱身而起，一躍兩丈多高，背脊貼在削壁之上，施展壁虎功，向上游去。

但聞峰上傳下來一陣長笑，一塊滾石，順壁而下。

那滾石足足有千斤之重，滾落之勢兇猛異常，響起了一片隆隆之聲。

玉簫仙子大聲叫道：「大師不可涉險，快請游落實地，妾身有事奉告。」

這片絕壁，平滑有如刀削，除了施展壁虎功外，不論如何佳絕的輕功，也是無法攀登而上。

天宏大師隱下身子，抬頭向上一望，眼看那滾石，直對自己砸下，立時橫向一側游開五尺。

滾石挾一片隆隆怪響，由天宏大師身側落下。

這時，四個護駕少林僧侶，嚇得出了一身冷汗，直向峰下奔去。

玉簫仙子低聲對李滄瀾道：「老前輩快請設法阻止那天宏大師，不能讓他涉險。」

李滄瀾歎道：「這機會太小了，沒有一個人能夠在施展壁虎功時，還有拒敵之力……」

玉簫仙子急急說道：「老前輩既然心中明白，爲何還不阻止，這面絕峰之上，陶玉都已準備了大批滾木擂石，就算咱們都有視死如歸的豪氣，也不能以血肉之軀，和那滾木擂石對抗。」

李滄瀾氣納丹田，高聲說道：「大師快請下來。」

靜玄道長道：「從長計議，必有良策，道兄又何苦冒這九死一生之險。」

聞公泰道：「一分生機也沒有，大師還是先請下來，咱們研商個救人良策。」

天宏大師在群豪催促之下，只好游落實地，長長歎息一聲，道：「咱們必得救他出來，縱冒萬死之險，老衲亦是甘心。」

這少林掌門人，一向穩健，不知何故，對拯救楊夢寰竟是如此迫不及待。

靜玄道長道：「咱們既然到了此地，無論如何都得設法救出楊大俠，但事已至此，道兄也不用太急了。」

聞公泰微微一笑，道：「目下已經成了誓不兩立之局，咱們縱然不救那楊大俠，陶玉也不會放咱們平安出去。」

天宏大師長歎一聲，道：「諸位有所不知，那陶玉爲人，手段十分毒辣，如是咱們迫得他無路可走時，他必然要先殺掉楊大俠，是以咱們必須在大局還未明朗，勝敗還難預料時，先行救出楊大俠。」

李滄瀾道：「不錯，如是情勢迫陶玉成爲必敗之局，他必將先處置了小婿。」

忽聽玉簫仙子叫道：「那是什麼人？」

群豪轉臉望去，只見陶玉手中抓著一條長索，由懸崖上直墜而下。

距地尙有兩丈多高，繩索已到盡處，陶玉借勢一緩，鬆開雙手，一躍而下，輕飄落著實地。

天宏大師冷冷的望了陶玉一眼，道：「你是真的陶玉，還是假的陶玉？」

陶玉冷冷說道：「當今之世，只有一個陶玉，哪來的真假。」

靜玄道長道：「有人和你一般裝束，一般長像，也同樣跛著一條腿，但他卻自己不肯承認他叫陶玉。」

陶玉冷冷說道：「你這牛鼻老道，出言無狀，今日我非得打斷你一條左腿不可。」

原來陶玉自負英俊風流，最恨別人罵他跛子。

聞公泰哈哈一笑，道：「這麼說來，你是貨真價實的陶玉了。」

陶玉冷冷說道：「不錯。」

聞公泰笑道：「你單人匹馬，敢跑下山峰，膽氣倒是不小。」

陶玉眉頭聳動，似要發作，但卻又強自忍了下去。

玉簫仙子道：「陶玉，你到此有何見教？」

陶玉目光轉動，冷冷的掃掠群豪一眼，道：「我來奉勸諸位幾句話。」

聞公泰道：「什麼話？」

陶玉道：「請位此刻已經身處絕地，在下不說，諸位也明白了。」

聞公泰流目四顧一眼，道：「在老夫看來，這地方不能算錯啊。」

陶玉道：「就憑諸位之力，想救那楊夢寰，只怕不是易事。」

聞公泰道：「這個老夫也看不出困難何在。」

陶玉一皺眉頭道：「這麼說來，諸位是有些不信了？」

聞公泰道：「不錯，不只是區區看不出來，就是所有在場之人，只怕都看不出有何困難。」

陶玉冷笑一聲，道：「諸位如何才能相信呢？」

靜玄道長、天宏大師、李滄瀾、聞公泰等似早已有了默契，同時迅快移動身軀，把陶玉重重的圍在中間。

陶玉目光轉動，掃掠了群豪一眼，道：「諸位意欲何爲？」

聞公泰道：「你如是真的陶玉，那就請答應咱們一件事情。」

陶玉道：「什麼事？」

聞公泰道：「立刻下令放了楊夢寰。」

陶玉突然仰天大笑一陣，道：「聞公泰，你們華山派有幾人在此？」

聞公泰道：「老夫一人在此，什麼事？」

陶玉道：「可惜得很，如是你們華山派人多一些，在下倒願意試試你們華山派聯手合搏之術。」

聞公泰臉色一變，本待發作，但卻突然又忍了下去。

天宏大師高宣一聲佛號，道：「陶施主，放下屠刀，立地成佛，老衲只要求陶施主一件事……」

陶玉冷冷接道：「可是要我放了那楊夢寰麼？」

天宏大師道：「正是此意。」

陶玉道：「放那楊夢寰不難，不過在下亦有一個條件。」

天宏大師道：「什麼條件？」

陶玉道：「由你們少林派主持，聯合天下九大門派，擁我陶玉為天下盟主，然後在下就放了那楊夢寰。」

天宏大師道：「此等之事，必須眾望所歸，自然形成，豈是幾句話，能夠使天下英雄歸心。」

陶玉道：「我陶玉不要眾望所歸，只要你們立誓擁我為天下盟主就行了。」

聞公泰哈哈一笑，道：「陶玉，你也不怕風大閃了舌頭麼？」

陶玉道：「諸位如不願答應，在下自有逼你們就範之策。」

天宏大師冷冷說道：「最好陶施主先看看眼下的形勢，再作主意不遲。」

陶玉道：「什麼事？」

靜玄道：「我等本不願聯手攻你一人，但如為了救那楊大俠，那也好從權了。」

陶玉道：「我陶玉單人一劍，直下谷地，如是害怕你們圍攻，我也不敢下來了。」

李滄瀾冷哼一聲，道：「你口氣愈來愈大了。」

陶玉道；「我已饒你兩次不死，咱們情義早絕，今日動手，我陶玉再不會手下留情了。」

李滄瀾冷笑一聲，道：「老夫也不用再對你有一分改過自新的幻想了。」

陶玉目光環掃了群豪一眼，道：「諸位不是一派宗主，都是江湖名重一時的人物，自然是不見棺材不掉淚了，我陶玉如若不能使你們心服口服，自然是無法使你們歸服於我了。」

語聲微微一頓，又道：「諸位應該知道，長江後浪推前浪，一代新人勝舊人，江湖上千百年來一直不變，諸位雄居江湖數十年，如今已經老朽，也該讓讓席位了。」

天宏大師道：「閣下話雖說得不錯，可惜閣下並非是應該主盟武林的人。」

陶玉冷冷說道：「不是我陶玉，該是哪一個呢？」

天宏大師道：「楊夢寰楊大俠。」

陶玉格格一笑，道：「楊夢寰麼？諸位這等迫逼於我，看將起來，在下只有先行把他處死，諸位才能夠死去了推他爲盟主之心。」

聞公泰道：「你陶玉最大的失策，就是不該單人一劍的來此處。」

陶玉淡然一笑，道：「諸位可是自信能夠把我陶玉留在此地麼？」

聞公泰道：「事已如此，老夫倒是想不出還有什麼別的辦法。」

陶玉目光一轉，發覺自己早已身隱重圍，當下冷笑一聲，道：「諸位已然分別站了方位，看起來，想是一齊出手了。」

聞公泰道：「情非得已，只有從權，如是閣下有些害怕，咱們就一對一的動手也好，老夫先來領教。」一撥手中青竹杖，突然點了過去。

陶玉右手一翻，快速無比的拔出了金環劍，揮劍一封，擋開了聞公泰的青竹杖，冷笑一聲，道：「諸位一個個的動手，不覺得太過麻煩嗎？」

聞公泰眼看陶玉拔劍一封之勢，快速絕倫，不禁心中一動，暗道：看將起來，此人的武功，果是大有進境。

陶玉金環劍一抬，一劍刺向天宏大師，口中卻冷冷喝道：「在下之意，諸位還是一齊動手的好。」反手一掌，拍向了靜玄道長。

聞公泰高聲說道：「這人如此猖狂，咱們也不用和他客氣了。」疾揮青竹杖攻了上來。天宏大師、靜玄道長等，究竟是一派掌門之尊，不好輕易出手，分別站定了方位，堵住陶玉，不讓他破圍而出。

那知道陶玉劍掌齊施，竟然是分攻群豪，迫得天宏大師、靜玄道長、玉簫仙子、李滄瀾不得不揮動兵刃，接他的劍招、掌勢。

天宏大師一面動手，一面察覺出情形不對，這陶玉確有過人的武功，今日之局，如想將他制服，非得設法改變打法不可。

心念一轉，還未出聲招呼群豪，突見陶玉手中劍勢一緊，金環劍風馳電掣一般，陡的加快了攻勢。

李滄瀾輕輕歎息一聲，說道：「那歸元秘笈的武功，大都是記載著武功中的絕技，如是咱們這般打法，不但無能制服陶玉，反將被他所敗。」

聞公泰手中青竹杖一緊，疾攻了兩招，問道：「如何才能夠制服於他呢？」

李滄瀾道：「目下咱們合力群攻，表面之上，咱們佔了很大便宜，事實上卻是吃了大虧……」

聞公泰接道：「這話怎樣說呢？」

李滄瀾道：「陶玉不是一般泛泛之輩，拳掌劍招，無一不是精華之學，咱們只有各出全

力，以生平最得意的武功，和他硬拚，或可拚個兩敗俱傷。」

聞公泰又動手疾攻了幾杖，道：「嗯！李老英雄說的是大有道理。」

只聽靜玄道長說道：「諸位如若肯讓貧道一陣，貧道就用本派中五行劍陣一試。」

群豪你言我語，各自尋思對付陶玉的方法，只聽得陶玉心中怒火大起，右手劍勢忽然一變，閃起朵朵劍花，全力攻向那靜玄道長。

靜玄雖然硬接陶玉幾劍，聞公泰亦幫他接了兩招，但陶玉劍招詭奇，仍然把那靜玄道長迫退兩步。

李滄瀾龍頭拐突然一緊，連攻三招，高聲說道：「這等打法，終非了局，諸位道兄，快請退下，讓李滄瀾獨力鬥他，我如不支倒下，諸位也不用為我擔心……」

只聽陶玉格格一笑，笑聲中響起了一聲嬌呼，玉簫仙子應聲倒了下去。

原來陶玉暗用天罡指力，遙遙擊出，點中了玉簫仙子的穴道。

李滄瀾心中大急，暗道：這等群攻，人人擔心傷了同伴而不敢施出生平的絕技攻那陶玉，反將是對他有利……

忖思之間，只聽兩聲連續悶哼傳來，兩個手執禪杖的和尙，先後中劍倒了下去。

陶玉劍勢一緊，有如長虹經天，銳不可當，衝破了重圍，奔到一丈開外的一座大石之上，冷冷說道：「諸位已經見識過了，如是再打下去，我陶玉可要施下毒手，這是你們最後的機會了，或戰或降，但憑一言而決……」

這時，天宏大師、靜玄道長、聞公泰等，都已心中有數，如若單獨打鬥，誰也很難勝那陶

玉，如是合圍群攻，又有使群豪都有無法發揮力量之感。

單獨鬥的勝機雖小，但卻有同歸於盡的機會。

群豪口中雖都不言，但心中卻有著同樣的打算。

天宏大師高宣了一聲佛號，回顧兩個未受傷的弟子一眼，道：「如若我有了不測，你們傳我遺命，要寺中長老，按咱們少林門規，召集全寺大會，推舉一個接掌門戶的人。」

這幾句話，說的十分明顯，言中之意，無異是說要和那陶玉一決死戰。

只見靜玄道長望了隨來的四個弟子一眼，道：「那楊大俠對武當一門有過恩德，拯救楊大俠的事，咱們自是不能後人……」

四個中年道人齊聲應道：「但憑掌門人吩咐，我等戰死無憾。」

靜玄道長道：「好！咱們以五行劍陣，鬥鬥那歸元秘笈上的神奇武功。」

聞公泰哈哈一笑，道：「兩位道兄，且慢出手，這第一陣，讓給我聞某如何？」

天宏大師道：「這第一陣，該由老衲出手。」

靜玄道長道：「貧道等五人在此，甘願以五行劍陣，先打頭陣。」

聞公泰道：「不成，昔年我和楊大俠有過甚多誤會，今日這頭一戰，應該由在下出手。」

李滄瀾道：「事關小婿的安危，這第一陣，應該老朽出手，如是我李某人戰死之後，諸位再接手不遲。」

他和陶玉已經動手惡鬥過一次，心中實無勝他的把握。

聞公泰突然一揚右腕，一片金丸，破空向陶玉打去，口中高聲喝道：「陶玉，老夫要以我華山派八十一招伏魔杖法，先領教閣下歸元秘笈的絕學。」

陶玉冷笑一聲，右手腕一抬，金環劍迅快出鞘，揮手一擋，一陣叮叮咚咚之聲，那飛向陶玉的金丸盡爲金環劍擊落。

聞公泰長嘯一聲，疾躍而起，直向陶玉衝了過去。

陶玉冷笑一聲，道：「你要找死，那也是沒法子的事。」

舉劍一揮，幻起一片劍光，護住了全身。

這時，聞公泰手中的青竹杖，化成一片青光，直向陶玉當頭罩落，竹杖和金環劍相接，響起了一片卜卜之聲。

聞公泰飄落實地，這一記硬攻，並未佔得半點便宜。

陶玉金環劍回腕反擊，連攻八劍。

聞公泰被迫得手忙腳亂，青竹杖左封右擋，連退了四五步，才算把一陣急攻讓開。

靜玄道長長劍一振，道：「聞兄，讓貧道試試他的劍法。」

長劍揮動，閃起兩朵劍花，分取陶玉前胸兩大要穴。

陶玉金環劍斜裏推出，鐺的一聲，硬把靜玄道長的長劍封開，回手反擊過去。

他出手劍招，詭奇絕倫，靜玄道長被迫得連連後退，毫無反手之力。

天宏大師沉聲喧了一聲佛號，道：「歸元秘笈上的武功，果然非凡，老衲亦當領教幾招。」伸手從隨行僧侶手中取過一柄禪杖，揮杖攻去。

靜玄道長一收長劍，退了下去。

天宏大師內功深厚，手中禪杖又十分沉重，揮杖猛攻，帶起了一片嘯風之聲。

陶玉不敢以金環劍硬架天宏大師那沉重的禪杖，一時間被迫得只有招架之功，而無還手之力。

天宏大師一口氣攻出了一十二杖，都被陶玉奇奧的劍勢，化解開去，陶玉雖然沒有還手，但亦未敗退。

只待天宏大師一口氣將一十二杖施完，陶玉才展開反擊。

一連三劍，迫得天宏大師連退三步，只覺他劍招奇幻，若點若劈，不知如何封架才好。

李滄瀾大喝一聲，揮動龍頭拐，當頭劈下，口中大聲喝道：「大師請讓老朽試試那歸元秘笈上的武功。」其實他還未開口，龍頭拐已然當頭擊落。

陶玉舉劍一點龍頭拐，道：「你如戰敗之後，在下倒還想不出還有誰來接你。」

李滄瀾冷冷說道：「這倒不用你來擔心……」拐勢一轉，一招「橫掃千軍」攔腰掃去。

陶玉冷笑一聲，金環劍突出奇招，連攻十餘劍，把個李滄瀾迫得連退數步。

他劍勢一收，冷笑道：「怎麼樣？還要不要再……」

話還未完，突聞長空鶴唳，一隻巨鶴，由高空直落深谷。

鶴背上站著一位容色絕世的女子，正是那天機石府的朱若蘭。

場中群豪大都認識朱若蘭，齊齊欠身作禮。

朱若蘭舉手輕揮，道：「諸位久違了。」目光轉注到陶玉身上，道：「陶玉，你還認識我

麼？」

陶玉冷冷笑道：「朱若蘭，你就是化成灰，我也一樣認得。」

朱若蘭臉色一片冰冷，望了陶玉一眼，道：「你可是自信能夠勝得了我麼？」

陶玉道：「在下自信不致落敗。」

朱若蘭道：「那歸元秘笈上所載武功，並非是武學極致……」

陶玉哈哈一笑，道；「就算是能有一個人，創出比那歸元秘笈上記載的武功更上一層，但那人決不會是你朱若蘭。」

朱若蘭長長呼了一口氣，伸手撿起了玉簫仙子留在地上的玉簫，目注陶玉冷冷說道：「大約你自負已是當今世中第一高手了，才這般猖狂不馴，我就用這玉簫，試試你這幾年的武功進境如何？」

陶玉看她神態從容，似有成竹在胸一般，心中暗自忖道：這些年來，朱若蘭一直息隱於天機石府，聽說在埋首精研武功，不知她學有什麼絕技，倒要小心一些才是。

他有生之年，被朱若蘭連傷了數次，心中對她最恨，但也最怕。

朱若蘭手舉玉簫，緩緩向前行了兩步，環顧群豪一眼，道：「諸位請退開一些。」

李滄瀾、聞公泰、天宏大師等，都對朱若蘭敬重異常，聞聲而退。

陶玉口中雖是強硬，但心中對那朱若蘭卻有著一種莫名的畏懼，手中金環劍，暗中運氣，卻是凝立不肯出手。

朱若蘭亦似是有所顧慮，凝神橫簫，不肯先行出手。

雙方對峙了一刻功夫，陶玉突然一收長劍，道：「朱若蘭，我有幾句話，必得先行說明。」

朱若蘭道：「什麼話？」

陶玉道：「除了楊夢寰爲我生擒之外，我還生擒了趙小蝶。」

朱若蘭道：「我早知道了。」

陶玉道：「還有那沈霞琳自動歸附於我，而且已向楊夢寰討來休書，恢復了自由之身，隨時可和我陶玉結成大婦。」

這消息卻使朱若蘭震駭不已，但她外形間，仍然保持著鎮靜，冷冷說道：「有這等事麼？」

陶玉道：「你可是不信。」

朱若蘭道：「你陶玉說得天花亂墜，我也是有些不信，除非是那沈霞琳親口告訴我。」

陶玉格格一笑，道：「那也並非什麼難事，只要你敢和我一起去見那沈霞琳。」

李滄瀾道：「朱姑娘，不能答應他，這人詭計多端，不敢和你單獨動手，卻想把你誘入埋伏的地方去。」

朱若蘭道：「晚輩知道，有勞費心。」

陶玉冷笑一聲，道：「怎麼？你們可是不信我的話麼？」

朱若蘭答非所問的道：「你如是不肯先行出手，我只好得罪了。」

陶玉暗中提聚了一口真氣，舉起金環劍，緩緩刺了過去。

這一劍緩慢異常，就是一個平常之人，也是十分容易的避開一劍。

但天宏大師等，卻是看得暗暗驚心，發覺了陶玉這一劍，勢道雖緩，但卻籠罩了朱若蘭前胸小腹間十幾處大穴。

朱若蘭肅立，恍如不見，手中玉簫垂指地面

陶玉手中的金環劍，距離朱若蘭尺許左右時，突然加快，劍芒一閃，電光石火，刺向朱若蘭前胸。

朱若蘭嬌軀一側，險險避開一劍，玉簫也同時出手，由下面翻了上來，指襲向陶玉肋間。

陶玉金環劍本來還有惡毒的變化，但卻被朱若蘭那攻其要害的一簫，迫得向後倒躍而退。

朱若蘭道：「數十年不見，你也不過是這點成就而已。」

玉簫起處，若點若劈的攻出一招。

陶玉斜跨兩步，反腕擊出一劍。

天宏大師等只瞧得暗自驚心，只覺陶玉跨這兩步，方位、距離、恰當無比，不論朱若蘭手

中玉簫如何出手，都無法再攻陶玉。

只見朱若蘭仰身向後退了兩步，避開陶玉一劍，也未出手反擊。

陶玉冷冷說道：「朱若蘭，你在天機石府中，苦苦思索，習練武功，想不到竟和昔年上一樣，未見進展何在。」

朱若蘭冷然一笑，手中玉簫，突然一緊，連攻四招。

這四招脈絡而下，一氣呵成，攻得快速異常。

陶玉避開三招之後，抬劍一封，鐺的一聲，擋開玉簫，揮劍還擊。

這一次，劍勢迅速，展開快攻，金環劍寒芒閃爍，幻起了無數劍花，把朱若蘭圈入了一片劍光之中。朱若蘭手中玉簫，隨著陶玉攻來劍勢，忽上忽下，封擋陶玉劍勢，一連數十招竟未反擊一招。

李滄瀾等觀戰之人，只瞧得替她擔心不已，只覺陶玉劍招攻勢，愈來愈奇，朱若蘭卻有著應接不暇模樣。

天宏大師低聲對靜玄道長道：「看來那歸元秘笈上記載的武功，果非凡響，如若朱姑娘也不是那陶玉敵手，當今之世，只怕再無勝過他的人了，如若那朱姑娘敗在陶玉手中，除魔衛道，那也不用再計小節了。」

靜玄道長是何等人物，如何會聽不懂天宏大師的弦外之音，當下說道：「好！貧道先以五行劍陣鬥他，如是不支落敗，大師再率同來高手接戰。」

這時，陶玉的攻勢更見凌厲，劍勢如排山倒海而下，朱若蘭被圈在一片劍光之中。

李滄瀾手中龍頭拐，已準備隨時出手接應。

八臂神翁聞公泰，手中控制一把金丸，亦準備隨時接應朱若蘭。

群雄正自擔心間，場中情勢，突然一變。

只見朱若蘭玉簫揮動，展開反擊，招招都和那陶玉出手劍勢相反。

這正是朱若蘭五年來，深居天機石府，苦苦思索，習練的武功。

要知那「歸元秘笈」上記載之學，乃天機真人和三音神尼，兩大武林絕才，合錄生平心得之學，聰明如朱若蘭者，也無法在二十年內，悟出一種武功，來克制那歸元秘笈上的武功，但她智慧奇高，從那趙小蝶口中，得知「歸元秘笈」全貌之後，已自知在二十年內，無法悟出勝過兩位高人合錄的絕世武功，靈機一動，參照那「歸元秘笈」上記載，招招都以相反的手法出之，有那「歸元秘笈」錄記的武功作爲藍本，習來自較容易，窮數年心智，習成絕技。

陶玉每一劍的變化，都在朱若蘭預料之中，朱若蘭雖是無法破解，卻可先作閃避的準備，但朱若蘭的反擊之勢陶玉卻是無從瞭解。

頃刻間，優劣易勢，陶玉奇奧莫測的劍勢，已被朱若蘭反擊壓制，迫得他手忙腳亂，應接不暇。

天宏大師低聲讚道：「這朱姑娘，可算當世中第一人才了……」

餘音未絕，突然朱若蘭嬌聲叱道：「放手！」玉簫幻起一片簫影，點向陶玉右腕。

陶玉手中金環劍，已爲玉簫所困，施展不開，如不棄劍，勢必要傷在玉簫之下，兩者相

衡，撤手棄劍，疾縮右腕，避開一擊。

朱若蘭一收玉簫，停手說道：「陶玉，你如想留下性命，唯有放了楊夢寰……」

只聽一聲大喝，由峰腰傳下來，道：「你如敢再妄動一下，我立刻殺了楊夢寰。」

群豪抬頭望去，只見王寒湘手執長劍，架在楊夢寰頸上，出現在峰壁中間一塊突出的大巖上，目注谷中群豪。

陶玉突然格格一笑，道：「楊夢寰有著很多作用，既可用作擋箭，又可用來救命。」

朱若蘭冷冷說道：「陶玉，就算今日被你逃過，日後我隨時可以殺你。」

陶玉笑道：「那是以後的事了，以後再說吧！」緩步走到了飄垂繩索之處，一提真氣，縱身而起，抓住長索，道：「朱姑娘多多保重，在下去了。」

群豪不敢亂動，眼看陶玉緣索而上，直登峰頂。

李滄瀾輕輕一頓手中龍頭拐，道：「畜生，可惡得很。」

朱若蘭微微一笑，道：「事已如此，諸位急恨無益，必得冷靜下來，研商出一個對敵之策才好。」

聞公泰道：「我等早已力窮智竭，還得姑娘想個辦法。」

朱若蘭道：「陶玉自信已把諸位困在此地，但他忘了我朱若蘭有一巨鶴，諸位可乘鶴直登峰頂。」

天宏大師道：「咱們脫圍有計，但仍是救人無策。」

朱若蘭道：「這個賤妾自有安排，大師不用費心了。」

舉步行向玉簫仙子，扶起她的身子，伸手拍在她被點的穴道之上。

玉簫仙子長長吁一口氣，睜開了雙目，望了朱若蘭一眼，急急站起身子，道：「姑娘……」

朱若蘭搖搖手道：「不用多禮了……」突然放低了聲音，低言數語。

群豪只見她口齒啓動，不知她說的什麼。

玉簫仙子點點頭，未再答話，閉上雙目，盤膝而坐，運氣調息。

朱若蘭環顧了群豪一眼，道：「諸位可都帶有食用乾糧麼？」

聞公泰道：「老朽未帶，靜玄道長縱然帶有乾糧也不過可供一兩日的食用。」

朱若蘭望望天色，道：「只要有得一兩日，那就行了……」語聲微微一頓，道：「諸位請取出乾糧，飽餐一頓，然後閉上雙目，運氣坐息。」

聞公泰道：「老朽既無饑餓之感，又無睏倦之意，姑娘如有差遣，老朽願爲先驅。」

朱若蘭道：「聞掌門人內功雖然深厚，但亦不可大意……」冷電一般的眼神，緩緩由李滄瀾和聞公泰等臉上掃過，接道：「諸位最好能先進些食用之物，再行坐息一陣，待諸位坐息醒來，賤妾還有事和諸位相商。」

原來聞公泰和天宏大師等，日夜兼程，趕來此地，又被陶玉遣人誘入絕地，始終未得休息，朱若蘭目光如炬，已然瞧出幾人眉宇之間隱隱帶有睏倦之色，陶玉在這百丈峰中，集結大部高手，隨時可能展開一場激烈的惡戰，李滄瀾等人功力深厚，此刻尚覺不出什麼，如若一旦

展開惡戰，睏倦未復之身，行功上必將大打折扣，對實力影響甚大，是以，不惜迫令群豪進些食用之物，和靜坐調息。

群豪聽朱若蘭之言，只好取出乾糧，分別食用，然後盤坐調息。

群豪這一陣調息靜坐，足足耗去了數個時辰，直到深夜二更，群豪才相繼醒了過來，朱若蘭眼看群豪盡皆清醒，才緩緩說道：「諸位可覺著體能盡復了否？」

天宏大師道：「不錯，已覺得出睏倦盡消。」

朱若蘭道：「那很好……」目光炯炯，環顧了四週一眼，接道：「請位雖然身處絕地，但據賤妾觀察，這片絕谷中，尚無什麼惡毒的埋伏，谷底遼闊，四面絕壁間，縱然埋伏有強弩硬弓，只要諸位不強行攀登，也是無法傷得諸位，那陶玉唯一能夠制服諸位之法，就是派遣高手，輪番入谷，和諸位惡鬥，使諸位體力消耗過多，不支而敗，因此諸位必得隨時藉機坐息，保持充沛的體能……」

靜玄道長道：「朱姑娘說得不錯，可笑我等竟未思慮及此。」

朱若蘭輕輕歎息一聲，道：「據賤妾觀察所得，陶玉經營這座百丈峰已經耗費了不少時日，只是那時他未曾想到能把諸位引入這片絕地，故而未在絕地設伏……」

聞公泰突然開口接道：「那陶玉雖未在此設下惡毒埋伏，但我等也不能長居於此。」

朱若蘭道：「不錯，但出此絕谷的時間，賤妾卻難作預言，也許一天半日，也許要三五日後，那出口兩側，埋伏甚多，天險難渡，未除兩側埋伏之前，不宜強行闖出。」

玉簫仙子突然站起身子低聲對朱若蘭，道：「姑娘，賤妾已然調息復元。」

朱若蘭點點道：「好……你走吧……」

玉簫仙子欠身對朱若蘭行了一禮，跨上鶴背，巨鶴展翼而起，破空直上。

只見那巨鶴兩翼扇動的大風，吹得草動衣飄，眨眼間，消失於夜色之中不見。

天宏大師望著玉簫仙子乘鶴消失的夜空，自言自語，道：「老衲忘記了一件事。」

朱若蘭道：「什麼事？」

天宏大師道：「敝派尚有二批人手趕到……」

朱若蘭接道：「這個我已要那玉簫仙子派人通知，不讓他們再中陶玉之計，集聚於絕谷中來，留在谷外待機進攻，以收裏應外合之功。」

李滄瀾道：「咱們帶的食用之物，只怕難再維持一日，如是三五日才得出谷，饑餓之下，豈不是要大減體能？」

朱若蘭道：「這個晚輩也想到了，那玉簫仙子將會及時送來食用之物。」

聞公泰道：「若陶玉不再理會咱們，咱們豈不要長守在此絕谷之中？」

朱若蘭道：「諸位和賤妾，都是他眼中之釘，背上芒刺，不能收爲己用，必除之而後快，決不會不理咱們。」

天宏大師道：「老衲有一破敵之策，不知朱姑娘意下如何？」

朱若蘭道：「老禪師儘管請說。」

天宏大師道：「姑娘那巨鶴，可以載人，滿天飛翔，何不把我等盡皆運上懸崖，和那陶玉

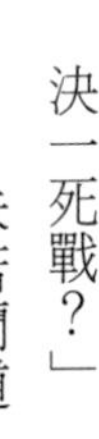

決一死戰？」

朱若蘭道：「眼下情勢，已不是我們能否勝得陶玉，而是楊夢寰的生死，如是咱們強迫那陶玉出手，他令屬下以楊夢寰的生死作爲要挾，只怕諸位都無法打下去，那時只有兩條路可走，一是甘心聽那陶玉擺佈，爲其收用，一是自絕而死，以求心安。」

靜玄道長道：「照姑娘這般說法，咱們只有坐以待敵了。」

朱若蘭道：「不錯，因此賤妾要奉勸諸位，沉著一些，除非另有變化，賤妾想諸位留此至多三日左右……」

只聽聞公泰叫道：「一盞紅燈。」

抬頭看去，夜色中，絕壁間，果然伸出一盞紅燈。

王寒湘站在一個突出石巖上，高聲說道：「敝幫主請朱姑娘一人登峰。」

靜玄道長道：「那陶玉詭計多端，朱姑娘不可一人涉險。」

朱若蘭道：「不要緊。」緩步行到懸崖之下，高聲說道：「如何攀登削壁？」

王寒湘垂下一條長索，道：「緣索而上。」

朱若蘭低聲對群豪說道：「諸位不可輕舉妄動。」伸手抓住繩索，緣索而上。

她功力超人，身輕如燕，片刻間已然緣到王寒湘停身突巖處，登上突巖，鬆去繩索。

王寒湘心中對朱若蘭存有甚深的畏懼，不由自主的向後退了兩步。

朱若蘭冷笑一聲，道：「王寒湘，你仍助紂爲虐，總有一天報應臨頭……」

王寒湘輕輕咳了一聲，接道：「敝幫主現在洞中候駕。」

朱若蘭抬頭看去，只見那突出的巖石後壁上，有一座天然的石洞，燈光隱隱，由洞中射了出來。

王寒湘一側身，靠著巖壁而立，說道：「朱姑娘請。」

朱若蘭暗運內功，全身滿布罡氣，緩步向前走去。

深入約二丈左右，石洞豁然開朗，形成了一座天然的石室。

朱若蘭目光微微轉動，打量了石室一眼。大約有三間房子大小。

石室中紅燭高燒，陶玉端坐在一張木椅之上，朱若蘭兩道冷電一般的眼神，巡視在陶玉臉上，冷冷說道：「你膽子不小，敢在這等絕地，約我相見。」

陶玉神情冷峻，緩緩說道：「在下相信朱若蘭不是那等冒昧的人。」

朱若蘭道：「花言巧語，別在我面前賣弄，找我有什麼事，可以說了。」

陶玉一指身前五尺外一張木椅，道：「朱姑娘請坐。」

朱若蘭道：「不用了，有什麼話，快些說吧！」

陶玉道：「我陶玉把天下高手，大都誘來這百丈峰上，準備一網打盡……」

朱若蘭冷笑一聲，道：「只怕你心餘力絀，結局要大失所望。」

陶玉道：「如無你朱若蘭從中作梗，在下確信能一舉盡殲找上這百丈峰來的高手。」

朱若蘭道：「可是現在我已經來了。」

陶玉道：「所以在下請姑娘來此一談，如若是姑娘退出百丈峰，不問此事，不論姑娘提出什麼條件，咱們都可以商量。」

朱若蘭冷笑一聲，道：「提出來諒你也不敢答應。」

陶玉道：「只要在情理之內，我陶玉決不推托。」

朱若蘭道：「放了趙小蝶和楊夢寰，我朱若蘭立刻退出此地。」

陶玉道：「放出他們，天下英雄也不會再上百丈峰來，我陶玉一番心血就白費了……」他語聲微微一頓，接道：「人是可以放，不過不是此刻，而是要待我廢去他們的武功，但姑娘可以放心，楊夢寰除了武功被廢之外，其他決無損傷……」

朱若蘭冷笑一聲，接道：「別說我不會答應，就算我能答應，也不能信任你這種人。」

陶玉道：「如果堅持不肯退出，我陶玉亦有逼你退出此地之策。」

朱若蘭道：「你能威脅天下英雄的不過是殺死楊夢寰，但你可知道，楊夢寰如若真的死去，天下英雄心中都無顧慮，可以放手和你一拚了。」

陶玉突然格格大笑一陣，道：「眼下除了你朱若蘭，我再想不出當今武林中，還有何人能是我陶玉手下百合之將。」

朱若蘭道：「如是我此刻出手搏殺你，你能躲向何處？」

陶玉道：「我如無備，也不會約你來了。」

朱若蘭道：「我不信你的話。」

陶玉道：「聽我良言相勸，否則一步失錯，百年大憾。」

朱若蘭目光緩緩轉動，四下打量了一眼，道：「如若你當真的有所準備，我很想見識一下……」口氣一變，冷冷說道：「一盞熱茶工夫之內，你如是還沒有什麼使我朱若蘭停手的理由，今日就是你陶玉死亡之期。」

陶玉微微一笑，神態從容的說道：「自然是有了，姑娘先請坐下，再看不遲。」

朱若蘭依言坐了下去，道：「陶玉，你變得沉著多了。」

陶玉道：「誇獎、誇獎。」揚起右手一揮，石壁間突然裂現出一座石門。

朱若蘭凝目望去，只見一形如陶玉的少年，手中舉著一把匕首，指在楊夢寰的背心之上。

楊夢寰閉目坐在一張木凳之上。

但聞陶玉格格一笑，道：「他手中的匕首，乃是經過劇毒淬煉之物，只要刺破楊夢寰身上肌膚，強如你朱姑娘，也是無能施救。」

朱若蘭鎮靜了一下心神，道：「那人是誰？」

陶玉道：「我陶玉化身弟子之一。」

朱若蘭道：「形貌頗有你陶玉之像，但不知心地如何了？」

陶玉道：「自然和我一般心狠手辣，才當得我陶玉化身弟子。」

朱若蘭雙目凝注在楊夢寰身上，道：「他是怎麼了，被你點了穴道，還是受了重傷？」

陶玉格格一笑，道：「楊夢寰用途正大，我陶玉何忍傷他。」

朱若蘭兩道眼神，一直在楊夢寰和那手執匕首的弟子身上打量，心中暗作盤算道：我如突然間發出天罡指力，一舉把那執刀弟子點倒，再以迅雷不及掩耳的手法，在那石門未閉之前，搶回楊夢寰，然後出手對付陶玉。

她暗估自己的力量，此事大是可以做到，只不過有三分危險罷了，如那陶玉化身弟子避開了天罡指力，或是擊而未中要害，他還有著反擊之能，楊夢寰勢必要傷在那淬毒匕首之下。

她想來想去，始終不敢出手。

但聞陶玉大笑說道：「看夠了麼？我陶玉已經留給你出手的機會。」

朱若蘭冷冷說道：「我總有救他脫難之日。」

陶玉淡淡一笑，道：「那是後話了，此刻咱們該談談眼下大事。」

朱若蘭道：「什麼事，你說吧……」

陶玉道：「在於這楊夢寰……」

朱若蘭冷笑一聲，接道：「那楊夢寰的生死，也不能威脅我朱若蘭聽你之命。」

陶玉突然舉起右手一揮，那裂開的石門，突然間重又關閉。

朱若蘭微微一皺眉頭，道：「你經營這百丈峰，花去了不少時間。」

陶玉笑道：「不錯，各處的機關布設，沒有三年以上時間決難完成……」他望望左膝，接道：「姑娘打碎了我的膝間骨頭，至今未能復元，我查遍了歸元秘笈，尚未能找出療救之法。」

朱若蘭道：「當年不是那楊夢寰對你太好，就算你有上十個陶玉，我也結果了你。」

陶玉道：「因此在下也不忍殺那楊夢寰，就把他交給姑娘……」

朱若蘭道：「用不著交給我，他上有父母，下有妻妾，自有人會照顧他。」

陶玉先是一怔，繼而淡淡一笑，道：「這些人都是爲救楊夢寰而來，但你朱若蘭不是了？」

朱若蘭臉色一片冰冷，心中暗暗忖道：無論如何不能讓他瞧出我的弱點。口中淡然一笑，道：「楊夢寰、趙小蝶，不論他們哪一個有危險、苦難，我都該出手相助，何況是他們兩個人，都被你陶玉擒住。」

陶玉自負機智過人，察顏觀色之能，更是人所難及，但對朱若蘭卻無法料斷，心中暗作盤算道：這朱若蘭五年中一直未離開天機石府，楊夢寰也未到天機石府去探望過她，以這朱若蘭的性格，決然不肯在楊夢寰有了李瑤紅、沈霞琳之後，還肯下嫁他，縱然有情，但經過五年的時間，只怕早已經冷淡下來了……心念一轉，也不知是喜是愁，臉上神色隨著心念變化，忽喜忽憂。

朱若蘭也在暗中觀察陶玉，看他神情，喜憂不定，心中亦是大爲奇怪，暗道：這人在鬧什麼鬼？

但聞陶玉重重咳了一聲，道：「朱姑娘，你既然對那楊夢寰情意早淡，在下倒想和朱姑娘研商一樁事。」

朱若蘭冷冷說道：「不用談了。」站起身子，轉身向外行去。

陶玉格格一笑，道：「石門早已關上，姑娘武功再高，也無法破壁而出。」

朱若蘭道：「好，既無法破門而出，只好先收拾你了。」揚手一指，點了過去。

陶玉笑道：「天罡指力！」一躍避開。

朱若蘭欺身搶攻，倏忽之間，已拍出八掌，踢出四腿。

陶玉一直不肯還手，縱身躍避，讓開了朱若蘭一輪猛攻，道：「朱姑娘暫請住手。」

朱若蘭看他閃避身法，果然大都是那「歸元秘笈」上記載之學，心中暗道：看將起來，他確已把那「歸元秘笈」研讀的十分嫻熟。

她心中念轉，人卻停了下來，冷冷說道：「你爲何不出手還擊？」

陶玉道：「在下請姑娘來此，並無和姑娘動手之意。」

突然舉步，向山洞外面行去。

朱若蘭冷冷喝道：「站住！你要到哪裏去？」

陶玉道：「我要你和那楊夢寰談談。」

朱若蘭怔了一怔，還未來得及再問，陶玉人已藉機出了石室，朱若蘭向外追去，將近洞口處，突然砰然一聲，一道鐵板，由上面落下，把洞口堵了起來。

朱若蘭暗暗忖道：我早該想到他有了埋伏才是。

她雖然被堵在這山洞之中，但卻十分鎮定，毫無慌亂之情，伸手推了那落下的鐵門一把，緩緩轉過身子，重入石室。

這時，石室中只餘下了朱若蘭一個人，一角紅燭熒熒，使人倍增淒涼孤獨之感。

突然，石壁間響起了一陣輕微的軋軋之聲。

抬頭看去，只見石壁間開裂出一個方形窗口，露出楊夢寰一個頭來。

朱若蘭鎭靜一下心神，緩步走了過來，道：「楊夢寰。」

燭光明亮，可清晰瞧出楊夢寰的五官，只見他微微啓動一下緊閉雙目，望了朱若蘭一眼，慘然的一笑。

朱若蘭一咬牙，問道：「你受傷很重麼？」

楊夢寰似是不能開口說話，微一點頭。

朱若蘭鎭靜了一下心神，高聲說道：「陶玉，你點了他的啞穴，使他有口難言，我如何和他說話呀？」

大約過了一盞熱茶時光，仍未聞陶玉回答之言。

朱若蘭正待再問，忽見楊夢寰口齒啓動，緩緩說道：「朱姑娘，不用管我的生死了，搏殺陶玉，爲武林除害。」

朱若蘭強自控制著心中激動的感情，緩緩說道：「放心吧！我一定會救你出來……」

楊夢寰接道：「不要中陶玉的圈套，他決不會放過我，何苦白費心機。」

朱若蘭只覺真情激盪，明媚的雙目中，湧現出兩眶晶瑩的淚珠，緩緩說道：「天下英雄大都已趕來百丈峰上，這一戰陶玉勝算很小……」語音微頓，改用傳音之術說道：「要好好的活下去，爲了你那年邁的雙親，爲了李瑤紅，爲了琳妹妹，爲了我，別太固執，江湖雖多險詐，但有時不妨通權達變。」

楊夢寰兩道眼神凝注在朱若蘭的臉上，未待回答，突聞一聲冷笑傳來，道：「兩位談夠了吧！」

那裂開的窗口，砰然一聲，關了起來。

朱若蘭流目四顧，強自忍下心中怒火，一語不發，舉手在石壁間敲了一陣。

只聽一陣格格大笑之聲傳了過來，道：「朱若蘭，你可是打算破壁而出麼？」

朱若蘭目光緩緩轉動，四下搜望了一遍，不見那發話之人，冷笑一聲，說道：「陶玉，為什麼不出來和我談判？」

陶玉道：「姑娘不用慌，在下總有和姑娘相會之時，不過……」

朱若蘭淡淡一笑，道：「不過怎麼樣？」

陶玉道：「那時姑娘只怕不會有此刻的倨傲之情了。」

朱若蘭心中雖然氣憤難耐，但她仍然強自忍了下去，裝作一副平靜神情，淡淡一笑，不再言語。

她心知在這石壁四面，陶玉定然設有暗洞，自己的一舉一動，都無法逃過別人的監視。

朱若蘭表面上雖然鎮靜如恆，但內心之中，卻是紛亂異常，正苦苦思索著脫身之法。

突然石門呀然，一股冷風吹了進來。

朱若蘭心中一動，暗道：我如以不及掩耳的舉動，也許可以衝出門去。

一陣微微的震動傳了過來，想是那裂開的石門，重又關了起來。

緊接著傳來一陣陣步履之聲。

朱若蘭抬頭看去，只見沈霞琳空著雙手，未帶兵刃，白衣飄飄的走了過來。

沈霞琳似有著無限心事，舉步落足間，十分沉重。朱若蘭輕輕咳了一聲，道：「琳妹妹

……」

沈霞琳自從進得石室之後，一直未抬頭瞧過，只待聽到那呼叫之聲，才停下腳步，抬頭看去，但見朱若蘭神情鎮靜的站在身前，她雖然親目所見，但仍是有些不信，揉揉眼睛，仔細瞧了一陣，才高聲叫道：「蘭姊姊。」兩行清淚，奪眶而下。

朱若蘭伸手握住沈霞琳的右腕，道：「不要哭，有話慢慢告訴我。」

沈霞琳抬起右手，用衣袖拭去臉上淚痕，說道：「怎麼，姊姊也被那陶玉困在此地了麼？」

朱若蘭笑道：「不要緊，他不能傷我。」

沈霞琳歎道：「我上了陶玉的當，他答應放了寰哥哥，但他卻一直在騙我。」

朱若蘭臉上神色微變，但仍然鎮靜說道：「不要慌，慢慢告訴我。」

沈霞琳道：「唉！爲了要救寰哥哥，我答應改嫁給陶玉爲妻……」

朱若蘭一皺眉頭，欲言又止。

沈霞琳望了朱若蘭一眼，接道：「因此我逼寰哥哥寫下休書。」

朱若蘭氣得歎息一聲，道：「楊夢寰答應你了？」

沈霞琳道：「陶玉講給寰哥哥聽，寰哥哥不肯相信，我說是我的主意，寰哥哥才肯在休書上打下手印。」

朱若蘭道：「以後呢？」

沈霞琳道：「陶玉答應我放了寰哥哥，但他一直未履諾言，騙了我，也騙了寰哥哥……」

她突然放低了聲音，接道：「我本想找機會刺殺陶玉，但又怕他們殺了寰哥哥以作報復，因此不敢下手。」

朱若蘭道：「這顧慮一點不錯……」

只聽陶玉的聲音由石壁一角傳了過來，道：「朱若蘭，適才咱們談判的事，不知姑娘意下如何?還望早作決定。」

朱若蘭目光流轉，四顧一眼，冷冷道：「陶玉，你可是想威嚇我麼?」

陶玉格格一笑，道：「不是威嚇，如是姑娘不肯答應，留下姑娘，終是禍患，我陶玉就只好施下毒手把姑娘結果在石室中了。」

朱若蘭道：「怎麼?你可是認爲一定能夠殺得了我?」

陶玉道：「我不會和你正面動手，各以武功拚個生死出來，我要施放毒煙，把兩位活活熏死於這石室之中。」

朱若蘭冷笑一聲，道：「你可是認爲朱若蘭就這樣容易被困於此麼?」

陶玉道：「咱們就試試看吧!」

聲音甫落，石壁一角立時有濃煙冒了出來。

這石室不過兩間房子大小，那濃煙來勢又猛惡異常，片刻之間，石室中煙氣瀰漫，兩目難睜。

朱若蘭盤膝坐下，低聲對沈霞琳道：「快坐下。」

沈霞琳依言坐下去，道：「蘭姊姊，咱們不能就這般束手待斃，要想法子反抗才是。」

朱若蘭道：「快些運氣調息，盡量設法閉住呼吸，姊姊自有對敵之策。」

這時室中的濃煙，更是濃烈，那熒熒火燭，在濃煙下一片淒迷。

沈霞琳雙目在煙熏之下，淚水奪眶而出。

朱若蘭伸手握著沈霞琳的右手，說道：「琳妹妹，快些閉上雙目，盡量閉住呼吸，其他的事，都由姊姊負責，陶玉這法雖然惡毒，但卻傷不了咱們。」

在濃煙瀰漫中，沈霞琳已然無法開口，只緊握著朱若蘭的手，代表了答覆。

沈霞琳雖然盡量使用內息之法維持體能，保持著神智的清醒，但室中濃煙，愈來愈強，已到了非人所能忍受的地步，逐漸感到無法忍耐。

且說當朱若蘭和沈霞琳困在石室之中，被陶玉所放毒煙熏得無法忍耐之時，那石壁間，窗口忽然重開，陶玉伸出腦袋，凝目向室中望去。

室中濃煙過密，景物難見。

大約陶玉還未真的存心想活活把朱若蘭和沈霞琳熏死，一面發動機關，停止濃煙再向室中湧入，一面打開了通向外面一個窗口。

雙管齊下，奇效立見，片刻間室中濃煙大減，景物清晰可見。

陶玉重重咳了一聲，道：「朱若蘭，這煙熏的滋味如何？」

朱若蘭內功精深，且內息功已可維持體能，這一陣濃煙熏烤，並未使她受到傷害，但她卻

故意裝作不聞，似是受到了很重的傷害一般。

她心中明白，此時此刻已非是恃強好勝的時刻，而是鎮靜鬥智，保持著體能、武功，等待著脫出危險的機會。

陶玉一連呼叫了數聲，始終不聞朱若蘭回答之言，不禁格格一笑，道：「怎麼了？兩位可都是無能說話了麼？」

只見沈霞琳睜開眼，望了陶玉一眼，又緩緩把目光凝注朱若蘭的臉上，口齒啓動，還未發出聲音，人卻一跟頭，栽倒地下。

陶玉心中一震，厲聲喝道：「朱若蘭，沈霞琳中了煙毒麼？」

朱若蘭啓動雙目，望了沈霞琳一眼，道：「大概是吧！」立時又閉上了眼睛。

陶玉道：「朱姑娘如何呢？」

朱若蘭暗暗罵道：「這次如若有殺你的機會，決不再放過你了。」心中念轉，口裏卻不言語。

但聞陶玉格格一笑，道：「朱姑娘性情高傲，但不言不語，想是也已承受不住了。」

朱若蘭啓動星目，緩緩的望了陶玉一眼，仍不言語。

陶玉突道：「兩位姑娘都生得容色絕倫，妖嬈無儔，我陶玉手段雖辣，但也不忍心把兩位置於死地……」

語聲微微一頓之後，又道：「不過，如果情勢迫切，爲了大局，我陶玉也只好辣手摧花了。」

朱若蘭心中氣憤難耐，但她強自忍下，仍未答話。

陶玉道：「朱若蘭你此刻有如籠中之鳥，那也不用提什麼條件了，你如想留下性命，唯一之策就是自己先把武功廢去。」

朱若蘭暗暗忖道：他如停在石室之外，對他是毫無辦法，必得想個法子，先把他誘入室中才能制服他。

心中念頭一轉，倒身臥了下去，當作暈迷之狀，閉目不言。

陶玉冷笑一聲，道：「朱姑娘可是想我陶玉進入石室麼？」

朱若蘭緊閉雙目，不言不語。

陶玉突然探手從懷中摸出一把匕首，高聲說道：「朱姑娘小心了，在下這把匕首染有劇毒。」右手一揮，匕首疾如流星一般，直向朱若蘭左腿之上擊去。

朱若蘭暗中咬牙，雙目不睜，全憑聽風辨音之術，判斷那匕首飛擊之處，得知那匕首擊向左腿處，立時靜臥不動。

只聽咋的一聲，匕首刺入朱若蘭左腿之大腿上，鮮血汩汩而出。

朱若蘭心知能否誘得陶玉進入石室，這是唯一機會，當下苦撐不語。

陶玉眼看那匕首擊中朱若蘭後，仍不見有何反應，不禁膽子一壯，暗道：她練有護身罡氣，如若人未暈迷，這匕首卻難刺入她大腿之中，此女美艷絕倫，置她於死地未免可惜。

一時色心大動，推開機關控制的暗門，緩步行入石室。

這時石室中濃煙漸稀，燭火明亮，景物十分清晰。

陶玉緩步行到朱若蘭的身側，格格大笑，道：「朱若蘭啊！朱若蘭，你萬萬想不到會有今天吧！我陶玉先享受下你和沈霞琳美麗的胴體，再殺你們不遲。」

此人心機深沉，口中雖然說得難聽之極，但始終離那朱若蘭兩尺左右，不肯太過逼近，兩道目光一直盯注在朱若蘭的臉上，準備應變。

只見朱若蘭星目緊閉，始終不發一言，渾如未聞。

廿三　擒賊擒王

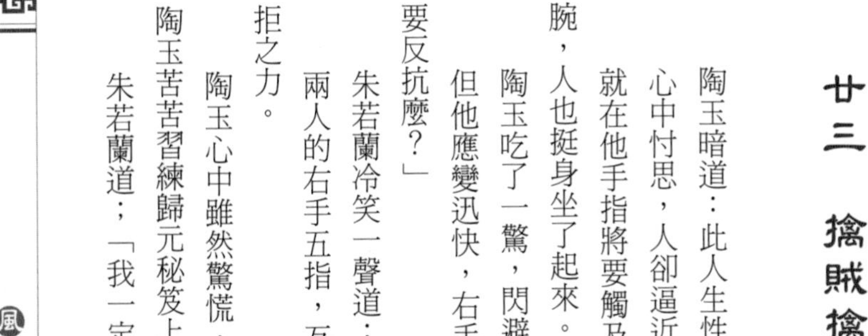

陶玉暗道：此人生性高傲，我這般羞辱於她，她如未暈迷過去，決然不能忍受。

心中忖思，人卻逼近朱若蘭的身側，右手一探，點向朱若蘭腰間大穴。

就在他手指將要觸及朱若蘭的穴道時，朱若蘭突然一翻右手，快速絕倫的抓向了陶玉的右腕，人也挺身坐了起來。

陶玉吃了一驚，閃避不及，右腕竟被朱若蘭一把扣住。

但他應變迅快，右手五指一翻，也緊緊抓了朱若蘭的右腕，冷冷說道：「此刻此情，你還要反抗麼？」

朱若蘭冷笑一聲道：「此刻此情，我才要盡我之能，取你性命。」

兩人的右手五指，互握著對方手腕，各自暗加勁力，希望能緊扣對方脈穴使對方失去了抗拒之力。

陶玉心中雖然驚慌，但人卻故做鎮靜的答道：「你朱若蘭大部份武功都來自歸元秘笈，我陶玉苦苦習練歸元秘笈上的武功，有五年之久，逼我全力出手，咱們鹿死誰手，還難預料。」

朱若蘭道：「我一定能夠勝你。」左手一抬，疾向陶玉前胸之上點去。

陶玉舉手封架，揮掌還擊。

兩人右手互扣對方脈穴，單用一支左手，各出奇招相搏。

陶玉一面封架朱若蘭的攻勢，一面縱聲長嘯。

朱若蘭知他這長嘯之聲，旨在招引助拳之人，左手攻勢，愈加猛惡。

她心知處境險惡，如若不能及時制服陶玉，不但自己性命難保，就是沈霞琳、楊夢寰恐怕都將身受牽累，趙小蝶已然爲階下之囚，如若自己傷在陶玉手中或爲陶玉所擒，他心中再無顧忌，必將放手大幹，整個江湖上，立時將掀起了一場血雨腥風。

陶玉武功進境奇速，每經一次搏鬥，武功就長進一次，朱若蘭攻勢奇幻，但他尚可勉強對付。

只聽一陣軋軋輕響，陶玉的四靈化身，各持金環劍，疾奔而出，團團把朱若蘭圍了起來。

玄武當先出手，舉手一劍，刺向朱若蘭。

朱若蘭左手攻勢不變，仍然指擊向陶玉要害大穴，右手猛然一帶，帶起了陶玉的右臂，直向金環劍迎去。

玄武急急抬腕收劍，及時而止。

這一來，四靈暫時不敢胡亂出手，執劍分占四方，等待機會。

那朱若蘭不但招術愈來愈見奇奧，而且攻出力道，也是愈來愈強，陶玉不敢稍分心神，想招呼四靈化身出手，卻是不敢說話。

經過一陣搏鬥之後，朱若蘭愈見鎮靜，內功漸增，陶玉不但在招術上被迫落下風，而緊握

朱若蘭脈穴的右手，亦覺出力道漸失，朱若蘭扣腕五指，有如五道鐵箍，愈收愈緊，陶玉又強行支撐片刻，終於不敵，只好鬆開五指。

朱若蘭暗中吁一口氣，五指增加了幾分勁力。

陶玉頓感右臂麻木，全身力道忽然失去，左手再無攻敵之能，軟軟垂了下去。

這時四靈化身似想一齊出手，揮劍攻上，但又怕對方傷了陶玉，各執長劍，一付進退不得的尷尬模樣。

朱若蘭冷笑一聲，道：「陶玉，你飛刀刺入我腿中的匕首，當真是有毒之物麼？」

陶玉道：「如若有毒，那也早該發作了。」

朱若蘭左手拔出刺入腿上匕首，就陶玉肩上，擦去血跡，匕首尖芒，指在陶玉咽喉之上，緩緩說道：「我已暗中想過了，如若再有殺你的機會，決不放過。」

陶玉道：「殺了我陶玉，你和沈霞琳也別想生離此室。」

朱若蘭匕首在陶玉喉間一挑，劃了一道血口，一行鮮血流了下來。

四靈化身驚叫一聲，齊齊攻上，四柄長劍，分由四個方向，攻向朱若蘭。

朱若蘭右手一帶陶玉，轉了大半周，用作盾牌，擋開了另一路攻來之劍，沉聲對陶玉喝道：「快叫他們退下去。」

陶玉環顧了四靈一眼，道：「你們退下去，如若這位朱姑娘殺了我，你們就把那楊夢寰和趙小蝶亂劍分屍，爲我報仇。」

四靈化身應了一聲，魚貫行至石室一角處。

只見當先一人，舉手在壁間一拂，立時裂現開一座石門。

朱若蘭留心觀察，把四人的一舉一動，全都看到眼中，記在心裏。

直待那石門闔合，朱若蘭才緩緩轉過臉來，冷冷對陶玉說道：「那歸元秘笈何在？」

陶玉笑笑道：「決不會收藏在我身上。」

朱若蘭道：「你爲人多疑，決不會把那本武學寶典，交於他人。」

陶玉道：「你若不信，儘管搜查。」

朱若蘭左手連揮，點了陶玉四肢主穴，緩緩鬆開右手，從懷中摸出一塊絹帕，包住傷處，道：「陶玉，記得你剛才說的話麼？你已然處於自我難保之境，那也不用提什麼條件了，聽我吩咐行事吧！」

陶玉四肢主穴被點，手足不能伸動，但神智清明，口還能言，冷笑一聲，道：「姑娘別忘了，那楊夢寰和趙小蝶，還在我陶玉手中。」

朱若蘭怒道：「你和我討價還價麼？」

陶玉道：「姑娘殺我之心，十分堅定，這點在下亦是深信不疑，但我死後，楊夢寰將被亂劍分屍，姑娘想必亦不懷疑了。」

朱若蘭望了倒臥地上的沈霞琳一眼，冷冷說道：「陶玉，你可是認爲以那楊夢寰和趙小蝶的生死，就可以威脅到我朱若蘭麼？」

陶玉淡淡一笑，道：「此時此情，咱們誰也不用施展詐謀狡計，那楊夢寰雖非你之夫，但他卻是你心目中的情郎，如若說他的生死和你朱若蘭完全無關，只怕你自己也不會相信……」

他冷冷的打量了朱若蘭兩眼，接道：「至於那趙小蝶，更是和你有著姊妹情誼，你身受她父母付托之重，自是不能看著她遭受亂劍分屍之慘。」

朱若蘭默然不語，垂首沉思。

陶玉接道：「以那楊夢寰和趙小蝶之死，換我陶玉性命，我陶玉死而何憾。」

朱若蘭長長吁了一口氣。道：「我如放了你，你可願意放了那趙小蝶和楊夢寰？」

陶玉格格一笑，道：「朱姑娘，你放了我陶玉，卻要楊夢寰和趙小蝶兩個人的自由，豈不是開價太高了麼？」

朱若蘭冷笑一聲，道：「你要如何？」

陶玉道：「在下之意，交易公平一些，楊夢寰和趙小蝶，由你選擇一人。」

朱若蘭沉吟不言。

陶玉淡然一笑，道：「朱姑娘你覺著很難麼？我倒要瞧瞧這兩個人，哪一個在你的心目中份量比較重些。」

朱若蘭舉手理一下散亂的長髮，冷漠的說道：「陶玉，你可是當真要和我討價還價麼？」

陶玉道：「不論你選擇何人，那留下之人，並不會死，你朱若蘭如若能夠再生擒我陶玉一次，豈不是救了兩人性命。」

朱若蘭道：「你認爲此後我就不可能生擒於你麼？」

陶玉道：「你如自信有再次生擒我陶玉的能耐，咱們這票生意，那就好談了。」

朱若蘭緩緩伸出右手，道：「陶玉，那三音神尼留下的武功中，有一種措人關節，其滋味

比起那分筋錯骨的手法如何？」

陶玉臉色一變，道：「姑娘意欲何為？」

朱若蘭道：「這些日子之中，那趙小蝶和楊夢寰定然吃了不少苦頭，我想你也該吃些苦頭才是。」右手托起陶玉手臂，錯下了他肩頭關節。

陶玉冷哼一聲，出了一頭大汗，高聲叫道：「帶那楊夢寰出來。」

石門重開，兩個形如陶玉的少年，架扶楊夢寰，緩步行了出來。

這時朱若蘭已然托起陶玉右臂，準備下手。

但聞陶玉高聲說道：「你們可還記得那三音神尼的分錯關節手法？」

兩個架扶著楊夢寰的弟子，高聲應道：「弟子等未曾忘記。」

陶玉強忍著關節錯開之疼，說道：「你們看那朱姑娘錯開我身上何處關節，你們就錯開那楊夢寰身上同處關節。」

兩個弟子應了一聲，托起了楊夢寰右臂。

朱若蘭緩緩放開陶玉，道：「你要他們帶著楊夢寰進入石室，豈不是給了我一個搶救他的機會？」

陶玉道：「姑娘最好先把在下錯開的左肩關節接上，免得被他們瞧了出來，楊夢寰也將多吃一些苦頭了。」

朱若蘭淡然一笑，果然接上陶玉左肩關節，道：「陶玉，他們點了楊夢寰的啞穴，我也只好點你啞穴了。」

陶玉雙臂雙腿的穴道被點，但身子還可以轉動，回顧了兩個弟子一眼說道：「這位朱姑娘武功驚人，你們切勿距離過近，遠離一些。」

兩個弟子應了一聲，退回到石壁處。

陶玉接道：「解開他的啞穴。」

兩個弟子應了一聲，拍活了楊夢寰的啞穴。

朱若蘭冷冷說道：「我不逼你，希望你也別逼我施下毒手，我要救醒沈霞琳，讓他們夫妻談談。」

陶玉冷笑一聲，緩緩閉上雙目。

朱若蘭扶起沈霞琳，一掌拍在她背心之上，暗運真氣，助她暢和行血，口中說道：「琳妹妹，快睜開眼來瞧瞧，那是什麼人？」

沈霞琳被那濃煙迷暈之時，朱若蘭暗中點了她兩處穴道，以助她抗拒濃煙，此刻藉機拍活了兩處穴道。

但聞沈霞琳吐出了一口長氣，道：「熏死我了。」緩緩睜開雙目。

朱若蘭低聲說道：「決過去告訴他，陶玉欺騙你的經過，先恢復你們夫妻名份，如若待此事鬧出去，那就不好收拾了。」

沈霞琳望了那仰臥在地上的陶玉一眼，道：「姊姊，你擒到陶玉了。」

朱若蘭道：「不錯，貨真價實的陶玉。」

沈霞琳道：「此人萬惡不赦，你爲什麼不宰了他？」

朱若蘭道：「還未到殺他的時候，快過去見你寰哥哥吧！」

沈霞琳站起身子，舉步向楊夢寰行了過去，距那楊夢寰還有三尺左右，寶光突然一閃，兩柄金環劍伸了過來，擋住了沈霞琳的去路。

沈霞琳停下腳步，雙目凝注在楊夢寰的臉上，緩緩屈下雙膝，道：「寰哥哥，我受了陶玉的騙，他答應取到休書就放你，但他卻說了不算。」

楊夢寰木呆的臉上，綻開了一縷笑意，道：「快起來……」

沈霞琳舉起衣袖，拭去了奪眶而出的淚水，道：「陶玉壞極了，他的話一句也不能信任。」

陶玉高聲喝道：「帶下去。」

兩個弟子應了一聲，帶著楊夢寰向後退去。

楊夢寰目注沈霞琳，肅聲說道：「告訴蘭姊姊，不用管我的死活，先殺了陶玉，以解武林大劫……」話未說完，已被拖入石室。

沈霞琳突然勇氣大增，飛身而起，直向那石門衝去。

兩隻金環劍一齊出手，閃閃劍光，封起了整座的石門。

沈霞琳赤手空拳，長袖一揮，直向那金環劍上拂去。

朱若蘭高聲叫道：「琳妹妹快退回來，」

沈霞琳這幾年來，內功雖然大進，但還未到馭柔能剛之境，衣袖吃那金環劍，削下一處。

陶玉兩個弟子，揮劍一阻沈霞琳撲擊之勢，疾快的退入石門，推動機關，砰然一聲，石壁復合。

沈霞琳有如中了瘋魔一般，嬌軀一側，直向石壁上撞了過去。

那石壁堅厚異常，沈霞琳一肩撞上，只震得倒退兩步，跌坐地上。

朱若蘭疾躍而起，一把抓住沈霞琳的右腕，柔聲說道：「琳妹妹，咱們現有陶玉爲質，不怕救不出你寰哥哥，你要好好的保重身體。」

沈霞琳這一撞之勢，未能把石門撞開，但本身內腑卻受了強烈的震傷，血翻氣湧，內腑隱隱作痛。

她以無比的堅強忍受痛苦，站起身子回身行到陶玉身側，純潔無邪的臉上，泛現出滿臉悲憤之色，平日那柔和的雙目中，此刻卻充滿惡毒，冷冷說道：「陶玉，你如傷了寰哥哥，我要一口口的吃了你！」

她一生中從未說過這等惡毒之言，言來咬牙切齒，大有生啖其肉之勢。

陶玉不敢和沈霞琳目光相觸，側過頭去，高聲喝道：「帶上趙小蝶。」

石門重開，兩個黑衣大漢，抬了一具小型鐵籠，快步行了出來。

朱若蘭緩緩抬起目光望去，只見趙小蝶容色憔悴，緊閉著雙目，盤坐在鐵籠之中。

朱若蘭想到翠姨待自己的恩情，不禁黯然神傷。

但她不願陶玉瞧出自己心中的激動，強自忍下，不使淚水滾落。

陶玉目注兩個大漢說道：「放下她，你們退到一側待命。」

兩個大漢應了一聲，放下趙小蝶，退到石室一角。

朱若蘭鎮靜了一下心神，緩緩說道：「陶玉，她能夠說話麼？」

陶玉淡淡一笑，道：「我不知道，姑娘自己過去瞧瞧吧！」

朱若蘭道：「不要緊，不論她受了多少的痛苦折磨，都將會從你的身上得到補償。」

陶玉輕輕咳了一聲，欲言又止。

朱若蘭纖指伸動，又把陶玉四肢幾處要穴點住，道：「那歸元秘笈上，記有自行運氣解穴的辦法，想來你早已學會了。」

陶玉道：「姑娘當真是細心得很。」

朱若蘭回顧了沈霞琳一眼，道：「好好的看住他，不過，還不能傷了他。」

沈霞琳應了一聲，守在陶玉身側。

朱若蘭緩緩走近鐵籠，強忍心中淒楚，道：「小蝶，陶玉可曾廢去了你的武功？」

趙小蝶抬起頭來，望了朱若蘭一眼，一語未發，兩行熱淚已奪眶而出。

朱若蘭輕輕歎息一聲，道：「小蝶，堅強些，你可是吃了很多苦麼？」

趙小蝶道：「就是那陶玉把我殺成肉醬、肉泥，我也不會落下來一滴淚水，我只是感覺著對不起公主……」

朱若蘭道：「快別這麼叫我，那蘭黛公主，早已死去，我叫朱若蘭，我長你幾歲，你就叫我蘭姊姊吧。」

趙小蝶道：「姊姊說得是。」

朱若蘭突然放低聲音道：「你可還有武功麼？」

趙小蝶點點頭，應道：「陶玉折磨我，但他卻無法廢除我的武功。」

朱若蘭道：「那就好了，你要好好的保重，陶玉詭計多端，我必要計劃個完全之策對付他。」

趙小蝶道：「姊姊放心，我會很耐心的等待，陶玉把我鎖入籠中，用牛筋暗中困住我幾處大穴，不讓我運氣行功，但卻使我由靜生慧，想起很多過去不解的武功……」

語聲微微一頓，接道：「還有一件，也得告訴姊姊。」

朱若蘭道：「好！你說吧！」

趙小蝶道：「那陶玉常常把我和楊夢寰放在一起。」

朱若蘭道：「你們在患難之中，應該消去敵意才是。」

趙小蝶垂下頭，道：「我幾處要穴被陶玉所制，但仍可施展傳音入密之術，我把那歸元秘笈上的要點，以及我近日悟出的竅訣，分批分段的告訴了他。」

朱若蘭道：「好極了，他如能脫險，定會告訴琳妹妹和李瑤紅，她們都很賢慧，定然十分感激你的……」

言未盡意，卻倏然而止。

趙小蝶道：「我不要她們感激，只求姊姊寬容於我……」

朱若蘭輕輕歎息一聲，道：「如論你這些年來的作爲，那實在有些荒唐，不過姊姊也有責任，我該早把你找回天機石府去。」

趙小蝶道：「我遊戲風塵，全係一片童心，雖然鬧得天下大亂，但我卻未曾妄自傷過一

人。」

朱若蘭道：「夠了，難道還想積惡如山！」

趙小蝶道：「唉！小妹知錯了。」

朱若蘭道：「知錯能改，仍是完人……」

語聲忽然轉低微，道：「沒有把握脫出鐵籠，就別輕舉妄動，最好別讓那陶玉瞧出你武功不但未失，而且還大有進境。」

趙小蝶道：「小妹記下了。」

朱若蘭道：「好！你安心養息。」回身走近陶玉，道：「我們已談過了，要你的屬下把她抬走！」

陶玉正在暗中運氣解穴，已然衝開了兩穴，聽得朱若蘭之言，只好停下用功，睜開雙目，道：「你們兩位何不多談一會？」

朱若蘭道：「沒有時間了。」

陶玉道：「只要在下答允，你們談上一日二夜，也是無人敢出一言。」

朱若蘭突然伸出左手，扣住了陶玉右腕脈門，道：「咱們走吧！」

揮手解開陶玉身上兩處未爲真氣衝解的穴道。

陶玉心中暗道：這朱若蘭果然厲害，竟然瞧出我以真氣衝開了兩處穴道，……心中念轉，口裏卻道：「到哪裏去？」

朱若蘭道：「楊夢寰、趙小蝶都爲你折磨夠了，你自己不想受點折磨麼？」

陶玉道：「你要如何對付我呢？」

朱若蘭道：「此刻有兩條路，任你選擇一條。」

陶玉道：「好！你說吧！」

朱若蘭道：「立刻釋放了楊夢寰和趙小蝶，送他們平安離此，我就放了你。」

陶玉道：「那第二條路呢？」

朱若蘭道：「現在少林、武當等掌門人都在谷底，咱們到了谷中再談。」

陶玉高聲說道：「把這位趙姑娘抬回去。」

兩個站在壁角的大漢，應聲行了過來，抬起趙小蝶轉入壁間石門。

陶玉緩緩把目光移注到朱若蘭的臉上，道：「楊夢寰、趙小蝶，你只能選擇一人。」

朱若蘭道：「那還不如把你帶走！」

五指用力一收，陶玉頓感半身麻木，全身無反抗之能，被朱若蘭帶著向外行去。

沈霞琳道：「蘭姊姊，我呢？留在這裏陪侍寰哥哥，還是跟你一起下去？」

朱若蘭道：「自然是跟我走了……」

只聽陶玉高聲說道：「這位朱姑娘帶我下谷，如若十二個時辰我還未回來，你們就把楊夢寰和趙小蝶凌遲處死。」

朱若蘭一皺眉頭說道：「琳妹妹，你肯聽姊姊的話麼？」

沈霞琳道：「姊姊在我心中有如天人一般，不論你說什麼，小妹都是遵從的。」

朱若蘭道：「唉！陶玉只肯以一人換他之命，楊夢寰和趙小蝶兩人之間，就使姊姊大感爲

難了，一個是姊姊情同骨肉的姊妹，一個是你和瑤紅妹妹的丈夫，這兩人要我選擇一人相救，實叫我很難作決定了。」

沈霞琳呆了一呆，道：「這個，我也無法代姊姊想出主意。」

朱若蘭道：「因此姊姊只好誰也不救了。」

沈霞琳道：「那姊姊作何打算呢？」

朱若蘭道：「我要以最惡毒的手腳對付陶玉，咱們不讓他死，好好的折磨他幾年，那也算替他們兩人報仇了。」

沈霞琳只覺胸中充滿哀傷之氣，熱淚滾滾，奪眶而出。

朱若蘭走得很慢，似是故意要和沈霞琳多談幾句，輕輕歎息一聲，接道：「不要哭，人死留名，楊夢寰已然成名武林，俠聲動江湖，就算死去但千秋百世之後，武林還會有人懷念他，實在是雖死猶生啊。」

沈霞琳強忍著心中悲痛，說道：「姊姊說得是……」黯然一歎，接道：「趁著寰哥哥未死之前，我有幾句藏在心中的話想告訴姊姊。」

朱若蘭道：「好！姊姊洗耳恭聽。」

沈霞琳道：「我和紅姊姊，雖和寰哥哥結爲夫婦，行了大禮，但卻是一直分室而居，未有夫妻之實，小妹如今仍是處子之身，姊姊可知爲了什麼？」

朱若蘭道：「想必兩位妹妹愛夫心切，希望他能成一代武功宗師，不忍在武功正値激急之期，誤他的成就。」

沈霞琳搖搖頭，道：「不是，寰哥哥的內功基礎深固，合籍雙修，已無損他日後成就，何況他已非童身。」

朱若蘭沉吟了一陣，道：「那又是爲了什麼呢？」

沈霞琳道：「我和紅姊姊都在等待著蘭姊姊，大禮之期，我和紅姊姊都讓出了正室之位，虛席相待，姊姊待我們太好了，我和……」

朱若蘭突然加快腳步，行出石洞，冷厲的說道：「陶玉，要他們放下垂索，咱們一起下谷。」

陶玉道：「咱們都還有十二個時辰的考慮時間。」語聲微頓，高聲接道：「放下繩索。」

王寒湘應聲由一側黑暗中閃身而出，垂下一條繩索。

朱若蘭道：「琳妹妹你先下去。」沈霞琳依言把索而下。

朱若蘭暗中提氣，左手抓住繩索，右手仍然緊扣陶玉脈穴，直落谷底，緩步對群豪停身之處行去。

王寒湘雖想暗施算計，但恐傷了陶玉，是以不敢施下毒手。

這時群豪早已警覺，紛紛站起身子，暗中戒備。

原來朱若蘭去的時間不短，群豪大都席地而坐，運氣調息。

聞公泰當先迎了上來，眼看朱若蘭牽著陶玉的腕脈，不覺失聲叫道：「怎麼？朱姑娘生擒了陶玉來了！」

這一聲呼叫，立時使全場爲之震動，迎上前來。

天宏大師輕輕歎息一聲，道：「朱姑娘果是天人一般，竟然生擒陶玉而來，唉！我等還爲姑娘擔心哩！」

朱若蘭道：「托諸位之福了。」伸手點了陶玉幾處穴道，右掌一揮，劈在陶玉腿彎關節之處，陶玉身不由己的一屈雙膝，跪了下去。

靜玄道長道：「姑娘生擒陶玉，救出了楊夫人，但不知是否見到了楊大俠？」

只見一個少林寺僧侶，合掌附在天宏大師耳邊，低言了幾聲，天宏大師目注沈霞琳，連連點頭，但卻未開口說話。

朱若蘭應道：「見是見到他了，只是無法救他脫險。」

李滄瀾忍了又忍，還是忍耐不住的說道：「朱姑娘，小婿情形如何？」

朱若蘭道：「令婿生性堅毅，雖然受到了陶玉甚多折磨，但他仍然不失大俠英雄的氣度。」

李滄瀾輕輕歎息一聲，道：「姑娘生擒陶玉，不知作何打算？」

朱若蘭道：「咱們處身谷底，十分危險，如若有陶玉在此相伴，他們就無法施下毒手。」

陶玉突然開口，冷冷接道：「那也只有一十二個時辰，過了時辰，他們一樣會對付你們。」

李滄瀾一舉手中龍頭拐，對著陶玉頭頂，冷冷說道：「如有人敢施暗算，老夫就一拐先擊碎你的頭殼。」

陶玉聰明絕倫，雖然被擒，仍然能默查形勢，心知李滄瀾心中充滿著悔恨氣憤，如若頂撞

於他，必然將吃大虧，當下默然不語。

聞公泰道：「好小子，你還有一十二個時辰期限，到時如若有個風吹草動，我聞公泰就一刀一刀的割了你。」

陶玉冷笑一聲，道：「聞公泰，你記著，我陶玉脫險之後，必先血洗你們華山派。」

聞公泰哈哈一笑，道：「老夫如是怕事，也不會趕到這裏來了，」

天宏大師突然低宣一聲佛號，道：「陶施主，老衲有幾句話，奉勸於你……」

陶玉冷冷的說道：「什麼事？」

天宏大師道：「放下屠刀，立地成佛，老衲想不明白，你和那楊夢寰爲什麼不可以並立江湖……」

陶玉冷笑一聲，接道：「別和我談什麼佛門因果，十二個時辰之後，諸位將陪我陶某人葬身火窟之中。」

朱若蘭冷冷說道：「陶玉，你如再胡言亂語，我就先讓你嘗一下那分筋錯骨的滋味。」

對那朱若蘭，陶玉心中始終存有著一份敬畏和愛慕，朱若蘭那艷絕人寰的美麗，動人的風韻，早已使陶玉傾心，但那超人的才慧，冷若冰霜的神情，卻又使陶玉生出無比的敬畏，當下，閉上雙目，不敢再言。

這當兒，突然亮起了一道閃光，緊接著隆隆雷聲，傳了過來。

朱若蘭站起身子，四顧一眼，道：「天要下雨了，諸位請快找一處避雨所在吧。」緩步行近陶玉，冷冷接道：「陶玉，你不是想用火攻，把我等活活燒死於這谷底之中？可惜天不容你，立時就要下大雨了。」

陶玉冷冷的瞧了朱若蘭一眼，默不作聲。

朱若蘭緩緩說道：「讓你先嘗一下風吹雨打的滋味。」伸出右手，卸下了陶玉右肩胛處的關節。

陶玉道：「朱若蘭你這般折磨我，爲什麼不殺了我？」

朱若蘭冷冷說道：「想死麼？沒有那麼容易，你作惡多端，也應嘗一下這些痛苦。」雙手齊出，片刻間卸去左肩，雙膝四處關節，接道：「我相信你沒把歸元秘笈上的接骨手法傳授別人，縱然有人來救你，也不能伸手動你，如是關節銜接處受到損傷，只怕很難復元……」

說話之間，大雨已傾盆而下。

朱若蘭高聲說道：「諸位快請到那崖壁之下，找一處躲雨所在。」

陶玉自知難在朱若蘭面前使用手段，當下閉目不言。

朱若蘭牽著沈霞琳，奔向一處崖壁大巖之下，相對而坐。

一道閃光劃過，清晰可見陶玉仰臥在大雨之中。

沈霞琳輕輕歎息一聲，道：「蘭姊姊，咱們當真不救寰哥哥麼？」

朱若蘭道：「自然要救，但咱們不能讓陶玉瞧出來，先把他折磨一番，讓他受些痛苦，再和他談條件，那就事半功倍了。」

沈霞琳道：「蘭姊姊，我想求你一件事，不知你會不會答應？」

朱若蘭道：「你說吧！」

沈霞琳道：「這一次救不出寰哥哥，那就罷了，如是救出了寰哥哥，今後請姊姊和我們住在一起。」

朱若蘭微微一笑，道：「你可是要我也嫁給楊夢寰？」

沈霞琳道：「他視姊姊如天人，有姊姊在一起，我們也可以多討教益……」

她輕輕歎息一聲，接道：「爲了感動姊姊，我們婚後數年來一直未同過房，寰哥哥沒有和我們談過這件事，但心中卻很明白，因此他過得一直很好，把精神放在習武之上。」

朱若蘭長長吁一口氣，道：「我先得謝謝你和那李姑娘的好意，不過，姊姊亦有苦衷，你們想再找一個武功高強的姊妹，助他武林大業，姊姊一定幫忙……」

沈霞琳道：「我知道，你要把那趙姑娘嫁給寰哥哥是麼？」

朱若蘭道：「不錯，這些年來，你已大有長進。」

沈霞琳道：「唉！趙家妹妹好是好，才貌武功，無不過人，只不知她的性格如何？我們能容她，不知她是否能容得我們？」

朱若蘭道：「剛才我看到趙小蝶，她已盡斂狂傲之態，論武功她猶在我之上，有她相助，武林中哪裏還有敵手。」

沈霞琳道：「姊姊呢？」

朱若蘭道：「琳妹妹，你要楊夢寰娶上好多妻子？」

沈霞琳嗤的一笑，道：「我不怕，越多越好。」

朱若蘭道：「姊姊只怕不能夠嫁人了。」

沈霞琳奇道：「爲什麼？」

朱若蘭道：「因爲姊姊現在習了一種武功，不能夠壞去童身。」

沈霞琳抬起頭來，道：「此話當真麼？」

朱若蘭別過臉去，答道：「不錯，姊姊幾時騙過你了。」

沈霞琳心中暗道：寰哥哥不喜女色，只要你名義作他妻子，那就行了……忖思之間，瞥見火光閃動，四面山壁上，突然出現了十餘盞紅燈。

王寒湘站在一塊突巖之上，高聲說道：「谷下哪一位作得了主，請和我王某人答話。」

朱若蘭低聲對沈霞琳道：「去告訴李老前輩，要他作主和王寒湘談判。」

沈霞琳起身行到李滄瀾身前，欠身說道：「朱姑娘要老伯父作主，和那王寒湘談判。」

李滄瀾站起身子道：「好！」

站起身子，仰望著山壁間的王寒湘，道：「王寒湘，有什麼話，和老夫說吧！」

王寒湘已然聽見了李滄瀾的聲音，沉吟了一陣，應道：「那位朱姑娘在麼？」

李滄瀾道：「和老夫談也是一樣。」

王寒湘道：「好！在下先下入谷底，再和你仔細談吧！」

急風大雨中，只見王寒湘手攀繩索而下。

李滄瀾想到昔年領導天龍幫時，這王寒湘亦不過自己屬下一位壇主，對自己恭敬有加，如今形勢，此刻竟要和他以平等之位，談論問題。

忖思之間，王寒湘已然落著實地，行了過來。

他對那李滄瀾有著一份殘餘的敬重，抱拳一揖道：「李兄。」

李滄瀾冷冷說道：「不用多禮了。」

王寒湘輕輕咳了一聲，道：「那位朱姑娘現在何處？」

李滄瀾道：「先和老夫談吧，如是老夫作不了主，你再找她不遲。」

王寒湘道：「那也好，我等想換回陶幫主，不知李兄可否作得主意？」

李滄瀾道：「換回陶玉？」

王寒湘道：「不錯。」

李滄瀾道：「用什麼人換？」

王寒湘道：「楊夢寰和趙小蝶，任憑你們選擇一人。」

李滄瀾暗暗忖道：如要天下英雄選擇，只怕都要選那楊夢寰，只不知朱姑娘的意下如何？

王寒湘看那李滄瀾一直在沉吟不言，忍不住接道：「如是李兄一時間難作決定，那就請和朱姑娘商量一下如何？」

李滄瀾道：「好吧！」回頭說道：「琳兒，請朱姑娘來。」

沈霞琳應了一聲，帶著朱若蘭，緩步行了過來。

王寒湘道：「四面山壁之上，都已佈置了桐油浸過的木柴，只待大雨稍住，就可以燃起投入谷底來了。」

朱若蘭冷笑，道：「就是告訴我這件事麼？」

王寒湘道：「在下必須先說明，凡是在此谷中之人，都無法逃過此一劫數。」

朱若蘭道：「連你也不能了。」

王寒湘哈哈一笑，道：「諸位如此多人，換我們兩條命，王某人死而何憾……」語聲微微一頓，道：「不過在下來此，主要是想和朱姑娘談談。」

朱若蘭道：「你說吧！」

王寒湘道：「我等想以楊夢寰或趙小蝶，換回我家幫主。」

朱若蘭道：「兩個人呢？」

王寒湘道：「朱姑娘以二換一，有失公平，如是朱姑娘有能在放了我們幫主之後，再把他生擒，豈不是可以再換一人。」

朱若蘭冷冷說道：「陶玉已經跟我講過很多次了，還用得著你講麼。」

王寒湘道：「如是要以二換一，在下也不敢作主，必得先去請示敝幫主一聲。」

朱若蘭手指那山谷正中，積水數寸的草地上，道：「陶玉就在那裏躺著，你如自信有能力救他，那就救走了他吧！」

王寒湘道：「姑娘但請放心，王某決不會妄自出手。」

朱若蘭冷笑一聲，道：「最好你出手救他一下試試。」

王寒湘不再答話，轉身直向陶玉行了過去。

凝目望去，只見陶玉閉目臥在積水中，皺著眉頭，顯然有著無比的痛苦。

王寒湘低聲叫道：「幫主。」

陶玉緩緩睜開雙目，道：「不能動我。」

王寒湘低聲問道：「朱若蘭點了你的穴道？」

陶玉道：「她錯開我幾處關節，不解此等手法之人，不可妄動。」

王寒湘低聲道：「幫主被擒，大局主持乏人，屬下自作主意，想以楊夢寰或趙小蝶換回幫主，但那朱若蘭要以兩人來換幫主。」

陶玉道：「千萬不可，朱若蘭不敢殺我，也無非爲了楊夢寰和趙小蝶被咱們留作人質，如若放了兩人，只怕情勢立刻就要大變。」

王寒湘低聲說道：「留得青山在，不怕沒柴燒，幫主如若能夠脫險，不難再想出對付他們的法子。」

陶玉道：「朱若蘭智謀過人，咱們要答應以二換一，必將引起她的懷疑，此事有我來對付她，你快些離開此地。」

語聲微微一頓，接道：「如若你會三音神尼的接骨手法，接上我幾處關節，那就好了。」

王寒湘道：「屬下想來此事未必有何難處。」伏下身子，去握陶玉左臂。

陶玉急急說道：「不可妄動，三音神尼錯人關節，乃是一種獨門手法，你不知訣竅，妄自動手，那是誠心要我吃苦頭。」

王寒湘呆呆的望著陶玉，無計可施，良久之後，才緩緩問道：「如是那朱若蘭只用一人交換呢？」

陶玉道：「那就可以答應。」

王寒湘仰起臉來，長長吁一口氣，回身緩步而去，走到朱若蘭的身前，道：「敝幫主說，他雖被擒，也不能二換一，有失公允……」

朱若蘭冷冷接道：「我自有法子要他答應，閣下可以走了……」

王寒湘道：「如以在下之意，以二換一，亦無不可，只是敝幫主堅持不允，那也是沒有法子的事了。」

朱若蘭冷笑一聲道：「現在以二換二了。」

王寒湘呆了一呆，道：「朱姑娘可是要把我王某人也留在此地麼？」

朱若蘭道：「此刻谷底群豪，充滿著激憤，你如不肯束手就縛，只怕立刻有死亡之危。」

王寒湘仰天長長歎一口氣，道：「諸位人手眾多，我王某人自知非敵……」

朱若蘭接道：「那很好，你既自知非敵，那就不用反抗了，陶玉一向不講信義，自是用不著對你講什麼武林道義規矩了。」

王寒湘心中明白，單是一個朱若蘭，他已不是敵手，何況谷中群豪，無一不是當代江湖中第一流的高手，當下說道：「好！姑娘如是一定要把我王某留在此地，那就儘管出手。」

朱若蘭道：「琳妹妹，點了他的穴道。」

沈霞琳應聲出手，一指點去。

王寒湘果然是沒有出手封架，任那沈霞琳點中穴道。

沈霞琳連點王寒湘三處大穴，王寒湘身子搖了兩搖，一跤跌摔在地上。

朱若蘭低聲對沈霞琳道：「此人被陶玉所迫，不得不助他為惡，把他放在突巖之下，讓他避避風雨吧。」

沈霞琳應聲提起王寒湘，行到突巖之下，道：「蘭姊姊，此刻王寒湘被擒，群兇無首，唉！可惜你那靈鶴玄玉不在此地，不然可以乘鶴而上，救出寰哥哥和趙姑娘。」

朱若蘭道：「咱們只要留下陶玉和王寒湘，諒他們不敢再傷你的寰哥哥，快些借此機會，好好坐息一下，也許還要經幾場兇惡之戰。」

沈霞琳道：「蘭姊姊說得是。」緩緩坐下身子，閉目運氣調息。

一夜匆匆而過，第二天濃雲盡散，天氣一片明朗。

太陽爬上了中天，照射著仰臥在地上的陶玉，朱若蘭起身而行，直行到陶玉身前。

沈霞琳手提長劍，緊隨朱若蘭身側而立。

朱若蘭冷冷說道：「陶玉，再過半日之後，你受傷之處，就無法接上斷骨了。」

陶玉淡淡一笑，道：「過了午時之後，這整個山谷之中，即要被大火燒個寸草不留，我陶玉勢將被燒死不可，那也不用管傷處如何了。」

朱若蘭冷冷說道：「有你在此，諒他們不敢下手。」

陶玉道：「當他們在我預定的時限之內，仍然不能回去之時，他們就不會再等待猶豫了。」

朱若蘭道：「不要緊，不論他們是傾油放火，但首先遭殃的總是你陶玉……」

語聲微微一頓，又道：「有一件事忘記告訴你，就是那王寒湘，也被我留在這裏。」

陶玉冷笑一聲，道：「他本不該下來，只因把你朱若蘭估計得太過英雄了。」

朱若蘭冷冷說道：「對付那正人君子，固然是英雄氣概，不斬來使，但對付你陶玉這等人物，如何也能講英雄氣度。」

陶玉冷冷說道：「姑娘先不要太過高興，在下雖然要葬身火窟，但有姑娘和幾位掌門人物奉陪，那也是死而無憾了。」

沈霞琳突然一伸寶劍，冷森森的寒芒直逼在陶玉的臉上，說道：「陶玉放火燒死咱們，咱們就先把他斬成肉泥，他一向自負生得俊美，先把他的臉給劃傷如何？」

朱若蘭笑道：「不用擔心，有他在此，諒他的屬下，決然不會下手……」

語聲微微一頓，道：「姊姊已有安排，只待陶玉埋伏在四面山峰上的屬下有所舉動，咱們立刻分頭施襲，我要他眼看著自己一敗塗地，待救出你寰哥哥和趙姑娘之後，再慢慢的收拾他。」

陶玉四肢重要的關節，都爲朱若蘭錯開，武功雖然未失，但卻不敢掙動，稍一掙動，關節就劇痛無比，昨宵大雨傾盆，在雨中淋了一夜，今日豔陽高照，又在裂日下曬了半日，以他武功而論，已到寒暑難侵之境，只是不能運功抗拒，這個苦可就吃得大了，但他自知罪大惡極，縱然開口求饒，亦是難有生望，只好暗裏咬牙苦撐。

朱若蘭心中之意，原想迫使他熬不住雨打日曬，放了楊夢寰和趙小蝶，再放群豪出此絕地，卻不料一向畏死的陶玉，這一次竟然能苦撐下去，不肯告饒，鬧成了僵局。

但她心中明白，此刻如若殺了陶玉，群豪處境，必將更是危險，是以，亦不敢施下毒手。

這時太陽已稍偏西，到了過午時分，只聽西面山峰上，傳下來一聲長嘯，兩團火球由山峰上直滾下來，落入谷地，熊熊燃燒起來。

陶玉格格一笑道：「那木塊都經過桐油浸過，燃燒之力，十分強大，眼見這絕谷之中，即將爲大火瀰漫……」

他縱聲一笑，牽動了關節傷處，疼痛無比，話未說完，已自接不下去。

朱若蘭轉眼望去，只見武當門下兩個佩劍道人，分頭奔向兩團火球，脫下身上道袍，用水濕過把火球撲熄。

朱若蘭四下流顧了一眼，冷冷說道：「這谷底地方不小，以群豪的身手，他們縱然投桐油浸過的木塊，也是難以傷得群豪。」

陶玉淡淡一笑，道：「這倒不勞姑娘費心，在下早已有備，除非他們能夠肋生雙翅，飛出山谷，決難逃過燒死之危。」

朱若蘭正待答話，突然山峰之上，傳下來一個沉重的聲音，道：「半個時辰如若還不放回敝幫幫主，整個山谷中將爲大火瀰漫，不分男女，一律燒死。」

朱若蘭暗運真氣高聲答道：「諸位如想施展火攻，當首先看到你們貴幫主被火燒斃的慘狀。」

峰上沉默了一陣，又有人答道：「我家幫主，早已留下令諭，過了今日午時之後，仍不見他歸來，那就不用等他了。」

朱若蘭心中暗暗忖道：我錯開了他四肢主要關節，讓他在雨水淋泡了一夜，烈日下曬了半

日，這痛苦也夠他受了，如若他真的存下了必死之心，今日之事，倒是很難善後，玉簫仙子未有回音之前，不能使他就此死去。

心念一轉，蹲下身去，接上了陶玉四肢關節，道：「如若他們投下火球，你卻不能掙動，被活活燒斃於此，那未免有些太過殘忍了，此刻我先接上你四肢錯開的關節，讓你也有逃命的機會。」

但聞一聲長嘯傳了過來，四面山壁間，火球滾滾而下，片刻間落下了數百個，谷底大部地方都是熊熊烈火。

朱若蘭雖然接上了陶玉四肢關節，但卻又點了他幾處穴道。

天龍幫山壁上埋伏的高手，似是很有計劃，投落谷底的火球，先從四面燒起，卻把中間空了起來。

顯然存心把群豪先行逼到谷底中央，因那火球一個接一個滾落下來，群豪雖然身手高強，也不敢動手撲熄，只好向中央避去。

這時谷底四面都燒起熊熊大火，四面山峰上，又投下捆捆桐油浸過的乾柴，使那熊熊的火勢，更加強烈。

不過頓飯工夫，谷底四周已為大火瀰漫，只餘中間一塊五丈見方的地方，未為火勢波及。

群豪都被逼退到谷底中央。

天宏大師輕輕歎息一聲，道：「朱姑娘，看來只有冒著火燒之險，強行奪路了。」

朱若蘭道：「四面火勢奇烈，火焰高燃數丈，武功再好，也是不易越過……」

聞公泰接道：「難道咱們就這般的等那火勢近身前，束手待斃不成？」

朱若蘭道：「如若咱們能夠再支持一個時辰，即可有援手趕到。」

聞公泰道：「可惜天公不作美，如若把昨宵一場大雨，等到此刻，火勢再強一些，也要被那大雨熄去。」

李滄瀾高聲說道：「咱們修習內功之人，忍寒耐熱之能，超越常人甚多，咱們分批守住四周，不讓那火勢侵入這五丈之內，和他耗上一日也不要緊。」

天宏大師道：「李兄說得不錯。」舉手一揮，兩個手執禪杖的弟子，當先奔向正西方位，用手中禪杖，挑撲蔓延而入的火勢。

群豪各選方位拒擋火勢入侵。

這些人大都是當代第一流的武林高人，一運氣，耐熱之力甚強，那四面山上的火球雖仍然不停的拋落谷底，但始終無法侵入五丈之內。

陶玉在朱若蘭和沈霞琳監視之下，搖頭一歎，道：「如若能有一陣強風，那就不難把你們盡都燒死在這絕谷之中了。」

朱若蘭冷冷說道：「如若今日這絕谷中確然有人燒死，你陶玉是第一個被火燒死的人。」

陶玉格格一笑，道：「爾後火葬群豪和你朱姑娘，緊接著是楊夢寰、趙小蝶也相繼被凌遲處死，天下武林精英，至此一網打盡。」

朱若蘭冷笑一聲，道：「你算計雖然不錯，但仍是棋差一著，今日這場烈火，燒不死我們一人，你陶玉也不會就這般輕易死去……」

語聲甫落，突聞幾聲慘叫傳了過來，四面山峰上，各滾下來幾個黑衣大漢，跌入了大火之中。

朱若蘭道：「不信你等著瞧吧！」

陶玉冷冷接道：「爲什麼？」

聞公泰縱聲長笑，道：「好啊！朱若蘭調遣的人手，已然攻上了山峰。」

陶玉冷冷接道：「此刻高興得太快，這場大火縱然燒你們不死，你們也別想生離此谷。」

沈霞琳道：「蘭姊姊，他人已被我們生擒，還是這般強嘴，要不要割了他的舌頭？」

朱若蘭道：「你寰哥哥英雄蓋世，咱們一定得把陶玉留下，讓他死在你寰哥哥的手中。」

陶玉格格一陣大笑，道：「朱姑娘可是在痴人說夢嗎？」

朱若蘭道：「你可是不肯相信？」

陶玉道：「我陶玉失策的是提早出世三年，如若再給我三年時間，那也不用施展什麼謀略，單憑武功，就可以把你們一一盡殲手下。」

又聞慘叫之聲傳來，七八個黑衣大漢，又從四面峰上栽了下來。

這時被困火中的群豪，個個都精神大振，揮動手中兵刃，撲打火勢。

四面山壁上雖已無黑衣人再行投下火球，但那已成的大火，仍是凌厲無匹，不見消滅。

天宏大師緩步走到朱若蘭身側，說道：「朱姑娘果然是神機妙算，處處能料敵機先。如非朱姑娘先行遣去玉簫仙子，今日非被這場大火燒死不可……」

言猶未完，突聞一聲鶴唳傳來，玉簫仙子坐巨鶴冒著高燒的火焰，落了下來，欠身向朱若

蘭一禮，道：「朱姑娘……」

朱若蘭道：「什麼事？」

玉簫仙子道：「就屬下所知，那陶玉不但布置下了今日這座火陣，而且思疇周密，安排了很多對付咱們的辦法，此火一住，立時就有大變發生……」

朱若蘭道：「你可有什麼主意？」

玉簫仙子道：「屬下之意，姑娘不宜在此停留，速乘鶴飛出絕地……」

朱若蘭一掠群豪，道：「別人不怕，我怕什麼？」

玉簫仙子突然放低了聲音，附在朱若蘭耳際低言數語。

朱若蘭輕輕咳了一聲：「當真嗎？」

玉簫仙子道：「不錯。」

朱若蘭突然轉過臉去，望著陶玉道：「陶玉，我不希望你皮肉吃苦。」

陶玉道：「那要看什麼事了，如是可以講的，不用你動刑相逼在下就據實回答，如是不能說的，姑娘就是殺了在下，那也別想問出一點口風。」

說話之間，那四周高燃的火勢，威力已然大為減弱。

玉簫仙子道：「也許是屬下料斷有錯，也許是根本和陶玉無關，姑娘最好別告訴他。」

朱若蘭道：「好吧！」

這一來，陶玉反而有些奇怪難耐，忍不住問道：「什麼事？」

朱若蘭不理陶玉，卻高聲說道：「可有被大火燒傷之人？」

天宏大師道：「本門中有兩位弟子受傷。」

朱若蘭道：「好！那就先用巨鶴，送他們登上峰去……」

天宏大師道：「多謝姑娘了。」

除了少林派兩個僧侶之外，其他雖然亦有受傷之人，但都是很輕微的傷勢。

朱若蘭望著玉簫仙子，道：「你先把兩個少林門下，運上峰去……」

玉簫仙子應了一聲，伸出雙臂，抱起那滿身傷痕的和尙，踏上了鶴背。

朱若蘭輕移蓮步，行到巨鶴身旁，伸出纖纖雙手，托著鶴身，道：「上峰之後，要彭秀葦替他敷藥療傷。」

玉簫仙子雙手一送，巨鶴伸頸長鳴，沖天而起，破空而上。

這時四面山峰上陶玉安排那些施放火攻之人，都已被玉簫仙子帶的人手擊潰，死的死，傷的傷，逃的逃，火勢逐漸小了下去。

廿四　梟雄之挫

這時陶玉派在四面山壁上的伏兵，都已被玉簫仙子帶來之人肅清，那火勢已成無油之燈，大爲減弱。

聞公泰竹杖揮動，片刻間清出了一條路來，直到峰壁之下。

這時，正東方山壁間緩緩垂下了一道索繩，玉簫仙子也同時乘鶴而下。

朱若蘭道：「用巨鶴送上受傷的人，其餘人，請攀索而上。」

玉簫仙子接道：「東南西三面峰上埋伏之敵，已爲天機石府中人肅清，近山壁間有兩處緊緊的石洞，仍爲強敵所占，諸位儘管放心登山。」

聞公泰道：「老夫先上。」雙手把索，直登峰頂，群豪隨後魚貫而上。

朱若蘭先乘巨鶴運上陶玉，再把王寒湘接了上來。

玉簫仙子帶群豪到峰後一片大岩上，道：「諸位在谷底被困甚久，腹中恐怕早已飢餓，請用飯菜。」陶玉早已聞得菜飯香味，垂涎欲滴，但他卻強自忍著，未曾開口乞討。

朱若蘭棄去手中紙盒，沉聲對陶玉說道：「你這一番苦心布置，此刻已然是全軍盡滅，還有什麼討價餘地嗎？」

陶玉冷笑一聲，道：「楊夢寰未脫險境之前，你決不敢殺我陶玉。」

朱若蘭淡然一笑，道：「你猜對了，你十條命也抵不過楊夢寰一條。可是你別忘了，我們很快就能救他出險。」

言罷，抬頭望著天上，一片白雲，呆呆出神。

陶玉凝目思索一陣，道：「朱姑娘……」

朱若蘭緩緩回過頭去，冷冷說道：「什麼事？」

陶玉道：「如若在下答應換回那楊夢寰和趙小蝶，朱姑娘亦要答允在下一事。」

朱若蘭道：「什麼事？」

陶玉道：「休戰半年，半年之內，彼此不許為敵。」

朱若蘭呆了一呆道：「為何要休戰半年呢？」

陶玉道：「在下自信在半年之內，可練成《歸元秘笈》上幾種絕技，那時可以和你在武功上一較長短了。」

朱若蘭凝目沉思了一陣，道：「在你擒得三人中，還有位毒龍夫人是嗎？」

陶玉道：「不錯，連她也得釋放嗎？」

朱若蘭道：「我給你十個月的時間，以便你重整旗鼓，但要連毒龍夫人一起放回……」

語聲微微一頓，道：「這樣作，你並未吃虧，你和王寒湘兩條命，又得到十個月喘息機會，換回他們三個人，於你何傷？」

陶玉道：「那毒龍夫人無足輕重，姑娘定要放她，在下自然答應……」

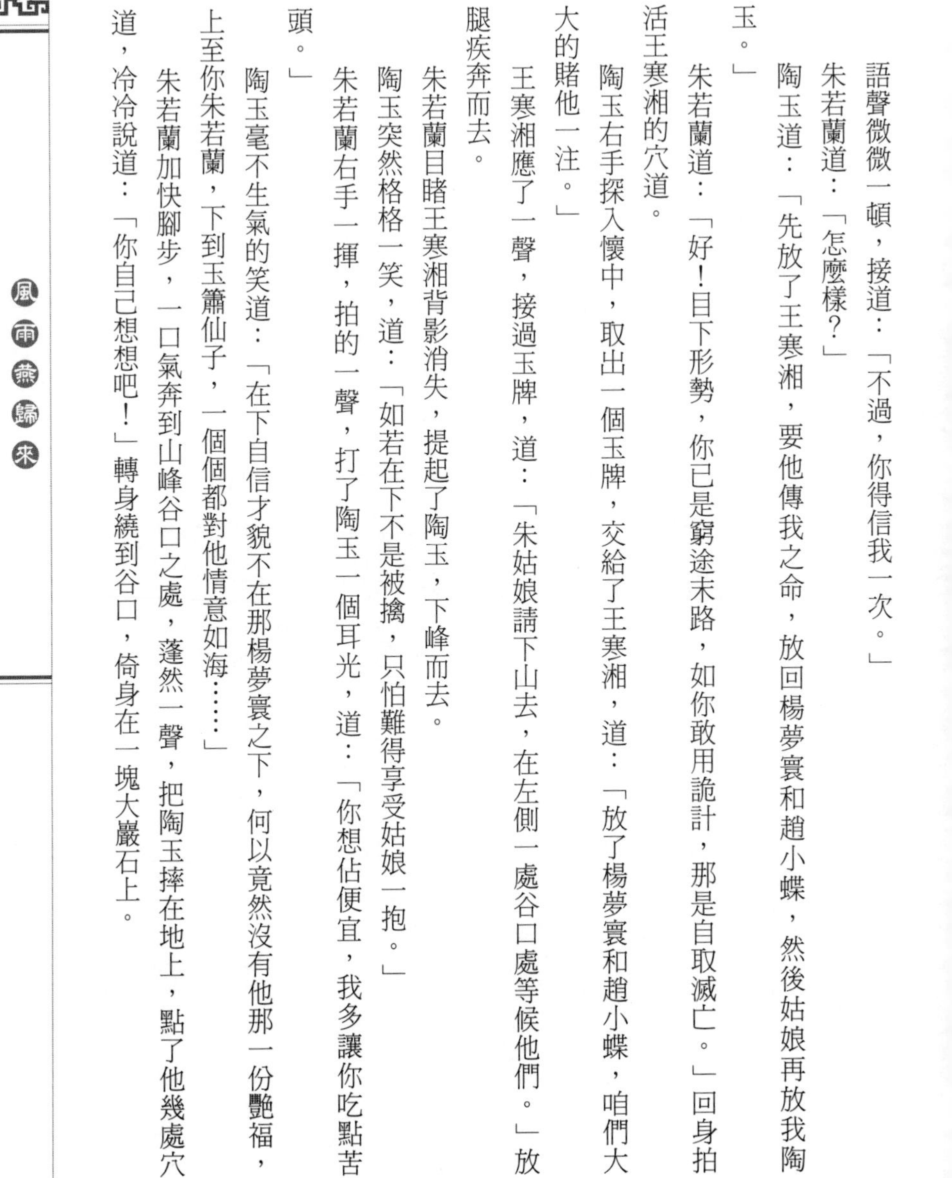
語聲微微一頓，接道：「不過，你得信我一次。」

朱若蘭道：「怎麼樣？」

陶玉道：「先放了王寒湘，要他傳我之命，放回楊夢寰和趙小蝶，然後姑娘再放我陶玉。」

朱若蘭道：「好！目下形勢，你已是窮途末路，如你敢用詭計，那是自取滅亡。」回身拍活王寒湘的穴道。

陶玉右手探入懷中，取出一個玉牌，交給了王寒湘，道：「放了楊夢寰和趙小蝶，咱們大大的賭他一注。」

王寒湘應了一聲，接過玉牌，道：「朱姑娘請下山去，在左側一處谷口處等候他們。」放腿疾奔而去。

朱若蘭目睹王寒湘背影消失，提起了陶玉，下峰而去。

陶玉突然格格一笑，道：「如若在下不是被擒，只怕難得享受姑娘一抱。」

朱若蘭右手一揮，拍的一聲，打了陶玉一個耳光，道：「你想佔便宜，我多讓你吃點苦頭。」

陶玉毫不生氣的笑道：「在下自信才貌不在那楊夢寰之下，何以竟然沒有他那一份艷福，上至你朱若蘭，下到玉簫仙子，一個個都對他情意如海……」

朱若蘭加快腳步，一口氣奔到山峰谷口之處，蓬然一聲，把陶玉摔在地上，點了他幾處穴道，冷冷說道：「你自己想想吧！」轉身繞到谷口，倚身在一塊大巖石上。

大約一頓飯工夫左右，果見楊夢寰緩緩行了過來，他雙腿之上，有如帶著千斤重鉛，舉步落足之間，十分沉重。

朱若蘭強自忍著心中的激動，裝出一片平靜，倚石不語。

楊夢寰步履蹣跚的走了過來，抱拳一揖，道：「又勞姊姊相救了。」

朱若蘭抬起頭來，望了楊夢寰一眼，緩緩說道：「你受了傷麼？」

楊夢寰道：「雖然受盡了那陶玉的折磨，但幸喜還未落下內傷。」

朱若蘭別過臉去，望遠處一叢山花，緩緩說道：「陶玉就在後面山壁之下，你去打他幾下，也好一出胸中之氣。」

楊夢寰道：「多謝姊姊。」轉過山角，果見陶玉坐在山壁之下，微斜身軀，倚在一塊大巖之上，閉目養息。

陶玉聽得步履之聲，睜眼望了楊夢寰一眼，重又閉了起來。

楊夢寰直行陶玉身側，冷笑一聲，道：「陶玉，你想不到也有今天，是吧！」

陶玉淡然一笑，道：「兄弟和那朱姑娘有約，特地遣人去放你出來……」

語聲微微一頓，接道：「此刻我陶玉幾處穴道被點，動彈不得，楊兄如想出氣，儘管出手，打上兄弟幾掌。」

楊夢寰揚起的右手重又緩緩放下，道：「我如若打了你，豈不是和你陶玉一樣了。」

只聽一個嬌脆的聲音叫道：「寰哥哥。」

抬頭看去，只見沈霞琳飛一般的奔過來，衝近楊夢寰身側三步時，突然停了下來，櫻唇啓動，但卻未說出話，兩行淚水，卻已奪眶而出。

楊夢寰伸出手去，握住了沈霞琳的右腕，低聲說道：「不用哭了，我知道你心中有很多委曲，以後慢慢的說給我聽吧！」

陶玉看沈霞琳奔過來時，已然閉上雙目，未再瞧看兩人一眼。

只聽朱若蘭的聲音傳了過來，道：「楊兄弟，拍活陶玉雙臂和雙腿上的穴道。」

楊夢寰應聲出手，拍活了陶玉四肢穴道。

陶玉緩緩站起身子，扶著山壁而去。

顯然他除了四肢被點的穴道之外，還有幾處暗傷。

沈霞琳望著陶玉逐漸遠去的背影，咬牙切齒的說道：「這人壞極了，我真想追上去，一劍把他殺死了。」

楊夢寰尚未答話，耳際間傳入了趙小蝶的聲音，道：「楊兄、沈姑娘，蘭姊姊有請你們。」轉身急步行去。

沈霞琳急急追上去，轉過山彎，卻見朱若蘭盤膝坐在一處山巖之下，頷首說道：「你們過來。」

兩人並肩行了過去，齊聲說道：「姊姊有何吩咐？」

朱若蘭目光凝注在楊夢寰的臉上，道：「我只告訴你一件事，你要好好的看顧琳妹妹……」

舉手一揮，接道：「你們去吧！」

楊夢寰、沈霞琳看她神情間，似是有些煩躁，也就不再多言，悄然退了出去。

只見趙小蝶靠在一處山壁上，仰望著天際出神。

沈霞琳緩步走了過去，道：「蝶妹妹，你的身體好些麼？」

趙小蝶道：「我一直很好，多謝姊姊關心了。」

沈霞琳牽著趙小蝶的手，低聲說道：「這些日子裏，陶玉定然用了很多惡毒的法子對付你。」

趙小蝶輕輕歎息一聲，道：「陶玉把我囚禁了這多時間，使我有時間反省一下，唉！那幾年我太糊塗了，不但害得蘭姊姊生氣，而且也連累了姊姊和楊兄，從今之後，我要好好的做人。」

沈霞琳微微一笑，道：「有你和蘭姊姊，那陶玉本領再大一些，也難再興風作浪。」

趙小蝶搖搖頭，道：「我在這一段靜坐思過之中，想到了一件很可怕的事。」

沈霞琳道：「什麼事？」

趙小蝶道：「在那歸元秘笈最後一頁中，有過一段記載，那是說武學之道，沒有止境……」

輕輕歎息一聲，接道：「因為那不是述說什麼武功，我也沒有仔細讀它，但此刻仔細想來，卻是有些不對，似乎那裏面潛存著很多隱密，而且在這些囚禁的日子中，我曾想了歸元秘笈上的武功，並非是已達止境，陶玉也許……」

只見天宏大師和李滄瀾並肩快步而來，趙小蝶只好住口不言。

天宏大師合掌當胸，低聲說道：「楊大俠，久違了。」

楊夢寰急急還了一禮，道：「楊某一人安危，勞師動眾，楊某衷心難安……」

一撩長衫，屈膝對李滄瀾跪了下去，道：「見過岳父大人。」

李滄瀾一揮手，道：「你起來，天下英雄為你勞碌奔走，冒險犯難，該去謝謝他們才是。」

楊夢寰道：「岳父說得是。」

正待轉身而起，趙小蝶一拉楊夢寰，低聲說道：「蘭姊姊可能是中毒了，也許是受了內傷……」

楊夢寰怔了一怔，道：「什麼？」

趙小蝶道：「你快去就是。」

楊夢寰還想再問，趙小蝶已牽著沈霞琳轉身而去。

楊夢寰輕輕咳了一聲，道：「在下該去道謝一聲才是。」

天宏大師笑道：「多承朱姑娘援手，來此之人大都有驚無險，此刻都在山谷一端等候楊大俠。」

楊夢寰道：「好，在下就去拜謝他們援手之恩。」

天宏大師望了趙小蝶一眼，道：「姑娘別來無恙。」

趙小蝶道：「我很好，多謝老禪師的關顧。」言罷，愁鎖眉頭，垂首出神。

天宏大師只道她不喜和自己搭訕，悄然轉身而去。

李滄瀾望了趙小蝶一眼，心中暗道：此女胡作非為，武功又高，心目中無大無小，還是不要惹她為妙，帶著川中四醜轉身而去。

楊夢寰行約數十丈，只見一塊空曠的草地上坐著十餘人。

群豪眼看楊夢寰行了過去，齊齊站起身來。

楊夢寰急行兩步，抱拳一個羅圈揖，道：「楊某何德何能，敢勞諸位千里跋涉，我楊某這裏是感激不盡了。」群豪齊齊還禮。

聞公泰哈哈一笑，道：「除了我等幾個先到此地，後面只怕還有高手趕來……」語聲微微一頓，道：「目下那陶玉已成禍亂之源，楊大俠既已脫困，正好帶咱們一舉而把他消滅。」

楊夢寰道：「那朱姑娘既在此地，最好能由她主持。」

靜玄道長道：「朱姑娘深謀遠慮，我等難及萬一，想必早已有了對付陶玉之策。」

聞公泰目光流動，打量四面的山色形勢一眼，接道：「此刻進入這百丈峰的武林同道，恐怕將數以百計，老朽之意，咱們在對面山峰之上，設下幕帳，以迎接天下英雄，藉機掃穴犁庭，一舉殲滅陶玉實力，別再給他坐大的機會。」

靜玄道長道：「聞兄高論，貧道甚為贊同，但最好能先和朱姑娘商量一下，再作主意。」

天宏大師道：「不錯。」

李滄瀾接口說道：「寰兄，你去瞧瞧朱姑娘，咱們在對面山峰之上等候。」

楊夢寰心中亦甚擔心那朱若蘭的安危，當下說道：「小婿立刻就去。」抱拳一個長揖，轉身而去。

一路返回，竟是未再見到那趙小蝶和沈霞琳。

直待行到朱若蘭適才坐息之處，才見到玉簫仙子滿臉戚然之色，站在山巖之下。

楊夢寰輕輕歎息一聲，道：「玉簫姑娘……」

玉簫仙子道：「你來了，我帶你去看朱姑娘。」

她似是很急，說完一句活，立時轉身而去。

楊夢寰覺出事態嚴重，也不多問，隨在玉簫仙子身後奔到一座茅舍外面。

玉簫仙子低聲說道：「楊相公，進去吧！姑娘就在房內。」

楊夢寰緩步而入，直入內室，只見朱若蘭仰臥一張木榻之上，微閉著星目，臉上是一片蒼白，不禁心頭黯然，低聲叫道：「蘭姊姊。」

朱若蘭睜開眼睛，望了楊夢寰一眼，緩緩說道：「你還沒有走麼？」

楊夢寰道：「趙姑娘和天下英雄都在這裏，姊姊傷得很重嗎？」

朱若蘭淡然一笑，道：「不要緊，我有靈鶴可以送我回天機石府，你好好照顧趙小蝶，只有那縷縷情絲，才可以縛緊她的芳心。」

楊夢寰道：「小弟一切遵命，姊姊不用擔心這些事了，眼下最爲緊要的是姊姊的傷勢。」

朱若蘭似是沒有氣力答話，緩緩閉上雙目，不再言語。

楊夢寰心中大驚，伸出手去，按在朱若蘭前胸之上，只覺她氣若遊絲，似是隨時可以斷去，不禁急得流下淚來。

正感六神無主，忽聞身後傳來了步履之聲。回頭望去，趙小蝶和沈霞琳走了進來，急急叫道：「趙姑娘快些來，蘭姊姊情形不對。」

趙小蝶行近榻前，右手把著朱若蘭的左腕脈穴，右耳附在她前胸之上，聽了一陣，搖搖頭道：「不像是中毒的樣子。」

楊夢寰道：「不是中毒，那是受傷了？」

趙小蝶點點頭，道：「似是受了很重的內傷。」

沈霞琳道：「這兩日來，我一直未離開她一步，也沒有見她和陶玉動手，如何會受了傷呢？」

楊夢寰道：「姑娘胸中熟記歸元秘笈，可能瞧出她傷在何處麼？」

趙小蝶道：「不能確定，似乎是真氣岔了經脈，練功走火入魔。」

沈霞琳熱淚奪眶而出，黯然說道：「如若她不來百丈峰，援救咱們，也不會落得這樣慘局了。」

楊夢寰道：「趙姑娘請仔細想想歸元秘笈上那療傷篇中，可有療救走火入魔的辦法？」

趙小蝶凝目沉思，良久不言。

楊夢寰知她正在用心思索，只好耐心等待。

大約過了一頓飯工夫之久、趙小蝶才搖頭歎道：「我心中沒有把握……」

只聽朱若蘭長長吁一口氣，霍然睜開雙目，挺身坐起，望了楊夢寰三人一眼，微微一笑，道：「你們不用爲我擔心，我只是練功練岔了真氣，只要好好的休息幾日，就會好了。」

趙小蝶道：「姊姊，你何苦要騙我們。」

朱若蘭笑道：「我幾時騙過你們了，不要打擾我，我要休息一下。」

趙小蝶道：「姊姊，我助你把真氣逼回經道如何？」

朱若蘭緩緩躺了下去，道：「不用費心機了，你無能助我。」

趙小蝶道：「小妹自信有此能力。」

朱若蘭道：「我知道你內功深厚，天下無匹，但卻不適對我。」

趙小蝶奇道：「姊姊，我是越聽越不明白了。」

朱若蘭似是很疲倦，閉上雙目，有氣無力的說道：「我這幾年，真氣是逆轉而行……」

趙小蝶呆了一呆，還想再問，楊夢寰卻搶先接道：「趙姑娘，她很疲倦，不要再和她說話了。」

一向倔強的趙小蝶，此刻卻變得無比溫柔，點點頭，緩緩向後退去。

楊夢寰一拉沈霞琳，三人一齊退到室外。

趙小蝶走在最後，隨手帶上房門。

只見玉簫仙子站在廳中，愁眉苦臉，粉頰淚痕未乾。

她似是對那趙小蝶寄望甚重，一見趙小蝶，就忍不住問道：「趙姑娘，朱姑娘的傷勢如何？」

趙小蝶輕輕歎息一聲，道：「到此刻爲止，我還想不出療治她傷勢的辦法。」

玉簫仙子道：「這麼說來，只有設法送她回到天機石府去了。」

趙小蝶道：「送回天機石府，又能如何？」

沈霞琳道：「奇怪的是，我一直不明白蘭姊姊是如何受傷的。」

趙小蝶似是突然有了決定，滿臉堅決的說道：「我想這樣拖延下去，倒不如冒險一試療治她的傷勢了。」

楊夢寰道：「姑娘有把握？」

趙小蝶搖搖頭，道：「沒有……」

楊夢寰道：「最好是不要冒險。」

趙小蝶道：「如若我不能療治好她的傷勢，或是因手法錯誤，害了蘭姊姊，我就以死謝罪。」

楊夢寰道：「這個，這個如何可以？」

趙小蝶道：「形勢逼迫，實不容再拖延下去了，倒不如冒險一試。」

楊夢寰默然不言，雙目卻移注在玉簫仙子的臉上。

玉簫仙子沉吟了一陣，道：「好吧！咱們姑且一試。」

趙小蝶道：「兩位姊姊，跟我進入室中……」目光轉注到楊夢寰的臉上，道：「有勞在室

外等等了。」

楊夢寰道：「三位儘管放心施爲，在下守門就是。」

三人步入內室，回手關上房門。

楊夢寰大步出廳，四面查看一下，重又繞回廳中。

足足過了一個時辰，仍不見內室門開，不自禁焦急起來。

繞向窗子，只見窗門緊閉，還垂著黑色的窗簾。

這時楊夢寰除了破門而入之外，已然是別無良策，想到趙小蝶如生異心，玉簫仙子和沈霞琳都將傷在她暗算之下，更是心如火焚，急得在廳中來回踱走。

突然間響起了幾聲長嘯，遙遙傳了過來。

揚夢寰心中一動，暗道：難道是那陶玉知道了朱若蘭受傷的事，率人施襲不成？

心中轉念間，瞥見一個面目醜怪的藍衣婦人，緩步行入室中。

楊夢寰仔細的瞧了一眼，才認出來人是三手羅刹彭秀葦，當下一抱拳，道：「彭姑娘。」

彭秀葦緩緩說道：「姑娘的傷勢如何了？」

她聲音中微微抖顫，似是盡力在壓制著心中的激動。

楊夢寰道：「趙小蝶和玉簫姑娘，現都在內室中查看那朱姑娘的傷勢。」

彭秀葦似要入內，但卻突然改變了主意，緩步退到廳角，肅然而立。

她面容醜怪，喜怒之間，特別鮮明。

楊夢寰心中暗道：看來她心中似是蘊藏了一腔怒火，一旦爆發出來，定是一場生死之搏……

忖思之間，突聞木門呀然一聲，兩扇緊閉的房門，突然大開。

只見趙小蝶容色嚴肅的緩步行了出來。

楊夢寰正待出言相問，趙小蝶雙目淚水已奪眶而出，搖搖頭，說道：「蘭姊姊說得不錯，我無能幫助她。」

雙手掩面，放聲大哭。

楊夢寰緩步行了過來，道：「趙姑娘，不用哭了，只要你盡了心力，至於能否療治好朱姑娘的傷勢，那是天命了。」

突然彭秀葦冷冰冰的說道：「玉簫姑娘，姑娘可是死了麼？」

玉簫仙子道：「氣息未絕。」

彭秀葦冷冷說道：「姑娘既然沒有死，告訴她不要哭了。」

趙小蝶放下掩面雙手，拭去頰上淚水，凝目望去，只見彭秀葦大步行了過來，滿含仇恨的掃掠了楊夢寰等一眼，直向房中行去。

玉簫仙子低聲說道：「她追隨朱姑娘甚久，情意深重，此刻得此兇訊，難免是情緒激動，形諸於外，諸位要多擔待一點。」

楊夢寰道：「玉簫姑娘放心……」

目光轉到趙小蝶的臉上，問道：「那歸元秘笈療傷篇，乃療傷寶典，何以全然不見效力？」

趙小蝶道：「我也是覺得奇怪，仔細查過之後，才發覺蘭姊姊身上真氣，似是倒逆而行。」

楊夢寰道：「倒逆而行……」

趙小蝶道：「是啊，因而才使人有著無法下手之感。」

楊夢寰凝目沉思了一陣，突然頭下腳上的倒立起，道：「趙姑娘，你點我腿上『陽關』、『曲泉』兩穴。」

趙小蝶怔了一怔，忽然若有所悟的伸手點了他的「陽關」、「曲泉」兩穴。

楊夢寰身體倒立，雖然被點了兩處穴道，仍然以手撐地，倒立不動。

沈霞琳只瞧得大爲奇道：「寰哥哥，你這是幹什麼呀？」

但聞楊夢寰沉聲說道：「點我右肋『天谿』、『天池』二穴。」

趙小蝶應了一聲，又伸手點了楊夢寰右肋兩處穴道。

這時楊夢寰身上有四處穴道被點，但他仍然倒立不動。

沈霞琳低聲問玉簫仙子，道：「玉簫姊姊，他們在幹什麼啊？」

玉簫仙子道：「他們在研究你蘭姊姊的傷勢。」

沈霞琳點點頭，道：「噢！原來如此。」

楊夢寰似是感覺很吃力，喘息著說道：「快檢查我『手太陰肺經』，是否真氣倒流？」

趙小蝶伸出纖纖玉手，按在楊夢寰身上。

室中鴉雀無聲，落針可聞。

這是武學上少見的難關，也關係著朱若蘭的生死。

沈霞琳、玉簫仙子睜著四隻圓圓的大眼睛，望著趙小蝶，心中滿懷希望，也充滿著緊張。

大約過了一盞熱茶時光，趙小蝶移開按在楊夢寰身上的玉手，順勢拍活他四處穴道，搖搖頭道：「行集於『手太陰肺經』中的真氣，遲滯緩慢，並無逆行之征。」

沈霞琳緊張的精神，突然一懈，道：「這麼說來，仍是無法救活蘭姊姊了。」

突聞一聲悲切的哭聲傳出來，聲音不大，但卻充滿著哀傷，哭得動人心弦。

沈霞琳大吃一驚，放步向內室衝去。

玉簫仙子右手一伸，抓住沈霞琳，道：「沈姑娘，不要進去。」

沈霞琳道：「爲什麼？我要去看蘭姊姊，她傷勢如是沒有變化，那彭秀葦如何會哭得如此悲切。」

玉簫仙子輕輕歎息，道：「此刻她心中充滿了怨怒仇恨，激憤之下，可能會殺了你。」

沈霞琳呆了一呆，道：「你可是說彭姑娘？」

玉簫仙子道：「不錯。」

只聽楊夢寰喃喃自語，道：「真氣逆行，經脈倒轉……」驀然抬起頭來，叫：「趙姑娘，咱們再來試試。」雙手撐地，人又倒立起來。

趙小蝶又點了楊夢寰幾處穴道，道：「可曾覺出了真氣逆轉？」

楊夢寰搖搖頭道：「未曾覺得。」

趙小蝶拍活了楊夢寰的穴道，道：「不用試了，這其間定然有著一種竅訣，咱們不知內情，只怕是無法了然。」

楊夢寰一躍而起，道：「那不是有人傷了她……」

沈霞琳接道：「如是無人傷她，難道蘭姊姊是病了麼？」

楊夢寰道：「是蘭姊姊自己岔了真氣。」

玉簫仙子突然接道：「是了，是了……」

沈霞琳茫然接道：「玉簫姊姊，什麼事啊？」

玉簫仙子道：「朱姑娘正在練習一種武功，尚未練成，但卻聽得楊相公和趙姑娘的兇訊，因此匆匆趕來……」

趙小蝶道：「不錯了，這幾日裏，她一心想救咱們，和陶玉鬥智鬥力，精神體力，兩皆困乏，無暇休息，致使真氣走岔了經脈，也就是武家大忌的走火入魔了。」

玉簫仙子黯然說道：「朱姑娘曾對我說過一句話，當時我還未想到如此嚴重，如今想來，她已是早知道了。」

趙小蝶道：「說的什麼？」

玉簫仙子道：「她說，如若她有了什麼變故，要把她綁在巨鶴之上，讓玄玉直飛天機石府，別讓你們知道，當時我還認爲姑娘是多慮之言，把陶玉估計過高，卻想不到她竟是早已先知。」

趙小蝶道：「唉！她自知正在危險之期，卻又不能不下山來救咱們，如其說是她早有預知，那就不如說其禍必然了。」

只聽一個冷冷的聲音，說道：「快閃開，讓我過去。」

抬頭看去，只見彭秀葦抱著朱若蘭，大步行出室外。

玉簫仙子急道：「彭姊姊，你要把姑娘帶往何處？」

彭秀葦冷冷道：「帶回天機石府，姑娘還餘下一口氣，不能讓她死在這等荒涼之地。」

趙小蝶道：「放下她，我們正在思索救她之法，你如帶她離此，那就……」她本想說那是死定了，但卻不忍說出口來。

彭秀葦冷冷說道：「你們都是害死朱姑娘的兇手，都給我滾到一邊去……」大步向外衝去。

楊夢寰身子一側，攔住了彭秀葦的去，道：「彭姑娘……」

彭秀葦怒道：「禍皆由你起，你還有何面目和我說話？」

楊夢寰抱拳一揖，道：「姑娘聽在下一言如何？」

彭秀葦道：「我已經聽過兩回了，快讓開路。」

楊夢寰怔了一怔，暗道：看起來，今日非得動手攔住她了。

心念轉動，淡然一笑，道：「彭姑娘，你如想救朱姑娘的性命，就把她放下來……」

彭秀葦厲喝道：「你讓不讓路？」

楊夢寰道：「除非你留下朱姑娘來。」

彭秀葦冷笑一聲，左手抱緊了朱若蘭，右手一揮，疾向楊夢寰前胸拍去。

楊夢寰心知彭秀葦的神志已然有些不清，除非把她制服之外，已是別無他法，右手一揚，五指反向彭秀葦右腕之上推去。

彭秀葦一手抱著朱若蘭，單餘一隻手和楊夢寰惡鬥，但攻勢卻凌厲無比，招招都是擊向楊夢寰的要害。

楊夢寰擔心傷了朱若蘭，出手不得不小心謹慎。

玉簫仙子急得大聲叫道：「彭姊姊，趙姑娘和楊相公都正在耗盡心智，思索拯救朱姑娘的辦法，姊姊如若把朱姑娘帶回天機石府，豈不是害了她麼？」

彭秀葦右手疾揮，連攻三招，迫得楊夢寰退後一步，道：「姑娘適才清醒過來，要我以最快速的方法，送她回天機石府。」

玉簫仙子道：「此事當真麼？」

彭秀葦道：「我爲什麼騙你！」

楊夢寰一面封擋彭秀葦的掌勢，一面高聲說道：「姑娘快請停手，容楊某說幾句話如何？」

彭秀葦道：「誰要聽你的花言巧語。」掌勢更見猛惡。

她懷中抱著朱若蘭，身手雖然大受影響，但卻護住了她大半個身子，楊夢寰只能攻她右面肋間一處，又不能施展毒手，是以動手打了幾十個照面，一直是攻少守多。

沈霞琳長長歎息一聲，道：「寰哥哥，不要打了，蘭姊姊大傷之下，你們這樣打來打去，

我想吃虧的仍是蘭姊姊。」

楊夢寰心頭一凜，暗中運氣，眼看彭秀葦一掌劈來，故作讓避不開，左肩一挺，硬受一擊。

彭秀葦一掌拍在楊夢寰肩頭之上，蘊蓄在掌心上的內勁，還未發出，楊夢寰的右手，已橫裏伸了過來，抓住了彭秀葦的右腕，道：「彭姑娘，快放下朱姑娘。」

彭秀葦冷冷說道：「朱姑娘要我帶她回天機石府，除非你們殺了我……」

趙小蝶接道：「這些話我們都未聽到，誰知你說的是真是假……」

彭秀葦怒道：「不是你這臭丫頭被人生擒，朱姑娘怎會趕來百丈峰……」

楊夢寰吃了一驚，暗暗忖道：趙小蝶生性高傲，這彭秀葦竟然如此罵她，只怕要激起她的殺機。

那知事情竟然是大大的出了楊夢寰的預料之外，只見趙小蝶神情平靜的說道：「彭姑娘，你罵的一點不錯，是我拖累了蘭姊姊，但事已至此，已不是責罵幾句可以解決，目下要緊的是，設法搶救蘭姊姊的性命，你把她帶回天機石府，豈不是要她等死麼？」

彭秀葦冷笑一聲，道：「死在天機石府，那是比死在此荒涼之地強得多了。」

趙小蝶柳眉一聳，但仍然平和的說道：「蘭姊姊武功高強，並非是傷在陶玉手中……」

彭秀葦怒聲接道：「你就是說得天花亂墜，也別想讓我信你。」

趙小蝶臉色一變，道：「爲了搶救蘭姊姊的性命，休怪我無禮了。」突然一揚右手，點了過去。

一股暗勁衝了過去，正中彭秀葦的肋間「大包」要穴。

彭秀葦右手被楊夢寰五指緊扣著腕脈要穴，右肋再吃趙小蝶一指點中，左臂力道亦失，懷抱中的朱若蘭突然向下跌落。

趙小蝶迅速無倫的一伸雙手，接住了向下跌落的朱若蘭，左手一揮，拍活了彭秀葦左肋的「大包」穴。

楊夢寰一鬆五指，道：「彭姑娘不要見怪……」

彭秀葦穴道被解，脈穴一鬆，立即怒喝一聲，猛向趙小蝶撲了過去。

趙小蝶看她來勢猛惡，生恐傷到了朱若蘭，匆急之下，右手一揚，推出一股暗勁。

她內功深厚，出手力道非同小可，彭秀葦向前衝進的身子，有如撞在一堵無形的堅壁之上，悶哼一聲，倒退三步，跌摔在實地之上。

凝目望去，只見彭秀葦面色鐵青，口角間緩緩流出血來。

趙小蝶似是未料出手一擊之下，竟然把彭秀葦傷得如此之重，不禁一呆。

玉簫仙子急急伏下身去，扶起了彭秀葦，道：「姊姊，傷在何處？」

趙小蝶急急說道：「傷在內腑，最好先別動她。」

玉簫仙子果然不敢再動，放下了彭秀葦，道：「趙姑娘，可有救治之法麼？」

趙小蝶道：「我並未用很大氣力，竟然把她傷得如此之重，不過這內傷，在那歸元秘笈療傷篇上，記述有很詳細的療治之法，只要她心脈未被我掌力震斷，很快就可以康復。」

玉簫仙子伸出手去按住彭秀葦前胸之上，道：「她心臟還在跳動。」

趙小蝶長吁一口氣，道：「那就好了。」緩緩把懷中的朱若蘭交給了沈霞琳，蹲下身子，連點了彭秀葦九處穴道。

玉簫仙子低聲問道：「你可是在替她療傷麼？」

趙小蝶道：「不錯啊！」

玉簫仙子道：「點穴療傷，我玉簫仙子還是初次見到。」

趙小蝶道：「表面看起來，這不似療傷的樣子，其實這是那療傷篇中很重要的一段記述，你如留心我點她的穴道，或許就明白了。」

玉簫仙子搖搖頭道：「我還是瞧不明白。」

趙小蝶道：「習武之人最重要的是一口氣，大凡習過內功之人，那一口穿經過脈的真元之氣，最是重要，我要先點了她的穴道，就是要她逐漸消散的真氣，重行回聚內腑。」

玉簫仙子道：「原來如此。」

趙小蝶道：「帶她好好休養去吧！大約在一個時辰之後，再用推宮過穴的手法，推活我點她的穴道，讓她靜靜養息，那時看她傷勢變化，再作主意。」

玉簫仙子道：「好吧！後面還有一處宅院，我把彭姊姊移入後面院中養息。」

趙小蝶道：「那很好，」站起身子，從沈霞琳的手中抱過朱若蘭，重又行回內室中，緩緩把朱若蘭放在木榻之上。

沈霞琳站起身子說道：「寰哥哥，你和趙家妹子去設法療救蘭姊姊的傷勢，我在外面巡查，別要讓陶玉的人混了進來。」

楊夢寰道：「那就辛苦你了。」

沈霞琳拔出佩劍，出門而去。

楊夢寰隨即轉身，步入內室。

只見趙小蝶站在木榻旁側，呆呆的望著朱若蘭出神。

楊夢寰輕步行近木榻，道：「趙姑娘可曾想出療治蘭姊姊傷勢的辦法？」

趙小蝶道：「很難想，我已經想完歸元秘笈療傷篇上每一句話，每一個字，但仍然是沒有想出辦法來。」

楊夢寰道：「她身上真氣，倒逆而行，不知療傷方法中，可否倒行呢？」

趙小蝶道：「這個我就不知道了。」

楊夢寰道：「如今蘭姊姊傷得很重，不能拿她試驗，如是你想出一個療傷之法，心中沒有把握，那就拿我試驗。」

趙小蝶道：「我和蘭姊姊都是女人，還是我來試驗的好。」

楊夢寰道：「這倒不用爭了，重要的是先得想出一個辦法來。」

趙小蝶緩緩坐了下去，道：「讓我仔細的想想看。」

楊夢寰道：「目下蘭姊姊已經是危在旦夕，咱們的時間無多，姑娘可否把那療傷篇的原文，背誦一遍，在下亦好幫助姑娘想想。」

趙小蝶道：「好吧！大傷不損，大盈若虧……」一字一句的背了下去。

楊夢寰很仔細的用心聽了一遍，果是覺得全篇之中，沒有一處適用於療治朱若蘭的傷勢。

趙小蝶目睹楊夢寰默默不語，不禁長歎一聲道：「這些事急不來的，事關蘭姊姊的生死，咱們也不能冒險試驗。」

楊夢寰抬起頭來，緩緩說道：「這就奇怪了！」

趙小蝶一皺眉頭，道：「什麼事奇怪了？」

楊夢寰道：「應該是有途可循，但咱們卻想不出來。」

趙小蝶歎息一聲，道：「咱們慢慢的想吧……」

楊夢寰似是突然想起來一件十分重大之事，說道：「趙姑娘，五年之前，我在天機石府承你為我療傷，你是否記得呢？」

趙小蝶道：「自然是記得了。」

楊夢寰道：「那時蘭姊姊和你相比，誰的武功高強？」

趙小蝶道：「如若不說謙虛之言，我要強過蘭姊姊一二。」

楊夢寰道：「現在呢？」

趙小蝶道：「現在很難說了，蘭姊姊才慧絕世，我們都難及得。」

楊夢寰道：「如若那歸元秘笈，是天下武學總綱，遵循武學，在這五年中，陶玉終日研讀，自然是進境最快，你和蘭姊姊該是進境相同，你應該仍然強過她才是。」

趙小蝶道：「也許我的天資沒有蘭姊姊高，師承雖然一般，蘭姊姊卻後來居上。」

楊夢寰搖搖頭道：「單論你習武的天份，你決不在蘭姊姊之下，不同的是，蘭姊姊肯用心

去想，你卻不肯。」

趙小蝶歎息一聲，道：「這話不錯，這些年來，我一直都在胡鬧。」

楊夢寰道：「小兄之言，並無責備姑娘之意，我是說蘭姊姊未雨綢繆，早已想到那『歸元秘笈』落在陶玉手中，終非了局，因而幾年來，一直在用心思索破解，『歸元秘笈』上記錄的武功，也許記得不全，淪入旁道，也許她另闢新徑，尚未有成，但聞得我們被擒之事，不得不下山相救，犯了武家大忌，真氣凝結成傷……」

趙小蝶接道：「就算真氣凝結成傷，也不致於真氣倒行啊！」

楊夢寰道：「這就是關鍵所在了，咱們如能找出她從何處著手，能使真氣正常運行，那就不難解救了。」言罷，凝目思索。

天色暗了下來，趙小蝶燃起火燭，和楊夢寰相對而坐，苦苦思索。

片刻之後，兩人都陷入了沉思之中，不知時光過了多久。

一支紅燭，完全燃盡，火焰一閃而熄，室中陡然間黑了下來。

趙小蝶輕輕歎息一聲，道：「楊兄，我想出一點頭緒了。」

楊夢寰啊了一聲，道：「什麼頭緒？」

趙小蝶道：「蘭姊姊想使真氣逆行，穴道倒轉，衝破體能上的極限……」

楊夢寰接道：「此事可能麼？」

趙小蝶道：「是否可能，我就不知道了，但現在一個天賦很好的習武之人，在遇上良師之

後，當你成就到登峰造極之時，就會面臨著體能極限的煩惱，就小蝶經驗而論，這等煩惱亦有很多關限，佛門的般若禪功，和道家的玄門罡氣，大約算是武功中的最高成就了，等而下之，亦各有關限，所以一個人基礎打定之後，那就永遠脫不了已定的關限之內，因而武林中有很多等級之分……」

語聲一頓，住口不言。

楊夢寰道：「爲什麼不說下去？」

趙小蝶道：「我不知說得對是不對，你是否願意聽下去？」

楊夢寰道：「對不對，此刻卻是難作定論，但在我聽來，卻是大有道理。」

趙小蝶道：「所謂大有大限，小有小關，上乘武學的登峰成就，那就是所謂體能極限了，就算你再有很多時光，也無法再向前行進一步。」

楊夢寰道：「有些道理。」

趙小蝶道：「四年之前，我亦面臨著這種煩惱，但我卻不去想它，也不再苛求，我遊盪於江湖之上，弄情自娛，擺脫去一大難關。」

楊夢寰道：「你面臨體能極限邊際之時，不知有些什麼感覺？」

趙小蝶想了一陣，道：「第一個感覺到武功愈練愈差，每一次調息過後，感覺都不相同，有時覺著真氣流暢，似是要離地飛去，有時卻感覺疲倦難支，似是剛經過一場惡戰……」

楊夢寰道：「快說下去。」

趙小蝶道：「好像是有人來了。」

楊夢寰一躍而起，道：「你不要出去，留在這裏保護蘭姊姊，我去瞧瞧。」轉身奔出室外。

趙小蝶輕輕歎息一聲，站起身子，行到室門處，向外望去。

楊夢寰奔出室外，折向院中，一縱身躍上屋面，凝目望去，只見遠處一點火光，忽明忽暗。

這時那守在後宅看顧彭秀葦的玉簫仙子，亦似是聞得警兆，急急躍出室門，翻房越屋而去。

楊夢寰看到她執簫而奔，並未喝問，反而一伏身子，避開玉簫仙子的視線，然後長身而起，由屋後繞向那隱現的燈光奔去。

他心中充滿疑問，猜不出來人是誰，陶玉大遭慘敗，除非得到新援，決然不敢再來相犯，何況天宏大師等武林高手尚在附近……

心念轉動間，人已奔近那隱現的燈光。

凝目望去，只見一盞氣死風燈，高吊在一株白松之上，夜風強勁，那燈光常被夜風吹得隱入密茂的松葉之中，忽隱忽現，乍暗乍明。

楊夢寰目注燈球，略一忖思，立時折向原路轉去一行近茅舍，果然已有了強敵相犯。

只見玉簫仙子手舞長簫，沈霞琳揮動長劍，和陶玉兩個化身，打在一起。

陶玉選擇的四靈化身，無論面貌、身材無一不和陶玉相似，加上那服飾、兵刃和那跛著的左腿，就算天天相見，也無法分辨他們和陶玉有何不同之處，除非在武功之上，看出他們的身分。

楊夢寰已和陶玉交手數次，一瞧兩人出手劍招，已知這兩人都是陶玉的四靈化身中的人物。

奇怪的是，陶玉在新遭大敗之後，這兩人何以還敢登門相擾？

當下隱起身子，暗中瞧著。

玉簫仙子和沈霞琳無能勝得陶玉，但對付陶玉這四靈化身的人物，那卻是綽有餘裕，三十個照面之後，兩人都已搶得上風。

沈霞琳心中對陶玉之恨，有如刺骨椎心，看這人形似陶玉，激起心中暗藏之恨，長劍狠招頻施，招招都是致命的攻勢。

又過十餘個照面，陶玉兩個化身，已被迫得險象環生。

但聞兩人同時大笑一聲，各自振劍攻出一招。

這一招奇幻凌厲，迫得沈霞琳和玉簫仙子各自退了一步。

陶玉這兩個化身，本可藉機搶得主動，出劍反擊，但兩人不進反退，躍後五尺，喝道：「住手！」

玉簫仙子橫簫說道：「什麼事？」

左側一人冷然說道：「楊夢寰在麼？」

他們不但面貌形態酷似陶玉，連舉動和說話神情、聲音、語氣也是無一不酷肖陶玉。

沈霞琳道：「找我寰哥哥有什麼事？」

左面一人答道：「咱們有一信奉上，但家師交代，必得面交楊夢寰才行。」

沈霞琳正待接口，楊夢寰已然緩步而出，道：「楊某在此。」

陶玉那兩大化身，突然轉過身子，仔細打量楊夢寰，低語一陣，才由左側一人中，從懷中摸出一封密函，遞了過去。

楊夢寰接過密函，在手中掂了一下，道：「兩位還有什麼事？」

兩人齊聲應道：「我等來此，只爲了送信而來，如今信已送到，自然別無事故了。」

楊夢寰道：「你們商量一下，只許一人離去，不論你們哪個留在這裏都好。」

陶玉的四靈化身，個個相貌酷似，如是站在一起，連楊夢寰也無法分辨得出誰真誰假。

陶玉派來兩個四靈化身，左面一人望了楊夢寰一眼道：「楊大俠可是想留下我等麼？」

楊夢寰淡淡一笑，道：「不錯，但我只留一人。」

右面一人接道：「咱們送信而來，並無其他之意。」

楊夢寰道：「因此在下亦無殺害兩位之心……」

語聲微微一頓，道：「陶玉如被形勢所迫，你們四靈化身就是他替死的人，要想剪除陶玉，不得不先把四位先行擒除。」

玉簫仙子突然接口說道：「楊大俠已然心存忠厚了，如若以我之見，兩位都得留下。」

兩人相互望了一眼，齊齊舉起手中金環劍，道：「如是我等都不願留下呢？」

楊夢寰冷笑一聲，道：「那只有兩途可循。」

左面一人道：「請教楊大俠。」

兩人心知難是楊夢寰劍下之敵，故而不敢冒昧出手。

楊夢寰緩緩從沈霞琳手中取過長劍，道：「在下留兩位之一，並無殺害之心，只是未雨綢繆，免得陶玉日後借仗四位，惑人耳目，兩位如各斷兩指，以示和陶玉有別，那就儘管離去。」

長長吁一口氣，接道：「除此之外，兩位只有憑仗武功，衝出此地了。」

陶玉派來送信的二靈，相互望了一眼，左面一人突然抛去了手中金環劍，道：「咱們兩人，也非他之敵，如其相搏，不如留下一人。」

右首一人道：「在下留此，玄兄去吧！」

左面一人道：「還是小兄留此！」

楊夢寰歎道：「兩位的舉動、面貌無一不似陶玉，但為人心術，卻是和陶玉大不相同了。」

只聽左面一人喝道：「你還不快走，如果楊夢寰改了心意，咱們誰也走不成了。」

右面一人道：「我回去見著師父之後，說明經過，要師父設法救你。」舉劍護身，拔步奔去。

楊夢寰閃到上一側，讓開了一條去路。

玉簫仙子突然欺進一步，冷冷說道：「你是四靈排行第幾？」

那人道：「在下玄武。」

楊夢寰舉手一指，點了他的穴道，冷冷說道：「你相信陶玉會來救你麼？」

玄武穴道雖然被點，但口仍能言，緩緩說道：「家師在那封函之中，已經寫得十分明白，楊大俠看過就知道了。」

楊夢寰道：「你送到此信，任務已完，看與不看，不關你的事了……」

玉簫仙子道：「可要廢除他的武功？」

目光轉到玉簫仙子臉上，接道：「好好看著他，如是他妄想逃走，殺了他就是。」

楊夢寰道：「只要他沒有逃走的舉動，暫時不用廢他武功。」

玉簫仙子應了一聲，冷然對玄武說道：「你都聽到了，最好知趣一些。」

玄武道：「如若在下有逃走之念，也不會留在這裏了。」

楊夢寰心中惦念朱若蘭的安危，急步行入靜室之中。

抬頭看去，只見趙小蝶伏在朱若蘭前胸之上，正在哀哀低位。

楊夢寰吃了一驚，急急行了過去，道：「趙姑娘，蘭姊姊傷勢有了變化了麼？」

趙小蝶緩緩抬起頭來，拭去臉上淚痕，道：「恐怕是不行了。」

楊夢寰伸出手去，按在朱若蘭前胸之上，只覺她心臟跳動之力，微弱異常，似是隨時可以斷去，不禁一皺眉頭，道：「不能再拖延下去了。」

趙小蝶道：「那歸元秘笈療傷篇上記載之法，不能療治她的傷勢，我實在想不出別的辦法

了。」

楊夢寰鎮靜了一下心神，道：「陶玉派人送來一封密函，咱們先打開瞧瞧。」

趙小蝶奇道：「陶玉派人送給你？」

楊夢寰道：「不錯，其人詭計多端，這封密函之中不知寫的什麼。」

趙小蝶道：「當心他在信上用毒，你要小心一些了。」

楊夢寰取出密函，仔細的瞧了一陣，才用手啓開信封。

趙小蝶道：「我替你燃火燭。」

幌燃了火招子，又燃起一支新燭。

楊夢寰展開函箋望去，只見上面寫道：「如若在下的料斷不錯，朱姑娘受了很重的傷，她雖然有能救了你們，但自己卻無能自保……」

趙小蝶站在楊夢寰身後，瞧得十分情楚，不禁吃了一驚，道：「這陶玉怎會知道呢？」

楊夢寰道：「確實有些奇怪！」

趙小蝶道：「如若早知道蘭姊姊要受重傷，決然不會放咱們了。」

楊夢寰道：「不錯，以那陶玉的爲人而論，確該如此。」

趙小蝶道：「因此我想他定然是放了咱們之後，才知道蘭姊姊受傷的，寫這封密函來，用心在故弄玄虛……」

輕輕歎息一聲，道：「楊兄，不是小妹多慮，不知咱們身側之人是否會有陶玉的奸細？」

楊夢寰沉吟了一陣，道：「霞琳恨陶玉有如刺骨，玉簫仙子和彭秀葦都是久年追隨蘭姊姊

的人，這些人應該是都靠得住，自然不會是奸細了。」

趙小蝶道：「唉！這就叫人想不通了。」

楊夢寰聽得趙小蝶如此一說，心中亦不禁動了懷疑，暗道：這話倒也不錯，蘭姊姊受傷的事，陶玉怎會知道。

口中卻說道：「咱們先看完陶玉的信再說。」

向下看去，只見寫道：「當今武林之世，除了在下之外，再無人能救朱若蘭的命，不論楊兄是否相信，朱若蘭卻已經危在旦夕，如是她氣息微弱到了難以爲繼之時，楊兄可用鎖脈手法，封閉『神藏』、『神封』、『日月』三大要穴，可使她氣息轉強，等待兄弟趕往相救……」

楊夢寰心中一動，腦際中靈光連閃，左手拉開趙小蝶，一臉嚴肅，右手緩緩向朱若蘭前胸之上點去，暗運功力，封閉朱若蘭前胸上三大要穴。

這手法，果然有著神奇無比的效果，朱若蘭微弱的氣息，突然轉強。

趙小蝶只瞧得柳眉緊皺，道：「楊兄，這是怎麼回事啊！」

楊夢寰道：「在下適才亦想到如何使蘭姊姊的微弱氣息轉強，但卻一直想不出用何方法，直待看到了陶玉信上所言，才恍然大悟。」

趙小蝶道：「陶玉怎會知道呢？」

楊夢寰道：「也許那歸元秘笈上，別有記載……」

趙小蝶搖搖頭，道：「不會的，那『歸元秘笈』的記述，我都能字字背出，如若那『歸元

秘笈』上有此記載，我豈有不知之理。」

楊夢寰凝目沉思了一陣，道：「趙姑娘，如若那『歸元秘笈』之間，還夾有別種記述，是否有可能呢？」

趙小蝶道：「這個我就不知道了。」

楊夢寰道：「除非是陶玉像蘭姊姊，要不然就是他已在那『歸元秘笈』上，找到了和蘭姊所習的武功，同一道上的武學記載。」

趙小蝶道：「我不信那陶玉能和蘭姊姊一般的聰明。」

楊夢寰道：「就是算他和蘭姊姊一般的才智，但蘭姊姊也比他早知數年……」語聲突頓，抬起頭來，望著趙小蝶道：「蘭姊姊可曾瞧過那『歸元秘笈』麼？」

趙小蝶道：「瞧過，但只是匆匆一遍，就交還了我。」

楊夢寰道：「這就是了，陶玉曾經大言不慚，再過數年，武林中都不是他的敵手，當時還不覺什麼，此刻想來，只怕是早已……」

只聽木門呀然，沈霞琳推門走了進來，道：「寰哥哥，陶玉要見你。」

楊夢寰微微一怔，道：「陶玉要見我？」

沈霞琳道：「不錯，他已到了茅舍門外。」

楊夢寰道：「是陶玉？還是他四靈化身中人？」

沈霞琳道：「是陶玉。」

楊夢寰望了趙小蝶一眼，道：「姑娘好好保護蘭姊姊，我去瞧瞧。」

趙小蝶道：「你一人只怕非他之敵，我和你一起去。」

沈霞琳道：「我留這裏，看顧蘭姊姊。」

廿五　以命換命

楊夢寰心知陶玉的武功，已然今非昔比，當下也不再堅持，緩步向外行去。

趙小蝶緊隨在楊夢寰的身後，走出茅舍。

抬頭看去，只見陶玉赤手空拳，站在茅舍之外。

楊夢寰冷哼一聲，道：「你是真的陶玉麼？」

陶玉微微一笑，道：「不錯，貨真價實的陶玉。」

楊夢寰道：「找在下有何見教？」

陶玉道：「朱若蘭傷了我，而且傷得很重。」

楊夢寰道：「閣下來此之意，可是想要朱若蘭療治你的傷勢麼？」

陶玉道：「如講療治之法，我陶玉比她朱若蘭還要清楚一些。」

楊夢寰道：「那閣下又因何到此呢？」

陶玉道：「如是我陶玉料斷不錯，朱若蘭也受了很重的傷。」

楊夢寰道：「是又怎樣？」

趙小蝶冷笑一聲，道：「就算你沒有受傷，我也不信你能勝了我。」

陶玉道：「在下此來，並無和兩位動手之心。」

趙小蝶道：「大約你自知不敵。」

陶玉道：「在下心中若沒有幾分把握，也不敢來此和你們相見了。」

趙小蝶道：「楊相公大俠氣度，英雄性格，他也不會殺你，但我趙小蝶管不了許多。」突然一側身子，越過了楊夢寰，緩緩揚起右掌。

陶玉冷笑說道：「你可以殺我陶玉，但你們卻不能不救朱若蘭。」

楊夢寰突然叫道：「趙姑娘不可造次。」

趙小蝶退到一側，楊夢寰側身而上，道：「你能救得了朱姑娘？」

陶玉道：「不錯。」

楊夢寰道：「你為人太過陰險，對你的話，咱們不能全信，因此咱們必得問個明白才行。」

陶玉道：「你如心中有疑，儘管問我就是。」

楊夢寰道：「你要如何療治那朱姑娘的傷勢？」

陶玉道：「我先講出她受傷之徵兆，如是不錯，兩位再相信我不遲。」

楊夢寰道：「好吧！你說說看。」

陶玉道：「她真氣倒行，凝聚內腑，人早已呈暈迷不醒之狀。」

楊夢寰呆了一呆，道：「不錯。」

趙小蝶接道：「不能信他，也許早已有人告訴了他蘭姊姊暈迷的事。」

楊夢寰回顧了趙小蝶一眼，沉聲對陶玉說道：「告訴我，你如何能療好她的傷勢？你有些什麼需求，我不信你只是爲了療治朱若蘭的傷勢而來。」

陶玉道：「我並非要救朱若蘭的命，而是爲了自救，朱若蘭大約早已知道此番下山甚爲兇險，因此暗中對我施了毒手……」

趙小蝶輕輕歎息一聲，道：「蘭姊姊未雨綢繆，那是比我們高明多了。」

陶玉道：「朱若蘭用什麼手法傷了我，迄今我仍是有些不明白，但卻使我隱隱覺著，兩處經脈日漸硬化，如是朱若蘭一旦死去，只怕當今武林之中，再也無人能夠療治我的傷勢了。」

楊夢寰道：「原來如此，你是求命而來了。」

陶玉微微一笑，道：「不是求命，而是換命。」

趙小蝶道：「你爲人信用太壞，先療好朱姑娘傷勢之後，我們再爲你療傷不遲。」

陶玉道：「那是自然，如是朱姑娘傷勢不好，兩位縱有療我陶玉傷勢之心，只怕也無療治我傷勢之能。」

楊夢寰道：「在下再相信你一次，姑且一試。」

趙小蝶道：「你如想搗鬼，我就把你一刀一刀的剁碎。」

陶玉道：「朱姑娘的傷勢，不是一兩天可以治好，咱們得遷往一處隱密安全所在。」

楊夢寰略一沉吟，道：「好吧！我和閣下同行……」目光一掠趙小蝶道：「趙姑娘請抱著朱姑娘走在後面。」

陶玉道：「就依兩位之見，在下帶路。」轉身行去。

楊夢寰緊隨陶玉身後，趙小蝶抱著朱若蘭走在最後。

行約三四里，轉過兩個小彎，陶玉揚手指著崖壁道：「在那山崖，有座石洞，有著一夫當關，萬夫難渡之險，咱們到那山洞中去吧……」

趙小蝶冷冷說道：「怎麼？你可是在那山洞有了佈置？」

陶玉淡淡一笑，道：「那山洞只有一個入口，兩位之中不論哪個，只要守在洞口，就足以拒擋攻襲之敵。」

楊夢寰抬頭瞧了一眼，只見距地二十餘丈的山壁之間，果然有著一座山洞，下面山壁，一片陡削，當下說道：「閣下爲什麼定要在那山洞之中養息傷勢？」

陶玉目光轉動，掃掠了楊夢寰和趙小蝶一眼，道：「兩位怕我陶玉手下之人加害，我陶玉也同樣的不得不作防備，我相信兩位不致向我陶玉出手，但九大門派中人，我就難說，當今之世，恨我陶玉之人太多，萬一有人出手加害於我，屆時只怕兩位也難阻止。」

趙小蝶冷笑一聲，道：「你別太自信。」

陶玉道：「最低限度朱若蘭傷勢未好之前，兩位不致對我下手。」

楊夢寰道：「療治朱姑娘的傷勢，不知要多長時間？」

陶玉道：「多則七日，少則三天。」

楊夢寰道：「那還得備一些食用之物。」

陶玉道：「不敢勞駕，在下已經代爲備好了。」

楊夢寰道：「好吧！閣下帶路，咱們先上去瞧瞧。」

陶玉搖搖頭，道：「我傷勢不輕，已無能攀登削壁，還得楊兄相助一臂之力。」

楊夢寰略一沉吟，道：「好吧！」右手伸出，抓住陶玉右腕，借矮松、山石攀登而上。

這是一座天然的石洞，深約兩丈，寬約八尺，洞中果然早已儲存食用之物。

楊夢寰四顧一眼，不見有何埋伏，隨即招呼趙小蝶攀登而上。

陶玉口中雖然言笑自若，但他內傷卻似十分沉重，靠在石壁之上，閉目而立。

趙小蝶放下朱若蘭，冷冷說道：「現在可以動手了吧？」

陶玉道：「在下的傷勢甚重，必得坐息一陣才行。」行到石洞一角，盤膝而坐。

約莫半個時辰，趙小蝶舉步行近陶玉身側，道：「你現在最好先說出療治朱姑娘傷勢之法，讓我等想想，再作決定，如是你想要花樣，這石洞就是你葬身之地。」

楊夢寰望了朱若蘭一眼，道：「要如何才能救她，你現在可以說了。」

陶玉道：「我說一句，你照著做一句……」雙目轉到朱若蘭的身上，接道：「她傷勢看去雖重，但如能及時療治，很快就可以復元。」

趙小蝶道：「那你快點說啊！」

陶玉道：「兩位想想看，我陶玉會是這樣好的人麼？」

楊夢寰道：「你有什麼條件，說吧！」

陶玉道：「我只要你說一句話！」

楊夢寰道：「什麼話？」

陶玉道：「兄弟療治好朱若蘭傷勢之後，朱若蘭亦得療治好我的傷勢，在這石洞中養息療傷之期，彼此不得出手傷害。」

趙小蝶道：「出此石洞呢？」

陶玉道：「那就各憑手段，拚個你死我活了。」

楊夢寰略一沉吟，道：「好！我答應你。」

陶玉微微一笑，道：「先點她『缺盆』、『雲門』、『天穴』三穴。」

楊夢寰呆了一呆，道：「這三處穴道……」

陶玉接道：「如是害了朱若蘭，我陶玉給她償命，你只管出手就是。」

楊夢寰略一沉思，揚起右手食中二指點向朱若蘭的穴道。

陶玉接道：「逼她倒行真氣回聚丹田。」

楊夢寰道：「如何一個逼法？」

陶玉道：「作你內力，逼她真氣回集，然後一路點她『天容』、『承滿』、『梁門』、『太乙』諸穴……」

趙小蝶道：「從未聽說過，療治傷勢時，要點這多穴道。」

陶玉道：「趙姑娘別忘朱若蘭傷勢不同，如是人人可以療治，諸位也用不著陶玉了。」

楊夢寰依言施爲，一面逼使朱若蘭流動的真氣回集丹田，一面點了朱若蘭的穴道。

陶玉道：「現在可以讓她休息一會了。」言罷，閉目而坐。

楊夢寰停下手來，回顧了陶玉一眼，道：「現在該當如何？」

陶玉緊閉著雙目，緩緩答道：「讓我休息一會，也給我一個仔細想想的時間。」

楊夢寰望著趙小蝶苦笑一下，默然不語。

趙小蝶冷冷說道：「陶玉，你可知道，此時何時，此地何地，我可以立刻把你置於死地。」

陶玉淡淡一笑，仍然閉著雙目，說道：「不錯，不論兩位之中何人出手，都可以立時把我置於死地，但兩位別忘了，在下死去之後，那朱姑娘亦將斷絕生機。」

趙小蝶冷哼一聲，道：「陶玉，你不要激起我的殺機。」

陶玉啓目一笑，重又閉上雙目，不再言語。

趙小蝶柳眉聳動，緩緩舉起右掌。

楊夢寰右手一伸，攔住了趙小蝶，暗施傳音之術，道：「趙姑娘，小不忍則亂大謀，還望姑娘多多忍耐一下。」

趙小蝶長長吁一口氣，緩緩收回右掌。

陶玉似是毫無所覺，仍然是緊閉著雙目而坐。

大約過了一頓飯工夫之後，日光隱隱透進洞來。

陶玉緩緩睜開雙目，望著楊夢寰道：「用手按在她丹田之上，試試看真氣是否已回集於丹田之中了？」

楊夢寰一皺眉頭，道：「這個請趙姑娘試試吧！男女有別，有很多不便之處。」

陶玉冷冷說道：「救人大事，還有什麼男女之分，楊兄不用假惺惺了。」

楊夢寰無可奈何的伸出手去，按在朱若蘭丹田要穴之上，只覺真氣充塞，果然真氣都被逼入了丹田穴中，當下說道：「真氣已聚丹田。」

陶玉冷冷說道：「現在你要小心行事了。」

楊夢寰道：「在下洗耳恭聽。」

陶玉道：「朱若蘭強施真氣逆行於經脈之中，因爲火候不到，才凝結成傷，現在要使那聚於丹田的真氣，返逆正行，才可使她傷勢復元。」

楊夢寰道：「可是用導引之法，使她真氣行於正脈。」

陶玉道：「不錯。」

楊夢寰不再多問，暗運內勁，右手引動朱若蘭的真氣，左手施展推宮過穴的手法，緩緩推拿朱若蘭的穴道，引導緩行。

足足耗費了一個時辰之久，楊夢寰累得滿頭大汗，才把朱若蘭聚集丹田的真氣，引入正經穴脈。

只聽朱若蘭長長吁一口氣，緩緩坐起身子，望了陶玉一眼，道：「你可是求命而來？」

陶玉道：「求命還命，兩無虧欠。」

朱若蘭冷笑一聲，道：「陶玉，我問你一件事，不許你胡扯支吾，激起了我的怒火，我立刻置你死地。」

陶玉淡然一笑，道：「那要看你問什麼了？」

朱若蘭臉色凝重，冷然說道：「你可是由那『歸元秘笈』上，看到真氣逆練的武功？」

陶玉道：「不錯……」

趙小蝶失聲叫道：「那『歸元秘笈』上，字字句句，都已經深記我的心中，怎的我未瞧到那些記載呢？」

陶玉道：「『歸元秘笈』上寫得明明白白，姑娘沒有看到，那只怪姑娘的眼拙了。」

趙小蝶要待發作，朱若蘭搶先說道：「那『歸元秘笈』之上，想必另有夾層，上面記述了真氣逆練的武功。」

陶玉道：「不錯，朱姑娘果然才智過人。」

朱若蘭長長吁一口氣，道：「你練過了？」

陶玉微微一笑，道：「我如未曾練過，如何能夠知道。」

朱若蘭道：「唉！天機真人和三音神尼，果然是一代絕才，看將起來，任何武功範疇，都無法脫出兩人的預見之中了。」

陶玉道：「不錯，那『歸元秘笈』之上，記述著很詳細的修習之法，可惜的是兩人亦未練過逆行武功，是以未提過練成之後的威勢如何，逆經行氣，人體上有何變化。」

朱若蘭冷笑一聲，道：「你為人一向陰沉，今日怎的一反常性，說出了此等坦白之言？」

陶玉道：「區區自知騙你不過，那也不用枉費心機了。」

朱若蘭道：「只怕是用心不只如此。」

陶玉道：「姑娘定要知道，在下也只好再說清楚些了……」

楊夢寰冷冷接道：「定然是閣下練功，遇上困難，想向姑娘討教。」

陶玉望了楊夢寰一眼，道：「士別三日，刮目相看，想不到楊兄也學得這般聰明了。」

朱若蘭道：「你可是認爲楊夢寰天份不及你陶玉麼？」

陶玉格格一笑，道：「三年之後，天下武林同道，能和我陶玉一較長短之人，唯你朱姑娘一人而已了！」

朱若蘭道：「好大的口氣。」

趙小蝶突然伸出纖手，抓住了陶玉右腕，道：「楊相公答應了不殺你，但卻沒有答應不許動你，我要挑斷你右腕筋脈。」

陶玉臉色一變，道：「我早該廢了你的武功。」

趙小蝶道：「可惜是爲時已晚。」

朱若蘭輕輕歎息一聲，道：「蝶妹妹，放開他。」

趙小蝶緩緩放了陶玉右腕，道：「小妹遵命。」

陶玉淡然說道：「朱姑娘不失巾幗英雄的氣度。」

朱若蘭道：「這倒不用你來誇獎……」語聲微微一頓，接道：「陶玉，我要問你一句話。」

陶玉道：「就在下目前處境而言，就是不願聽也得聽呀。」

朱若蘭道：「你是想死呢，還是想活？」

陶玉道：「在下如是想死，也不會找你朱姑娘來了，我療好你的傷勢，用心就在以命換

命。」

朱若蘭道：「你對人處處用詐，不講信義，對你這等人，就算失一次信，也算不得罪大惡極。」

陶玉道：「姑娘請說清楚吧，但得陶玉能力所及，我是無不答應。」

朱若蘭道：「楊夢寰英雄氣度，他心中雖然恨你入骨，但卻不會殺一個沒有抗拒力量之人，我朱若蘭承你療治傷勢，倒也不便出手殺你，但趙小蝶可以出手，她和你既無約言，自是可任意而為，你如想保得性命，只有一個辦法，交還她的『歸元秘笈』。」

陶玉道：「本當遵命，只可惜在下並未帶在身上。」

朱若蘭道：「那只有殺你以絕後患了。」

陶玉道：「在下早有安排，我如三日之內不能回去，那『歸元秘笈』即將為他人所有，你殺了我一個陶玉，十年後，將有十個陶玉為害江湖……」

朱若蘭道：「我不信世間還有比你陶玉更壞的人。」

陶玉笑道：「這個姑娘只管放心，世間比我陶玉更壞的人，何止千百，在下選擇取得『歸元秘笈』之人，自然都是我陶玉覺著可承我衣缽之人……」

長長吁一口氣，接道：「除此之外，在下是無不答允。」

朱若蘭沉吟了一陣，道：「你可記得那逆練真氣原文要訣。」

陶玉道：「字字句句，都記得十分清楚。」

朱若蘭道：「能不能將原文默寫出來？」

陶玉道：「自然是能了。」

朱若蘭道：「好！那你就默寫出原文如何？」

陶玉道：「這個在下答應，不過在下亦有一事請問姑娘。」

朱若蘭道：「什麼事？」

陶玉道：「在下默寫原文之後，又有誰能保障我陶玉安全離此？」

朱若蘭道：「我！我先療好你的傷勢，然後再放你安全離此。」

陶玉道：「姑娘一向言而有信，這個在下倒相信得過……」目光四顧，接道：「但這裏沒有紙筆，亦是枉然。」

朱若蘭道：「你只管一字一句的背出來，就沒有你的事了。」

陶玉道：「姑娘先請療治我陶某人的傷勢如何？」

兩人對坐論謀，各逞口舌之能。

朱若蘭略一沉吟，道：「你的傷勢不重，一日半日內，決不會死。」

陶玉道：「姑娘之意，可是要待我陶玉將死之時，才肯替我療治傷勢麼？」

朱若蘭道：「那倒不是，只要你能夠謹守信諾，我不但可以助你療好傷勢，而且還保證你平安離開此地。」

陶玉道：「好吧！我背『歸元秘笈』上逆練真氣要訣，不過……『歸元秘笈』上記述的逆練真氣口訣，直到那天機真人和三音神尼羽化歸西之時，仍然未把那逆練真氣之學找出一個很肯定的方法。」

朱若蘭道：「你是說在那『歸元秘笈』之上，記述著很多個逆練真氣的方法，是麼？」

陶玉道：「不錯，總計記有三個方法，但這三個方法，卻是個個不同。」

朱若蘭道：「你用的什麼方法？」

陶玉道：「在下無法在三個方法之中，選出一個，因此每一個方法，我都試驗了一下。」

朱若蘭道：「那是殊途同歸了。」

陶玉搖搖頭，道：「不是，三個方法的結果，卻是大不相同——」

朱若蘭一皺眉頭，欲言又止。

陶玉不聞朱若蘭接口，又接著說道：「三個力法，各有反應不同，似是都對，也好像都錯了。」

朱若蘭移動一下身軀，倚著石壁而坐，舉手理一下鬢邊散髮，微微一笑道：「接下去說吧！」

她為人一向莊重，很難得看到她的笑容，笑起來倍覺動人。

陶玉只覺她舉動之間，儀態萬千，不禁瞧得一呆。

趙小蝶冷笑一聲，罵道：「陶玉，你瞪著眼睛瞧什麼?色瞇瞇的樣子，恨起來我就挖了你一對眼珠子。」

陶玉輕輕咳了一聲，垂下頭去，說道：「在下照著那三種方法試驗，每一種方法都有反應，卻是各不相同，因此在下徘徊歧路，難作取捨，不知哪一樣才對。」

朱若蘭道：「好！現在你就把三種方法一一說出來吧。」

陶玉突然放聲一陣大笑，道：「朱姑娘，三種方法都說出來，姑娘不覺著太多一些麼？」

趙小蝶道：「不說也行，咱們宰了你，你就是知道一百種方法也是無用。」

朱若蘭雙目凝注在陶玉臉上，道：「好吧！你任選兩種說出來……」

陶玉道：「這還可以……」

朱若蘭接道：「但你要記著，說的不許有錯，被我尋出破綻，你就前功盡棄。」

陶玉淡然一笑，道：「這個在下早已想過了，三思之後，才決定來此。」

朱若蘭道：「那很好，你只要說的句句實言，我立刻療好你的傷勢，送離此地。」

陶玉凝目沉思了一陣，似在思索措詞，良久之後，才緩緩說道：「在那『歸元秘笈』最後一章中，記載著佛、道合壁的大成武功，名叫大般若玄功，世人都知佛門中般若禪功，練到十成火候，能夠以意克敵，玄門罡氣，練到十成火候，發掌無堅不摧，周身爲罡氣所護，可避刀劍。」

朱若蘭道：「不錯，但是古往今來，尙無一人能夠把兩種絕技，練到十分火候。」

陶玉道：「那是因爲人的體質面臨著先天的極限，所以以那天機真人的才能，三音神尼的智慧，也只能把般若禪功，或是玄門罡氣，練過七成火候……」

目光轉動，掃掠朱若蘭和趙小蝶一眼，接道：「我陶玉自知如若從頭學起，不論我選擇般若禪功，或是佛道合壁的大般若玄功，都無法追上你朱若蘭和趙小蝶的成就，永遠將屈居兩位之下，人生短短數十年，彈指即過，我陶玉這一生霸主江湖之願，也永難有實現之日。」

楊夢寰道：「因此你想到物極必反之理，反其道行之了。」

陶玉道：「楊兄過獎，兄弟還沒有那份才能。」

他抬頭望了朱若蘭一眼，接道：「當時情景，在下是萬念俱灰，恨怒交集，就把那本『歸元秘笈』摔在了地上。」

朱若蘭道：「這一摔，被你摔出了奇蹟來了。」

陶玉道：「不錯，那『歸元秘笈』在在下怒摔之下，底層開裂，多出了數張記述，上面就是記載的逆練真氣之法。」

原來那天機真人和三音神尼，同樣的面臨著先天體能極限的困擾，兩人同樣早有著逆練真氣的構想，以克服體能極限的難關，但當兩人構想成熟，卻是比武受傷，已是無法再練，就把這逆練真氣的法則，記於『歸元秘笈』之後，此章先成，但因兩人都未練過，故而把它夾封底面之中。

朱若蘭道：「是了，兩位老人家，因為尚未證實那真氣逆練是否能夠行通，故而不願它流傳於世，但又不忍毀去，故而把它錄記下來，藏於底頁夾層之中。」

陶玉道：「大概如此吧……」語聲微頓，接道：「在下傷勢隱隱發作，只怕難以說下去了。」

朱若蘭淡然一笑，道：「不用多耍花招了……」目光轉到楊夢寰臉上，道：「運足十成內功，緩緩擊在他天靈穴上。」

楊夢寰依言舉起右掌，緩緩向陶玉天靈穴上拍下，陶玉閉目而坐，渾如不覺。

這時楊夢寰如若生出殺機，只要發出掌心內力，一舉之間，就可以把陶玉傷在掌下。

但他天性仁厚，不願在陶玉毫無抗拒之下，殺死了他，掌勢緩落，按在他天靈要穴之上。

朱若蘭道：「內力緩發，逼他行血下降。」

楊夢寰應了一聲，緩緩發出內力。

只見陶玉的臉色，漸變蒼白，片刻間不見一點血色。

朱若蘭迅快的伸出右手，點了陶玉前胸兩處大穴，緩緩說道：「收起掌力，使他行血上衝。」

楊夢寰應聲收住掌力。

朱若蘭高聲說道：「陶玉，自助人助，你要運氣迫使行血上行。」

陶玉道：「在下一切遵命。」運氣迫使行血上行。

但他前胸之上，兩處大穴，已被朱若蘭施用剪脈手法，阻止了行血，陶玉用盡了全身氣力，仍然無法行血通過，臉色蒼白如故，頭上卻大汗淋漓。

朱若蘭冷冷說道：「能否療好你的傷勢，在此一舉，你要全力施爲了。」

陶玉道：「在下已盡全力，但胸口處兩處脈穴受阻，在下如若再加內力，迫逼行血，只怕血管要爆裂了。」

朱若蘭道：「知道了，你再加一成真力。」

陶玉只好依言施爲，全力逼使行血上衝。

朱若蘭雙手齊出，陡然間解開了陶玉前胸上被點閉的脈穴。

陶玉全力迫使行血上衝，脈穴陡然解開，行血直衝頂門。

剎那間，蒼白的臉色，變成一片紫紅，青筋暴露。

朱若蘭玉掌飛揚，又拍他後背前胸幾處穴道，冷冷說道：「現在你運氣試試，看看內傷是否已經好轉。」

陶玉張開嘴巴，長長吁一口氣，道：「在下如是再加兩成內力，只怕腦間的血管就要全部爆裂。」

趙小蝶怒道：「你如真的死了，當可使武林中減少了一個禍患。」

陶玉望了趙小蝶一眼，閉目運氣。

大約過了一頓飯工夫之久，才緩緩睜開雙目，道：「果然大見好轉。」

朱若蘭道：「好！你再說下去吧！」

陶玉轉目望望洞口的日光，道：「在下還要先問一事。」

朱若蘭一皺眉頭，道：「什麼事？」

陶玉道：「姑娘暗傷在下的手法，並未記載於『歸元秘笈』之中。」

朱若蘭道：「這幾年來，你日日研讀那『歸元秘笈』武功，雖未必追上我和蝶妹妹，但我相信那『歸元秘笈』上記述的各種手法、要訣、療傷方法，都被你記熟，不得不創出一兩種手法，對付你了。」

陶玉笑道：「朱姑娘能這般看重我陶玉，倒使在下有著受寵若驚之感。」

朱若蘭道：「問完了麼？」

陶玉輕輕咳了一聲，道：「那是兩種大不相同的記述，天機真人和三音神尼，各主一方，

但兩人卻將逆練真氣的方法，記載於那『歸元秘笈』之上。」

朱若蘭望了楊夢寰一眼，低聲說道：「用心聽著，如若陶玉在述說之中，加上一兩句謊言，咱們卻信以為真，那可是上了大當。」

陶玉淡淡一笑，道：「朱姑娘但請放心，我陶玉既然答應說了，那就決不會謊言相欺，不過，我只說一遍，諸位能夠記得多少，那就各憑你們的天份了。」

朱若蘭緩緩說道：「好！你說吧！」

陶玉道：「先說天機真人記述於『歸元秘笈』上真氣逆練方法。」

楊夢寰心知陶玉這一段敘述，關係著武林今後大局，當下凝神靜聽。

一向陰沉的陶玉，這一次倒是很守信諾，一字一句的說了下去。

朱若蘭、楊夢寰一個個全神貫注而聽。

陶玉一口氣說完了天機真人逆練真氣之法，緩緩閉上雙目，道：「三位可曾聽出破綻，我陶玉在哪一段加上了謊言。」

朱若蘭凝目思索，似正在用心推想，楊夢寰、趙小蝶似都在推想著個中奧妙，都未回答陶玉之言。

大約過了一盞茶工夫，朱若蘭突然接口說道：「照詞意中推想，逆練真氣，是一種很奇的姿勢。」

陶玉格格一笑，道：「不錯，先行倒立，使行血逆行，然後才能著手。」

朱若蘭微微一笑，道：「陶玉，你一定照著這姿勢練過了，可否給我們作個樣子瞧瞧？」

陶玉面現難色，道：「在下只答允說出要訣，並未答應作姿勢給你們瞧看。」

朱若蘭道：「我不是強迫你，只是和你商量而已，不答應，那就算了。」

陶玉沉吟一陣，道：「好吧！我就作給你們瞧瞧。」突然站起身子，頭下腳上的倒立起來，雙手抱肘，以頭頂地，背部緊貼在石壁之上。

朱若蘭望著陶玉倒立的姿勢，不住點頭。

楊夢寰道：「閣下可否能夠使真氣逆行，如是能夠，最好能試驗一下。」

陶玉道：「在下縱然是真氣逆行，只怕你也瞧不出來。」

趙小蝶怒道：「陶玉，別忘了你還未離險地，惹起我的怒火，一樣可以殺你。」

陶玉緩緩說道：「日後如有機會，在下實希望能領教趙姑娘的武功。」

趙小蝶道：「我隨時奉陪。」

陶玉突然高聲說道：「楊兄，仔細看了，此刻在下的真氣，已然開始逆行了。」

楊夢寰凝目望去，只見陶玉雙目緊閉，臉色忽白忽紅，想是真氣逆行之後的反應。

大約過了一盞熱茶工夫，陶玉突然雙腳著地，挺身而起，道：「朱姑娘，在下的傷勢還未全好。」

朱若蘭道：「不錯，還得經過一次療治。」

陶玉略一沉吟，道：「好！在下先把三音神尼逆練真氣之法，說完之後，姑娘再替我療治不遲。」

朱若蘭道：「你一點殘餘之傷，療治起來，十分簡單，只要片刻時光，就可以使你復元。」

陶玉道：「三音神尼那逆練真氣之法，和天機真人大不相同，她主張氣走奇經，然後再順序逆練了。」

楊夢寰、趙小蝶都聽得不大明白，但朱若蘭點頭說道：「那是和我想的不謀而合了。」

陶玉道：「朱姑娘已經試過了。」

朱若蘭答非所問的接道：「你說下去吧！」

陶玉道：「在下詳細的說出三音神尼記述於『歸元秘笈』上的方法，看看是否和姑娘說的一樣……」當下一字一句的把經過之情很仔細的說了一遍。

朱若蘭只聽得忽而皺眉，忽而頷首，顯然三音神尼逆練真氣之法，固然有些和她相同，但也有甚多和她不同處。

陶玉說完之後，接道：「在下已然盡照姑娘指示而作，此地事情已了，我要走了。」

朱若蘭道：「還有一種逆練真氣，是那天機真人和三音神尼研究之後，修正之法了。」

陶玉道：「姑娘說過，不再多問。」

朱若蘭凝目沉思了一陣，道：「你轉過身，背我而立。」

陶玉依言轉過身去，背對朱若蘭。

朱若蘭伸出右手，迅快的點了陶玉後背上數處穴道。

趙小蝶暗施傳音之術，道：「蘭姊姊，你真的要放了他麼？」

朱若蘭微微一怔，道：「你問楊夢寰吧！是殺他還是放他。」

趙小蝶目光轉注楊夢寰的臉上，道：「楊兄，陶玉處心積慮，日夜想暗算於你，對你何曾講過一點道義，此刻是你報仇的機會了，唉！錯過今日之機，日後只怕難再遇得。」

這時朱若蘭右掌仍然按在陶玉的背心之上，只要一吐掌心內力，立時可把陶玉震死在掌力之下。

陶玉心知自己正陷於生死一髮之間，此刻的生死，決定在楊夢寰一念之間，想到對待楊夢寰施用的諸般惡毒手段，不禁心頭暗自驚駭，緩緩轉過臉去，兩道目光注在楊夢寰的臉上，說道：「楊兄如是想殺兄弟，只要說一句話，朱姑娘發出蓄存於掌心的內力，立時可震斷兄弟的心脈。」

楊夢寰神色肅然，緩緩應道：「我如此刻殺了你陶玉，我楊夢寰和你陶玉，還有什麼不同之處？」

陶玉心中暗暗喜道：「此人英雄性格，只怕作出了不仁不義的事，留人話柄，看來我陶玉的處境，又是有驚無險了。」

心中念轉，口裏卻說道：「楊兄的英雄氣度，兄弟是自知難及。」

趙小蝶冷冷說道：「陶玉，你為求命，什麼話都能說出口來。」

陶玉只覺臉上發熱，心中暗道：這臭丫頭，口齒如此刻薄，日後再要犯到我陶玉手中，決不饒你。口中卻輕輕咳了一聲，道：「在下說的是由衷之言，論英雄氣度，在下確實不如楊夢寰，但如施用權謀，那楊夢寰就不如在下了。」

朱若蘭冷笑一聲，道：「為什麼不說得清楚一些，你為人生性奸詐，手段惡毒，對親人無

情，對朋友無義，如若世間真有十惡不赦之人，你陶玉就是其中之一了。」

楊夢寰道：「姊姊說得不錯，陶玉的惡毒，舉世間很少見到，但咱們既然答應了放他，豈能言而無信。」

陶玉接道：「不錯，我陶玉一生最善用詐，但這一次卻是例外。」

朱若蘭掌力緩發，緩緩推活陶玉穴道，冷笑一聲，道：「饒你一次不死，逃命去吧！」

陶玉長長吁一口氣，欲言又止，轉身而行。

趙小蝶突然大聲喝道：「站住！」

陶玉停下腳步，緩緩說道：「趙姑娘還有什麼事？」

趙小蝶右手揮動，左右開弓，劈拍兩聲，打了陶玉兩個耳括子，道：「你折磨我很多日子，這兩記耳光，不算重吧？」

陶玉俊俏的臉上泛起了十道鮮明的指痕，但他卻毫無怒意，淡然一笑，道：「趙姑娘打得很好。」轉身行去。

朱若蘭輕輕歎息一聲，道：「此人的陰沉、忍耐，都非我等能及。」

陶玉行到石洞口處，探首向下一看，只見一陽子、李滄瀾、天宏大師等群豪，齊集於石洞之下，不禁一呆，暗道：我如下此懸崖，這班人決然不會放過我，心念一轉，又緩緩走了回去。

趙小蝶眼看陶玉去而復返，忍不住冷笑一聲，道：「你怎麼不走？」

陶玉淡然一笑，道：「我陶玉大傷初癒，自然不能衝過那九大門派高手的攔截，如其死在

他們手中，還不如死在三位手中。」

朱若蘭一皺眉頭，道：「可是有人守在石洞之外麼？」

陶玉道：「除了九大門派中人之外，還有李滄瀾帶著川中四醜，不下數十人，就算我陶玉未曾受傷，也得耗費很多氣力，才能衝過這多高手的攔截。」

朱若蘭沉吟了一陣，目光轉注到楊夢寰的身上，道：「你送他出去吧！」

趙小蝶道：「蘭姊姊，這陶玉作惡多端，咱們守信用，不殺他也就是了，爲什麼還要阻止別的人殺他？」

陶玉淡淡一笑說道：「殺了我，朱姑娘這一生再無敵手，豈不是一件大大的痛苦事情。」

趙小蝶道：「留著你，豈不等於養癰貽患。」

朱若蘭道：「咱們不能失信於他，楊兄弟送他去吧！」

楊夢寰應了一聲，轉身行向洞口。

陶玉緊隨在楊夢寰身後走去。

楊夢寰回顧陶玉一眼，道：「陶兄，兄弟走在前面，再給你一個暗施算計的機會。」

陶玉淡然一笑，道：「我陶玉此刻乃一幫之主的身分，出口之言，擲地有聲，楊兄只管放心兄弟就是……」

大跨一步，和楊夢寰並肩而行，接道：「楊兄如是害怕，咱們並肩而行。」

兩人一齊躍出石洞，借那崖壁間突巖，接腳換力，飄落實地。

風雨燕歸來

石洞下的群豪，眼看陶玉現出身來，立時紛紛圍了上來，日光下刀劍映輝。

楊夢寰抱舉一個羅圈揖，道：「在下奉朱姑娘之命而來，尚請諸位讓一條路，放了陶玉……」

聞公泰接道：「今日放了陶玉，那是縱虎歸山，日後難免傷人，楊大俠請向後退，老朽試試他這幾年閱讀那『歸元秘笈』的成就。」

楊夢寰急急說道：「朱姑娘再三交代在下，不可傷他，聞老前輩還請看楊某人的份上，讓他一條路吧。」

李滄瀾道：「我要和他算算舊賬，以第一代天龍幫主的身分，清理門戶。」

楊夢寰道：「岳父息怒，錯開今日，再執他算賬不遲。」說完，連連作揖。

天宏大師高宣了一聲佛號，道：「諸位道兄、施主，楊大俠說得這般懇切，咱們也不用使楊大俠大為難了。」

聞公泰道：「好！放了他，咱們再去找他算賬。」當先向後退去。

群豪紛紛後退，讓出了一條路。

陶玉一揮手，道：「楊兄，今日護送之情，我陶玉日後當有以報……」

楊夢寰道：「閣下只要能少作上兩件見不得天日的事，那就算報答我楊夢寰了。」

陶玉輕輕的咳了一聲，不再答言，轉身疾躍而去。

廿六　練武論情

李滄瀾見楊夢寰竟放走了陶玉，不禁低聲問道：「寰兒，爲什麼要放過這個置死陶玉的機會？」

楊夢寰心中暗暗忖道：放走陶玉的事，如若仔細說起是十分複雜，一時間只怕無法說得明白，當下說道：「這是朱姑娘的意思，小婿也不大清楚。」

聞公泰高聲接道：「朱姑娘傷勢如何了？」

楊夢寰道：「已然大見好轉。」

天宏大師合掌當胸，道：「阿彌陀佛，我佛慈悲。」

一陽子突然接口說道：「朱姑娘是否要回天機石府養息傷勢？」

楊夢寰道：「這個，徒兒不知，待我問過，立刻回稟師父。」

一陽子道：「你已不是崑崙門下弟子，不用這等稱呼我了。」

楊夢寰道：「師父啓蒙傳藝之恩，弟子如何敢忘，還望師父代弟子向掌門師尊代爲關說，允弟子重返崑崙門下。」

一陽子笑道：「此刻你已是名重武林的大俠，天下武林同道，人人對你尊仰，已不用再返

崑崙門下了。」

楊夢寰正待答話，突聞一聲嬌呼傳來，道：「楊相公，快些上來。」

回頭望去，只見趙小蝶站在石洞口處，舉手相召。

楊夢寰看她神色焦急，心中大驚，急急攀登而上，問道：「可是朱姑娘傷勢又有變化？」

趙小蝶道：「蘭姊姊要我找你上來，不知爲了何事。」

楊夢寰急急步行到朱若蘭的身前，只見她閉目而坐，神情安靜，毫無異樣，才放下心中一塊石頭，道：「姊姊叫我麼？」

朱若蘭緩緩睜開雙目，道：「我想到一件重要的事……」

楊夢寰道：「在下洗耳恭聽。」

朱若蘭道：「此事不是三言兩語可以說完，你先去把守在洞外的群豪遣散，就說我尚得數日靜養，要他們各自回山去吧，那陶玉傷勢，至少也要三月休養，才能再興風作浪。」

楊夢寰道：「這個……這個……」

朱若蘭道：「不論他們是否肯定，但咱們必得把話說明，快去吧！照我的話說。」

楊夢寰無可奈何，只好行到石洞口處，高聲說道：「朱姑娘尚需幾日靜養，不能和諸位相見，陶玉亦受了很重的內傷，三月之內，不致再爲害江湖，諸位千里趕來援助的盛情，朱姑娘和在下，都是感激萬分。」

天宏大師高聲說道：「朱姑娘之意，可是要我等各自返回去麼？」

楊夢寰道：「不錯，因爲諸位乃各大門派的領導人，事務繁忙，不宜在此久留。」

只聽朱若蘭的聲音傳了過來，道：「要他們各自返回，注意門下，陶玉如若再爲害江湖，必然從九大門派下手。」

楊夢寰一字不漏的傳達下去。

天宏大師說道：「既是如此，我等就此告別了。」

楊夢寰道：「陶玉必須要休養三四個月，才可在江湖之上走動，還望諸位善自利用這數月時光。」

群豪都對那朱若蘭十分信服，她既然如此說，定然是不會錯，果然都動了立刻返回之心。

只見群豪齊齊私議了一陣，仍然由天宏大師說道：「請楊大俠代我等向朱姑娘致謝救命之恩。」

楊夢寰道：「在下當字字轉達。」

但聞朱若蘭的聲音，重又傳了過來，道：「代我謝謝他們。」

楊夢寰高聲說道：「朱姑娘要在下代她謝謝諸位關心之情。」

只見群豪紛紛拱手作禮，轉身而去。

楊夢寰眼看大部群豪散去，只有李滄瀾仍然帶著川中四醜，留在山洞之外，盤膝而坐，閉目調息，只好緩步轉回石洞。

朱若蘭笑道：「都走了麼?」

楊夢寰道：「只有岳父和川中四義還留在石洞之外。」

朱若蘭微微一笑，道：「令岳不放心。」

她一向嚴肅，很少說笑，聽來使人倍生感慨。

楊夢寰尷尬一笑，垂首不語。

趙小蝶半假半真的說：「蘭姊姊，那李滄瀾可是怕咱們搶了他的女婿麼？」

楊夢寰輕輕咳了一聲，道：「家岳豪氣干雲，只怕念不及此，趙姑娘說笑話了。」

朱若蘭道：「雖是說笑，但亦不無道理。」

楊夢寰臉一紅，不再多言。

趙小蝶笑道：「姊姊端莊嚴肅，他自然不會怕了，要怕一定是怕我，我得去告訴他一聲，要他放心好了。」

朱若蘭道：「不要再開他的玩笑了，他已經面紅耳赤……」

語聲微微一頓，接道：「你們坐近一些，我有要事和你們談。」

趙小蝶、楊夢寰齊齊圍了上去，三人相對而坐。

朱若蘭臉色一整，肅然說道：「我要和你們研討幾個武功上的疑難，如是咱們再不求急進，一年之後，誰也無法對付陶玉了。」

楊夢寰、趙小蝶同時一整臉色，凝神聽去。

朱若蘭目光如電，緩緩由兩人臉上掃過，道：「五年之前，我就感覺到一個人的武功成就，一定有一個限度，但學無止境，人生匆匆數十年，自然是無法把所有的武功學完，也很難面臨到體能上極限困擾，我們得天獨厚，一開始就從深奧的武功上著手，借別人的經驗，助我

等大成，正因爲我們的成就太快、太高，因此面臨體能上難以適應的極限。」

楊夢寰望了趙小蝶一眼，道：「趙姑娘以大般若玄功，打通了任、督二脈，內力生生不息，是否已經算克服了體能上的極限呢？」

朱若蘭搖搖頭，道：「起初，我也認爲打通任、督二脈之後，或可克服體能的困難，但後來我身體力行的結果，發覺了這只是一個階段，到此境界已是盡處，再向前進，就面臨著體能極限的煩惱了。」

楊夢寰道：「姊姊可曾想出了克服極限的良策麼？」

朱若蘭道：「爲了此事，我曾在那天機石府中，苦思了數年之久，最後想到逆練真氣一途，在未遇陶玉之前，我還不敢肯定這辦法是否可行，只是摸索試驗，適才和陶玉談了一番話後，證實了這是一條可行之路，天機真人、三音神尼，都已在那『歸元秘笈』上記述了這件事情，陶玉已然占先咱們一步，如若那陶玉逆練真氣有成，克服了體能極限，咱們日後再遇上他，不論何人，都無法是他敵手，也許他只要揮手一擊，就可以把咱們斃於掌下。」

趙小蝶道：「真的有如此厲害麼？」

朱若蘭道：「我想是如此了。」

趙小蝶道：「自從陶玉重出江湖之後，我一直未和他動過手，小妹自信此刻武功還不在他之下，如若我現在找他拚命，勝算應該很大，如其等他逆練真氣有成，倒不如我現在去找他拚個死活出來。」

朱若蘭搖搖頭道：「此時此刻，還不用出此下策……」

語聲微頓，接道：「我還有一處疑問不解，讓我好好想想，那天機真人和三音神尼可以想出一條路來，咱們三人何以不能找出一條可循之途，此刻咱們運功坐息一陣再說。」

言罷閉目而坐。

趙小蝶、楊夢寰依言盤坐調息。

楊夢寰坐息醒來，朱若蘭、趙小蝶還禪坐未醒，不願驚動兩人，悄然起身而行，攀上峰頂，練了一會拳掌，已是夜盡天明，旭日初升，越過了峰頂。

楊夢寰想到武林中迭起不絕的風波，感慨萬端，背負雙手，望著天際變幻的彩雲出神。

這時朱若蘭悄然行向楊夢寰的身側。

楊夢寰似是正在想著一件很重要的心事，對朱若蘭行近身側一事茫無所覺。

朱若蘭一語不發，突然伸出右手，點向楊夢寰後肘間一處穴道。

以朱若蘭的武功，就算楊夢寰用心戒備，也未必能夠防守得住，何況是突然出手施襲。

但楊夢寰此刻武功亦是非同小可，雖然穴道被點，仍然能強力支撐，一提氣，轉過身子，拍出了一掌。

目光到處，只見朱若蘭站在身側。

他想收住掌勢，但因一處要穴被點，半個身子麻木難動，拍出這一掌，已用去了全身所能動用的氣力，再想收住掌勢，已是有所不能。

匆急之間，掌勢疾向旁側一偏。

這一來，重力頓失，整個身子，向前栽去。

朱若蘭疾快的伸出雙手，接住了楊夢寰的身子，道：「我封閉了你一條經脈的要穴，現在你如能運氣，那真氣必然會走他經，快些運氣給我看看，我想查證一件事。」

楊夢寰也不再多說，立時運功行氣。

他仍照著平日真氣調行全身的路線，但因一處主脈要穴，已被朱若蘭封了起來，此刻真氣運行，有如另闢新徑，行去艱苦無比。

朱若蘭似是已瞧出了楊夢寰的痛苦，運氣過穴，似是困難無比，立時伸出右掌，按在楊夢寰的身上，緩緩移動，助他行氣。

在朱若蘭內力導引相助之下，楊夢寰真氣勉力行走在一條新的經脈之中。

朱若蘭看楊夢寰真氣行馳的經脈，正是自己心中所思，不禁面露喜色，低聲說道：「楊兄弟，這一條經脈，乃是一個人真氣最難通達之處，如是這一段經脈能夠走通，我就可以想出其中很多玄妙疑難之處了。」

楊夢寰氣行新徑，只覺有如一把刺刀，在新徑之中穿行，痛苦無比，本待開口告訴朱若蘭，這條經脈真氣實難通行，但聽朱若蘭這幾句話後，突然又改變了主意，咬牙苦撐。

朱若蘭一面運氣，幫助楊夢寰真氣運行，一面凝目沉思，似是在想著一件很困難的問題。

楊夢寰不忍朱若蘭有所失望，強自忍痛運行，口中又想說話，但痛得說不出來，臉上是一付似笑非笑，似哭非哭的奇怪表情。

只聽朱若蘭帶著喜悅的聲音說道：「楊兄弟，已經行了一半，這一條經脈如若能夠全部通

行，那真氣逆練的困難，就算解決了一半，咱們或可搶在陶玉之先，練成真氣逆練的武功。」

楊夢寰有苦難言，悶哼一聲，代表答覆。

朱若蘭內心中充滿了喜悅，全神貫注在逆行真氣的變化之上，卻忽略了楊夢寰的痛苦。

楊夢寰緊咬牙關，不肯出聲，希望自己忍受的痛苦，能使朱若蘭找出一條路來。

但這種痛苦，難受無比，楊夢寰雖然盡了最大的忍耐，努力，仍然無法忍受得住，只痛得全身大汗淋漓。

朱若蘭目睹楊夢寰汗出如漿，霍然警覺，停下手來，掏出一方絹帕，拂拭去楊夢寰的滿頭大汗，柔聲說道：「很痛苦麼？」

楊夢寰點點頭，長吁一口氣，道：「很難忍受的痛苦。」

朱若蘭右掌急出，拍活了楊夢寰的穴道，歎道：「你怎麼不講話呢？」

楊夢寰道：「我希望我忍受的痛苦，能使你找出那真氣逆行之路。」

朱若蘭輕輕歎息一聲，道：「告訴我痛苦的情形如何？」

楊夢寰道：「那逆行真氣行經的經脈，有如利刃穿過一般。」

朱若蘭道：「那是很難忍受的痛苦了？」

楊夢寰道：「不錯，小弟已經盡了最大的忍耐之力了。」

朱若蘭搖搖頭道：「這就不對了，練一種武功，使人體上有著痛苦，必然是有著錯誤之處，唉！也許我想錯了經脈。」她臉上泛現出一種愧疚憐惜的神色，伸出柔滑的右掌，輕輕在楊夢寰身體上按摩，似是要用無比的溫柔，來補償楊夢寰肉體上所承受的痛苦。

她爲人沉穩內向，內心中雖有著火般的熱情，但也是壓制心頭，深藏五中，一向不願表達出來，但此刻不知不覺間流露於神色之間。

一陣晨風吹來，飄起了朱若蘭披垂的長髮，日光下只見她臉兒嫩紅，眉兒斂黛，清澈的星目中，射出來無限柔情，不禁看得一呆。

朱若蘭似是警覺到楊夢寰已爲自己的神情所醉，急急停下手來，嫣然一笑，道：「看什麼，紅姑娘、琳妹妹各有千秋，一對花枝模樣的美人兒，整日的陪在你的身側，難道你還看不飽麼？」

楊夢寰輕輕歎息一聲道：「姊姊如春蘭冬梅，別有一番清華風韻……」

朱若蘭嗤的一笑，道：「得啦！別給我灌迷湯啦，姊姊不吃這個。」

楊夢寰似亦從迷醉中清醒過來，只覺得臉上一熱，挺身坐了起來。

朱若蘭笑道：「我還認爲你癱在地上不會動了，原來你還可以坐起來。」

楊夢寰道：「還有一事，我該告訴姊姊，只是覺得很難啓齒。」

朱若蘭粉頰上笑容突斂，緩緩的說道：「什麼事？很嚴重麼？」

楊夢寰道：「是我們夫婦間的私事。」

朱若蘭微微一笑道：「既然是你們夫婦間閨房私事，爲什麼要告訴我呢？」

楊夢寰道：「我覺得冒瀆了姊姊，心中十分不安，何況這件事早晚你都得知道，還不如早些告訴你好。」

朱若蘭道：「提起你們夫婦間事，我也想起了一件事來了，要先問問你。」

楊夢寰道：「好，姊姊先說吧！」

朱若蘭道：「你們成婚了五年了吧？」

楊夢寰點點頭道：「不錯。」

朱若蘭笑道：「為什麼沒有孩子呢？」

楊夢寰道：「小弟也正要將內情告訴姊姊。」

朱若蘭笑道：「你已是有婦之夫，但我還待字閨中，這些你不該說，我也不該問，也不該聽，也不該……」

楊夢寰道：「如是和姊姊無關，小弟如何敢言。」

朱若蘭沉吟了片刻，道：「你說吧，反正我這一生也不打算嫁人了。」

楊夢寰道：「我們雖然已有了夫妻之名，卻無夫妻之實。」

朱若蘭一顰黛眉，仰臉望著天際一片浮雲，雙頰上泛起了兩朵羞紅，淡淡的說道：「為什麼呢？」

楊夢寰輕輕咳了兩聲，道：「在我大婚之後，她們兩個都堅拒正室不就，甘居側位。」

朱若蘭道：「胡鬧啦，那正室應該給琳妹妹，李姑娘和你相識較晚，自是該居側位……」

語聲微微一頓，笑道：「其實她們姊妹只要相處的好，那也不用分什麼偏正了。」

楊夢寰道：「說起偏正之分，中間就牽扯到姊姊你了。」

朱若蘭道：「你們夫婦，為什麼總要把我牽扯進去呢？以後萬萬不可。」

楊夢寰正待答話，瞥見趙小蝶大步行了過來，只好住口不言。

趙小蝶直奔到兩人身前，笑道：「你們想到了沒有？」

朱若蘭道：「什麼事？」

趙小蝶道：「那逆練真氣之法。」

說話之間，也盤膝坐了下去。

朱若蘭道：「我拿他試驗，痛得他失聲而叫，但還是找錯了經脈。」

只見趙小蝶閉目而坐，運氣調息，已不再理朱若蘭之言。

朱若蘭看她用心之狀，心中暗道：「這丫頭忽然間懂事了。」

望了楊夢寰一眼道：「咱們再試試吧！」

楊夢寰點點頭，閉目而坐，片刻之後，趙小蝶突然一躍而起，道：「果然不錯，我找出竅訣了。」

她欣喜若狂，高興的手舞足蹈。

朱若蘭重重咳了一聲，道：「小蝶，靜靜好麼？」

趙小蝶聽得朱若蘭喝叫之聲，才靜了下來，說道：「姊姊，我太高興了，咱們如能早些找出竅訣，自然可以走在那陶玉前面了。」

朱若蘭道：「不是我這做姊姊的掃你的興，這真氣逆練之法，很難想對，過去我曾有幾次像你這般的高興，但最後卻很失望。」

趙小蝶道：「也許小妹想錯了，咱們到那巨松下試試去吧！」

當先舉步，向前行去。

朱若蘭拉起楊夢寰，緊隨在趙小蝶的身後，行到巨松之下。

趙小蝶一提裙子，坐了下去，道：「姊姊，我先運氣給你瞧瞧再說。」

朱若蘭道：「好，你先運氣試試。」

楊夢寰心中大爲奇怪，暗道：朱姑娘這等作法，也有些不近人情了，她想出真氣逆練的竅訣，內心是何等歡樂，何以竟然不讓她一舒心中之樂。

但見朱若蘭全神貫注，臉色是一片嚴肅，似是對趙小蝶的舉動，十分擔心一般。

楊夢寰雖然也十分用心瞧看，但卻始終瞧不出個所以然來。

大約過了一頓飯工夫，趙小蝶突然一躍而起。

朱若蘭似是早已料到這一遭，急急站了起來，伸手抓住了趙小蝶的左腕。

趙小蝶內心似是突然有著無比的急躁，飛躍而起後，雙目還未睜開。

朱若蘭緊握著趙小蝶左腕之後，趙小蝶才似逐漸的鎭定了下來，緩緩地睜開雙目，道：「姊姊啊！這是怎麼回事？」

朱若蘭緩緩說道：「三年之前，我也有過這麼一次，幾乎成了狂癲，玉簫仙子、彭秀葦等數人都被我打得身受重傷……」

長長歎一口氣，接道：「起初之時，她們又不敢和我還手，直到發覺我情形不對，才聯袂出手把我制住，我整整的休息了三個月，不敢再想那真氣逆練的功夫。」

楊夢寰道：「這是怎麼回事？」

朱若蘭道：「我無法說得詳盡，人身上有一處奇穴，似乎是管制人的喜怒哀樂，被逆練

真氣傷到了之後，人的情緒就立時大變，不是大哭，就是大笑，適才我瞧出蝶妹妹情形有些不對，因此留上了心，果然是被我猜對了。」

趙小蝶長長吁一口氣道：「想不到逆練真氣，還有如此之多的麻煩。」

朱若蘭道：「唉！這其間困難之多，如非身受之人，實是很難相信，我和你們分開之後，回到了天機石府，就想到一個習武之人面對的體能極限……」

目光一掠趙小蝶和楊夢寰，道：「一個練武之人，下了數十年的苦功，也未必能練到我們這等境界，但我們卻得天獨厚，遇上良師，十幾年的時光，就登入大成之境，如是沒有陶玉爲害江湖，咱們實也不能再求上進了，但此刻爲形勢所迫，咱們還得日日夜夜苦求精進，而且必得先行克服面臨先天的體能極限，如若陶玉先學成真氣逆練的武功，一年之後，咱們都非他的敵手了。」

楊夢寰道：「昨日陶玉在石洞之中，談到那天機真人和三音神尼逆練真氣的方法，姊姊可曾試練過麼？」

朱若蘭道：「不瞞你，陶玉昨天談到的真氣逆練之法，一年之前，我亦曾想到了，摸索了半年之久，才發覺其路難通。」

趙小蝶道：「這麼說來，那『歸元秘笈』上所載的真氣逆練之法，也難行通了？」

楊夢寰道：「果真如此，咱們就不用再怕陶玉了，大家都在茫然之中摸索，以姊姊的才慧，必可搶在陶玉的前面。」

朱若蘭道：「關鍵就在那第三種方法了，陶玉不肯說出口來，我也未多追問，我想天機真人和三音神尼兩位老前輩合了兩人的才慧，或可找出一條可行之路。」

趙小蝶道：「小妹倒有一個辦法。」

朱若蘭道：「什麼辦法？」

趙小蝶道：「咱們不用再苦心研究那真氣逆練之述了，合咱們三人之力，追查陶玉行蹤，在他未成之前，把他殺死，這豈不是一了百了，殺他之後，奪回『歸元秘笈』用火焚去，那時，楊兄為尊江湖，也許可以使武林保持一段平靜時光。」

朱若蘭道：「唉！話雖不錯，只是太晚了些。」

趙小蝶道：「為什麼？」

朱若蘭道：「此刻的陶玉必然早已有了準備，咱們想追殺他，只怕不是一件易事……」

只聽一個嬌脆的聲音，傳了過來，道：「寰哥哥，你們都在這裏。」

轉臉望去，只見沈霞琳白衣飄飄的行了過來。

楊夢寰道：「那彭姑娘傷勢如何了？」

沈霞琳道：「在玉簫姊姊細心調理之下，已然大見起色。」

朱若蘭道：「她們現在何處？」

沈霞琳道：「連同趙姑娘的花娥，都已到了懸崖之下，在和李伯伯說話。」

朱若蘭拍拍身側草地，道：「坐過來，我有話問你。」

沈霞琳緩步走了過去，緊依著朱若蘭身側坐下，說道：「姊姊！你的傷勢完全好了麼？」

朱若蘭道：「好啦！累你關心了。」

沈霞琳道：「姊姊平日爲人好，關心你的何止我一人呢。」

朱若蘭微微一笑，道：「不談這些事了，我要問你些輕鬆的事。」

沈霞琳望了楊夢寰一眼，道：「那定是與他有關了。」

朱若蘭道：「不錯！」

沈霞琳點點頭，道：「你問吧！不論什麼事，我都會告訴姊姊。」

朱若蘭道：「這幾年來我一直沒有見過那李瑤紅，不知她的脾氣是否好一些呢？」

沈霞琳道：「紅姊姊一直很好，她對待寰哥哥溫柔多情，千依百順，對待我更是愛護備至，這些年來，我們從沒有吵過一句。」

朱若蘭道：「那就好……」

語聲微微一頓，又道：「李姑娘哪裏去了，怎的一直沒有見她？」

沈霞琳道：「她保護公婆避難遠行，到哪裏我也不知道了。」

楊夢寰接道：「大約是到黔……」

朱若蘭道：「不用說下去了。」

趙小蝶突然接口說道：「蘭姊姊，你可在陶玉手下派有臥底之人？」

朱若蘭道：「沒有啊。」

趙小蝶道：「這就奇怪了。」

朱若蘭道：「奇怪什麼？」

趙小蝶道：「在那陶玉手下，常常有一個黑衣人，傳遞消息給我……」

沈霞琳接道：「我知道了，你說的是我師姊。」

趙小蝶道：「他是個很瘦小的男子。」

沈霞琳道：「那是女扮男裝。」

趙小蝶道：「那爲什麼說話的聲音也像男人呢？」

楊夢寰道：「她飽經憂患，吃了不少苦頭，也長了很多經驗。」

趙小蝶道：「我受她之恩很大，日後要好好報答她。」

朱若蘭一整臉色，說道：「我想到了一件事，必得早些問問你們，趙妹妹也在這裏，大可當面決定了。」

趙小蝶道：「談什麼呀？」

朱若蘭道：「你的終身大事，你飄泊江湖，終非了局，必得早有一個歸宿才是。」

趙小蝶突然站了起來，轉身欲去。

沈霞琳一把抓住趙小蝶的衣袖，道：「趙姑娘，不要走，也不用害羞，坐下來，聽蘭姊姊說吧！她說的事，永遠不會錯的。」

趙小蝶粉頰上泛現兩片羞紅，緩緩坐了下來，道：「姊姊，不用談了，我知道你要談什麼？」

朱若蘭道：「咱們幾人親如姊妹兄弟，什麼話說錯了也是無妨……」

趙小蝶急急接道：「姊姊！過去我確實作了很多糊塗的事，但現在我都明白了，唉！姊姊，我今生已不作嫁人之想，我已決心追隨姊姊回到天機石府，終身研究武功，助姊姊一臂之

力。」

朱若蘭搖頭笑道：「小蝶，聽姊姊說，我知你此刻確有這個心願，但來日方長，你今年不過二十一二，此後歲月，豈是容易渡過的麼？」

趙小蝶道：「姊姊呢？作何打算？」

朱若蘭笑道：「姊姊也沒有說終身不嫁啊，但我卻有些和你不同，我能分享你們的快樂，不是姊姊小覷了你，這一種修養工夫，不是任何人都能做到的。」

趙小蝶輕輕歎息一聲，道：「你要我嫁人，可是嫁給誰呢？」

朱若蘭輕輕咳了一聲，道：「這個咱們再慢慢商量吧，妹妹冰雪聰明，咱們嫁人，也和那些凡夫俗子不同，不只是要嫁一個丈夫，而是要找一個終身伴侶。」

沈霞琳突然接口說道：「小蝶妹妹，你如能夠委屈一些，我和紅姊姊都萬分歡迎你常住在水月山莊，寰哥哥脾氣好，公婆更是慈愛異常……」

趙小蝶笑道：「你們要我嫁給楊夢寰麼？」

楊夢寰急急說道：「趙姑娘不要誤會，琳妹妹一向口沒遮攔……」

朱若蘭道：「現在別談了，我只是勸你嫁人，嫁給誰，咱們慢慢商量。」

楊夢寰突然站起身子，道：「三位談談吧！家岳尚在懸崖下面坐候，豈可太過冷落於他，我該下去陪陪他老人家才是。」

朱若蘭格格一笑，道：「我們女人家在談心，你早該走了，賴在這裏我們也不好攆你。」

楊夢寰抱拳一禮，急急轉身而去，頭也未回的直下懸崖。

只見李滄瀾帶著川中四醜，正在山下一片青草地上坐息。

楊夢寰急步奔了過去，行到李滄瀾身前，跪拜於地，道：「小婿楊夢寰叩見岳父大人。」

李滄瀾緩緩睜開雙目，道：「朱姑娘完全好了麼？」

楊夢寰道：「托岳父之福，朱姑娘傷勢已然完全痊癒了。」

李滄瀾道：「可是那陶玉療好了她的傷勢麼？」

楊夢寰道：「不錯，那陶玉傷在了朱姑娘的手中，以命換命，療好了朱姑娘的傷勢。」

李滄瀾道：「這麼說來，那陶玉確然已研讀『歸元秘笈』有成，咳！果真如此，是武林的大大不幸了……」

楊夢寰接道：「朱姑娘已然搶在那陶玉之前，習練真氣逆練武功，以朱姑娘的才慧，只要找出訣竅，成就不難超過陶玉。」

李滄瀾搖搖頭，道：「陶玉可是由『歸元秘笈』上找出了逆練真氣的記載麼？」

楊夢寰道：「不錯，昔年天機真人和三音神尼合錄那本『歸元秘笈』時，就曾想到逆練真氣的武功，只是兩人大限將到，已然無暇詳細研討，所以把它夾在封底夾層之中，是以，趙小蝶雖然持有那『歸元秘笈』甚久，卻未發現那真氣逆練的武功……」

李滄瀾忽然發覺楊夢寰仍然跪著和他說話，當下接道：「你起來，有話慢慢談。」

楊夢寰緩緩站起了身子，道：「也許那天機真人和三音神尼，沒有想到晚一輩中，會有朱若蘭這等才華橫溢的人，二十幾歲，竟然已身集大成，面臨著先天體能極限的煩惱。」

李滄瀾道：「難道逆練真氣，能夠把一個人先天體能擴爲無限的成就麼？」

楊夢寰道：「這個小婿目下不敢作答，但想來總是有些道理，朱若蘭苦苦研究，迄今還未能找到門路。」

李滄瀾突然站起身子，右手扶拐，左手持髯，沉吟了一陣，道：「陶玉呢？可是已從那『歸元秘笈』上找出了可行之法？」

楊夢寰道：「就小婿觀察所得，那陶玉亦未找出門徑，不過那『歸元秘笈』上既有了記述，當可收事半功倍之效。」

李滄瀾一頓手中鐵拐，道：「朱姑娘對此事作何處理？」

楊夢寰道：「趙小蝶力主陶玉真氣逆練未有成就之時全力追殺，朱姑娘卻以爲不可。」

李滄瀾道：「爲什麼？老夫同意那趙姑娘的高見，唉！你們不知陶玉的爲人，如若被他練成奇功，藝蓋江湖，武林道上不知要被他鬧成什麼樣子，何不趁此時，把他置於死地，豈不是一了百了，永絕後患麼？」

楊夢寰道：「朱姑娘堅持不可，或有她的見解，只是她未曾說出，實叫人難以猜測。」

李滄瀾道：「你去告訴朱姑娘，就說老夫要見她，茲事體大，非同小可，老夫非得把她說服不可。」

楊夢寰沉思了一陣，道：「好！小婿就去告訴她。」起身而去。

李滄瀾急道：「站住。」

楊夢寰回過身來，抱拳一禮，道：「岳父還有何教言？」

李滄瀾道：「紅兒有幾句話，要我轉告你，一直無暇轉告，趁此刻，告訴你吧！」

楊夢寰道：「什麼事？」

李滄瀾道：「她說你們夫婦間的事，要你和沈姑娘商量即可決定，她早已和沈姑娘談妥了。」

楊夢寰道：「什麼事？」

李滄瀾道：「這個麼？我就不清楚了。」

楊夢寰一皺眉頭，道：「小婿記下了。」

李滄瀾點點頭道：「我雖不知內情，但想來亦不致距離太遠，紅兒言中之意，似是要你通權達變，不可太過拘泥。」

楊夢寰只覺他言中之意，若有所指，但卻又沒法答覆，只好含含糊糊的應道：「岳父說的是。」

李滄瀾道：「你現在可以去了，告訴朱姑娘，就說我要見她。」

楊夢寰應了一聲，重又攀上懸崖。

抬頭看去，只見朱若蘭一個人坐在青草地上，望著天際靜靜出神。

楊夢寰緩步走了過去，說道：「蘭姊姊。」

朱若蘭頭也未回的站起身子，道：「跟我來吧！我正有話要問你。」

當先向前行去。

楊夢寰應了一聲，隨在朱若蘭的身後，下了懸崖，行入一道小谷之中。

朱若蘭當先坐了下去，拍著草地，道：「你也坐下來吧！」

楊夢寰依言坐了下去，道：「姊姊有什麼緊要事麼？」

朱若蘭一直沒有回首望過楊夢寰一眼，淡然說道：「你準備怎麼安排她？」

楊夢寰道：「安排哪一個？」

朱若蘭道：「趙小蝶啊。」

楊夢寰訝然說道：「怎麼安排她，小弟如何知道，這要憑姊姊吩咐了，不過……」

朱若蘭道：「不過什麼？」

楊夢寰道：「小弟總覺著其人有些野性難馴，最好姊姊能把她帶在身側。」

朱若蘭道：「我把她帶在身側，豈是長遠之局麼？」

楊夢寰道：「姊姊之意呢？」

朱若蘭道：「交給你，只有你才能夠使她野性化去，變得馴服。」

楊夢寰道：「小弟如何能有這等潛移默化之力呢？」

朱若蘭道：「她聰明絕倫，所以會一意孤行，全是因爲她心無所寄之故，如是心有所寄，不難變成一個賢妻良母。」

楊夢寰道：「姊姊說到哪裏去了。」

朱若蘭突然轉過臉來，一臉肅穆之色，望著楊夢寰道：「我說的句句真言，你可是有些不信麼？」

楊夢寰只覺她雙目之中，有如冷電中挾著霜刃，直看到自己心肝肺腑之中，不自禁的緩緩垂下頭去，默然不語。

朱若蘭一聳柳眉道：「你怎麼不說話呀？」

楊夢寰苦笑一下，道：「姊姊要我說什麼呢？」

朱若蘭道：「告訴我，你對那趙姑娘的想法如何？」

楊夢寰道：「我對趙姑娘敬重異常，視她如良師，如兄妹……」

朱若蘭冷笑一聲，接道：「這些倒不用你費心了，我只問你如何安排她。」

楊夢寰道：「這個小弟如何知道……」

朱若蘭道：「不用跟我裝糊塗，難道你真的聽不懂我言中之意……」

她舉手理一下頭上秀髮，緩緩說道：「有一件事，我必須對你說清楚，目下武林中的變化，集中在陶玉和你的身上，今後十年江湖上不是慘遭血洗，就是一個從未有過平靜之局，陶玉得那『歸元秘笈』之助，已然是殺劫隱隱，趙小蝶亦是大局轉變的關鍵人物，她可以助你，也可以興風作浪反助陶玉，這一次我見她，發覺她已經成人，此後是否還肯聽我的話，我心中實無把握，對你們夫婦間事，我本是不該插手多管，但事關正邪消長，叫我如何隱忍不言，千百年來，江湖從未有過的事，把正邪消長之機，依附一二人情感的好惡之上……」

楊夢寰抓著頭皮說道：「姊姊說得太嚴重了吧！」

朱若蘭臉色更見肅穆，微帶惱意的說道：「你不信姊姊的話麼？」

楊夢寰道：「這個小弟不敢。」

朱若蘭道：「那就聽我說下去，趙小蝶並非是無理取鬧，仔細想來，都怪我昔年少欠考慮。」

楊夢寰道：「這事和姊姊有何關連呢？」

朱若蘭道：「你該記得她爲你療傷的事。」

楊夢寰道：「這個小弟如何能夠忘記。」

朱若蘭道：「那就是了，她一個黃花閨女，和你皮肉相貼，肌膚相親，難道還不算嚴重的事，剛才她曾經對我說過幾句話，深悔這幾年來在江湖胡作非爲，引起很大風波，此後她將痛改前非，選一個無人的僻靜之地，削髮苦修，斷絕塵緣，不再問江湖中事，只是她收羅的一批花娥無法處理，要我答應帶她們回到天機石府中去……」

楊夢寰接道：「姊姊之意呢？」

朱若蘭道：「她說的很真誠，字字都是出自肺腑，但目下情形，決不允許她遁形山林，不問江湖是非，陶玉必將是千方百計算計於她，如是一旦陶玉得逞，趙小蝶就成了爲害江湖的一筆本錢……」

長長歎息一聲，接道：「你該記得那童淑貞的事吧！女孩子本領再大，生性再強，但卻無法免除依附男人之心，儘管她適非所愛，儘管她珠淚偷彈，但她卻不能擺脫心靈枷鎖……」

楊夢寰接道：「這個，這個……」

朱若蘭道：「不用這個那個了，趙小蝶現在咱們習武石洞之中，快去瞧瞧吧……」

語聲微微一頓，接道：「記著，別再言語中傷害到她。」

楊夢寰站起身子，一抱拳，道：「小弟記下了。」

朱若蘭道：「記著，你不是爲了自己，而是爲了武林的正邪消長。」

楊夢寰輕輕歎息一聲，直向那石洞之中行去。

只見趙小蝶微閉雙目，靠在石壁上，似是已經睡熟一般，楊夢寰直走到趙小蝶的身側，趙小蝶似是仍無所覺。

楊夢寰低聲叫道：「趙姑娘，睡熟了麼？」

趙小蝶睜開雙目，瞧了楊夢寰一眼，笑道：「嗯！我有點睏倦，楊兄請坐。」

楊夢寰目光轉動，四顧了一眼，緩緩坐了下去，道：「據蘭姊姊說，今後一年時光之中，那陶玉似是已無能再興風作浪了。」

趙小蝶道：「不錯，陶玉如若不能在真氣逆練的武功上摸出一條路來，決非我和蘭姊姊之敵，五百招至一千招之內，我定可取他之命。」

楊夢寰道：「怕的是他能找出一條新徑，練成奇技，蘭姊姊對此十分憂慮。」

趙小蝶道：「這些年來，我一直在江湖上胡鬧，沒有用心想過武功的事，但現在用心一想，確是感覺到陶玉已然在構想上超越過我們很多，如若假以時日，他的成就，很可能掩蓋江湖，成爲第一高手。」

楊夢寰道：「因爲如此，咱們亦必得妥善的利用這一段時光，不能讓他超過你和蘭姊

姊。」

趙小蝶道：「我想蘭姊姊早已有備，只要她能靜下心來，她的進境，至低限度可以和陶玉保持均衡之勢。」

楊夢寰道：「你呢？準備到哪裏去？」

趙小蝶道：「天涯如此遼闊，哪裏不可以安身立命，但我還想回百花谷去，鳥倦知返，那地方是我從小長大的地方，有著我母親的墳墓，我也該回去祭一祭她老人家了。」

楊夢寰道：「蘭姊姊希望你能夠助她。」

趙小蝶道：「助她什麼？」

楊夢寰道：「咱們有『歸元秘笈』那上面記載著天機真人和三音神尼兩大奇人才慧的結晶，蘭姊姊仍要借重於你的才智。」

趙小蝶道：「我處處都難及得蘭姊姊，只怕是無能助她。」

楊夢寰道：「姑娘為何如此的自暴自棄呢，答應我，跟著蘭姊姊去吧！只有你們兩人合力，才可以對付陶玉……」

趙小蝶接道：「你呢？」

楊夢寰道：「我追隨兩位姑娘之後。」

趙小蝶嫣然一笑，點點頭道：「我如答應了，沈姑娘、李姑娘只怕不放心吧！」

楊夢寰道：「姑娘多慮了。」

按下兩人，且說李滄瀾久候不見楊夢寰回來，心中正自焦慮，瞥見朱若蘭信步行了過來，欠身一禮，道：「見過老前輩。」

李滄瀾素行孤傲，唯獨對朱若蘭十分敬重，拱手說道：「姑娘傷勢好了麼？」

朱若蘭道：「多謝老前輩的關心，晚輩的傷勢已經大好。」

李滄瀾長長吁一口氣，道：「姑娘要多多保重，今後江湖的安危大局，全繫在姑娘一人身上了。」

朱若蘭微微一笑，道：「晚輩何能何德，怎敢當老前輩如此誇獎。」

李滄瀾道：「老朽一向是輕易不說頌贊之言，言則必出肺腑，姑娘早已是武林中安危所寄了。」

朱若蘭微微一笑，道：「晚輩也想和老前輩談一下今後武林形勢，還請老前輩不吝賜教才好。」

李滄瀾道：「老朽老邁了，只怕難有卓越之見。」

朱若蘭道：「老前輩不用客套，晚輩是誠心領教而來。」

李滄瀾道：「姑娘這般看重老朽，老朽自當竭盡心智，提供一得之愚。」

朱若蘭道：「天機真人和三音神尼手著那『歸元秘笈』，竟然爲武林帶來了這大禍患，引起了這樣大的風波，如今形勢已成，就算天機真人復活，三音神尼重生，也無能控制大局了。」

李滄瀾道：「局勢如此嚴重麼？」

朱若蘭道：「不錯，那陶玉雖非最先得到『歸元秘笈』之人，但他卻是第一個由那『歸元秘笈』發現武林中從未有過的『逆練真氣』之學，假以時日必有大成，那時晚輩固然是首要被除去之人，令婿、令嬡，只怕是亦難免殺身之禍。」

李滄瀾道：「朱姑娘何以不在他奇功未成之前，領導天下武林高手，搜而殺之，消大劫於無形？」

朱若蘭道：「晚輩原想在這百丈峰中一戰，掃穴犁庭，盡除妖氣，但因身子不適，體能難支，忽生重病，加以計劃不周，致使功敗垂成，如今那陶玉有備逸去，再想搜捕追殺，已非易事，而且據晚輩觀察，那陶玉已似得個中訣竅，未雨綢繆，晚輩等必得早作準備，以免屆時毫無抗拒，任他宰割。」

李滄瀾捋鬚點頭，道：「姑娘說得是，除了姑娘之外，別人縱然能搜到陶玉藏匿之處，也難是他之敵手。」

朱若蘭道：「晚輩幾番深思，從天下千頭萬緒的紛亂局勢中，想到一事，那就是整個紛雜的江湖局勢中，集中在令婿和陶玉的身上。」

李滄瀾道：「姑娘難道能置身事外麼？」

朱若蘭道：「晚輩自然是義不容辭，不過晚輩一人之力，實難獨挽大局，必得借重一人相助才行。」

李滄瀾道：「什麼人？」

朱若蘭道：「趙小蝶——」

李滄瀾接道：「哦，老朽明白了。」

朱若蘭道：「老前輩能夠想明此事，那是最好不過了。」

李滄瀾仰起臉來，長長吁一口氣，道：「小女和霞琳都對你尊仰異常，由你朱姑娘從中作主，自然沒有解決不了的事。」

朱若蘭道：「這些事晚輩也不能強人所難，他們四個人，有一個不同意，這事情就不能辦，還有老前輩和楊兄弟的父母，都得先行疏通。」

李滄瀾哈哈一笑，道：「老朽雖然贊成，但卻無法助你，如何安排，那是朱姑娘的事了。」

朱若蘭道：「瑣碎小事，如何敢要你老前輩費心多慮呢？」

語聲微微一頓，又道：「並非是晚輩愛管閒事，實是目下情勢不同，趙小蝶已成了當前武林形勢的關鍵之一，必得先把她籠絡住。」

突然舉手一抬，道：「老前輩，咱們往右面山谷中走走吧！」

李滄瀾回目一顧，只見趙小蝶、楊夢寰並肩行了過來，當下舉步向右面山谷之中行去。

朱若蘭微微一笑，低聲說道：「對那位女婿命犯桃花，老前輩還得多多擔待些。」

李滄瀾笑道：「武林形勢如此，那也怪不得他——」

只聽趙小蝶高聲叫道：「蘭姊姊，等等我，我有話要對你說。」

朱若蘭道：「既然被他們瞧到了，只好等等他們了。」

停下腳步，回過頭去。

只見趙小蝶飛奔而至，先給李滄瀾見了禮，才對朱若蘭道：「蘭姊姊，我剛和楊相公談起對付陶玉的事——」

朱若蘭道：「好！講給我聽聽吧！你們如何對付他？」

趙小蝶道：「我想咱們都回到水月山莊中去，大家在一起研練武功，一面和九大門派保持聯絡，聽得陶玉消息，咱們一齊動員趕去，如講習武之處，本以姊姊那天機石府最好，不過天機石府太遠，和中原武林聯絡不便，不知姊姊意下如何？」

朱若蘭略一沉吟，道：「很好，就照你的意思做吧！」

趙小蝶道：「我先上路，把我分佈在幾處隱密之地的人手，一起集中，帶到水月山莊中，姊姊們再休息兩三日動身不遲。」

朱若蘭道：「你收羅了很多花娥是麼？」

趙小蝶臉一紅，道：「那時小妹四海遊走，不得不多收羅一些助手。」

欠身一禮，轉身行去。

朱若蘭、李滄瀾、楊夢寰送她到大道之旁，瞥見一匹健馬，拴在道旁一株小樹上，趙小蝶伸手解下韁繩，縱身上馬，放轡而去，只見那披肩長髮和衣袂，隨風飄起，片刻間蹤影已杳。

朱若蘭望著趙小蝶的背影，自言自語道：「奇怪呀！哪來的健馬。」

楊夢寰道：「這倒不足爲奇，她在江湖上走動之時，行蹤一直是飄忽莫測，使人無法追出她的行蹤，就全憑仗這種方法。」

朱若蘭道：「你是說有人替她送馬來的，是麼？」

楊夢寰點點頭道：「不錯，她在大江南北建立了很多花站，用預先定好的暗記聯絡，凡是行蹤去向，亦用暗記指示，一站傳一站，隨時都有人追在她的身後，她需要之物，只要留下暗記，就有人替她辦了。」

朱若蘭道：「原來如此，看來她那花站的機密，是猶在天龍幫分舵之上了。」

楊夢寰道：「她剛剛告訴我這件事，這時就露了一手，給咱們瞧了。」

朱若蘭道：「她可是要解散那些分佈在天下的花站麼？」

楊夢寰道：「這個，她倒未曾說明。」

朱若蘭道：「利用那些花站追查陶玉的行動，是最好不過，如是被她解散了，就未免太可惜了。」

楊夢寰搖搖頭，道：「這幾年不見，趙小蝶已非昔年那天真無邪的少女可比，她不但知道了施用手段，而且心機很深，我想她不會把費盡心血建立的花站撤除，」

李滄瀾突然接口說道：「朱姑娘，是否決定了回到水月山莊中去？」

朱若蘭點點頭，道：「趙家妹子說得不錯，水月山莊和中原各大門派聯絡，有很多方便之處。」

李滄瀾道：「老朽先到水月山莊中去，替你打掃安排一下。」

朱若蘭道：「這等事如何敢勞動老前輩。」

李滄瀾道：「不妨事——」高舉起龍頭拐杖，在頭上繞了一圈。

只見站在數十丈外的川中四醜，齊齊奔了過來，分站在李滄瀾的四周。

李滄瀾一抱拳，道：「老朽先走一步了。」

朱若蘭道：「老前輩這等奔走，叫晚輩等如何安心。」

李滄瀾哈哈一笑，道：「姑娘不用客氣了，老夫就此別過。」

轉身向前奔去。

川中四醜緊迫在李滄瀾的身後，五條人影，奔行在大道上。

朱若蘭望著李滄瀾遠去的背影，輕輕歎息一聲，道：「令岳似是已決心介入這場江湖是非之中，唉！親情似海深，果然不錯，他如不是爲了李瑤紅，就算九大門派掌門人親自去請他出山，他也未必會答允相助。」

朱若蘭隨手折了一截松枝，緩步向前行去，一面問道：「你和趙小蝶談得如何？」

楊夢寰道：「趙姑娘長大了，不似過去那等暢所欲言的性格。」

朱若蘭道：「你說服了她？」

楊夢寰道：「遵從姊姊之意，小弟已勸說她放棄獨善其身的思想，同往水月山莊，助姊姊探求那真氣逆練的武功，以便對付陶玉。」

朱若蘭道：「沈霞琳、李瑤紅、趙小蝶，再加上我朱若蘭，齊集水月山莊，我看你怎麼應付。」

楊夢寰先是一怔，繼而微微一笑，道：「姊姊說笑話了——」

朱若蘭道：「誰跟你說笑話了，我說的句句都是真實之言。」

陡然停下腳步，靠在一株古松之上，兩道炯炯的眼神，逼注著。

楊夢寰看她臉上神色嚴肅，立時收斂了笑容，抱拳一揖道：「小弟要如何自處，還得姊姊指教。」

朱若蘭看楊夢寰誠惶誠恐的神情，又忍不住嗤的一笑，道：「這就看你了，大家終日相處一室，研論武功，四女一男，你要如何能夠持平，李瑤紅、沈霞琳都已是你的妻子，趙小蝶和我朱若蘭也算是你紅粉知已，一個人到了你這等情境，不知羨煞多少自命風流的人物，但自已心中明白，在我們四人之前，你有著多少歡樂，多少愁苦，二女之間難爲夫，如今你竟有了四個，兩個名正言順的妻子，兩個紅顏女友，我看你怎麼得了？」

楊夢寰道：「咱們全心全意去研討那真氣逆練之法也就是了。」

朱若蘭接道：「難道你忘了我們是人麼？而且是男女有別的人，趙小蝶給你療傷的事，你可曾忘去呢？」

楊夢寰道：「沒有。」

朱若蘭道：「那時她心中對男人十分厭惡，但此刻卻形勢大變，她對你不但毫無厭惡之意，而且還情深如海，你知道她爲什麼要化名多情仙子，遊戲於江湖之上麼？」

楊夢寰道：「這個小弟不知。」

朱若蘭道：「因爲她無法排除對你的相思、懷念，因此才遊戲江湖，一半也希望能找上一個能夠代替你的人。」

目光凝注在遠天一朵飄浮的白雲上，緩緩接道：「但她情有所鍾，心為你繫，看遍天下才情人物，竟是無一人能取代你在她心中的地位。」

楊夢寰緩緩垂下頭，道：「這些事可是她告訴姊姊的？」

朱若蘭道：「不用她講，我瞧也瞧得出來，她應該最聽我的話，我勸她很久很久，她都不肯改變那遁跡山林，獨善其身的念頭，但你三言兩語，就使她改變初衷，相較之下，我朱若蘭不如你楊夢寰甚多了，難道你不明白為了什麼？」

楊夢寰輕輕歎息一聲，道：「此事該當如何？還望姊姊指示一個辦法才是。」

朱若蘭道：「我有什麼法子，這要你自己決定了，不過不能騙她，說過的話，一定要做到。」

楊夢寰道：「我沒有對她說過什麼，更無任何承諾。」

朱若蘭道：「但你卻在無意中指使她作了你想作的事，她是那樣高傲的人，如若她沒有想出一種理由，覺著自己應該聽你的話，決不會為你所用。」

楊夢寰呆了一呆，道：「這也是很多麻煩麼？」

朱若蘭突然一挺身子，大步向前走去，一面緩緩說道：「這要看你如何去處理了，我已同令岳談過了你的事。」

楊夢寰緊隨在朱若蘭的身側，緊張的說道：「談過什麼事？」

朱若蘭道：「談過趙小蝶，令岳見識廣博，心知此事關連甚大，他雖未說出口來，但卻隱隱之間，露出贊同之意，我想令尊那邊，令岳當會轉告，餘下的就是你和令堂了。」

楊夢寰歎息一聲，默然不語。

朱若蘭回顧楊夢寰道：「你怎麼不說話了？」

楊夢寰仰起臉來，黯然一笑，道：「讓我說什麼，姊姊的才慧，小弟一向是敬服無比，我們夫婦三人都受過姊姊的大恩，不論什麼大事，只要姊姊一言，小弟無不遵從。」

朱若蘭接道：「這就簡單了。」

楊夢寰急急接道：「不過這件事，小弟卻是不敢苟同，姊姊如是讓我說話，只怕要頂撞姊姊了。」

朱若蘭道：「嗯！你說吧！」

楊夢寰道：「千古以來，武林中正邪消長之機，大都決定於才智，武功之上，從沒有把武林大事，繫於一二人私情之上的。」

朱若蘭道：「爲什麼不可破例呢？你放眼瞧瞧天下武林形勢，難道我是故弄玄虛？」

楊夢寰道：「不錯，趙姑娘對此刻武林形勢，有著很大影響力量，但她才慧難及姊姊，真正的關鍵人物，不是她，而是你。」

朱若蘭怔了一怔，笑道：「你該知道我，決不會因私致傷大體。」

楊夢寰接道：「我知姊姊爲人。」

朱若蘭突然加快腳步，道：「他們只怕已經等急了。」

奔上山去。

楊夢寰緊追身後，登上絕峰。

朱若蘭撮唇一聲長嘯，嘯聲直衝霄漢。

楊夢寰四顧了一眼，道：「姊姊約好了人麼？」

朱若蘭道：「不錯，我要跟你到水月山莊中去，天機石府的事應該也有個安排，那陶玉神出鬼沒，說不定會跑入天機石府中去。」

楊夢寰微微一歎，道：「姊姊約的什麼人，在此峰頂相會？」

朱若蘭道：「玉簫仙子、琳妹妹。」

談話之間，瞥見正北方一條人影急急向山峰上奔了過來，那人來勢奇快，片刻之間已到兩人停身之處。

楊夢寰轉目一顧，見來人正是玉簫仙子。

只見她站好身子，恭恭敬敬對朱若蘭行了一禮道：「姑娘召喚婢子麼？」

朱若蘭道：「我已經告訴過你很多次了，你如執意不肯和我以姊妹相稱，那也不用以大禮相見了。」

玉簫仙子道：「婢子由衷的崇敬姑娘，姑娘不要放在心上。」

朱若蘭輕輕歎息一聲，道：「她們都準備了麼？」

玉簫仙子道：「都已準備好了，彭姊姊也已大見好轉。」

朱若蘭道：「趙小蝶帶的那些花娥呢？」

玉簫仙子道：「都已集中一起，等候姑娘之命。」

朱若蘭道：「好吧！你帶著她們，一齊回到天機石府去吧！」

玉簫仙子呆了一呆，道：「姑娘呢？」

朱若蘭道：「我要到水月山莊中去……」

語聲微微一頓，又道：「你回到天機石府之後，告訴她們依照我繪製的圖樣，佈下埋伏，陣圖，謹防那陶玉派人施襲。」

玉簫仙子道：「婢子記下了……」她似是意猶未盡，但口齒啓動了一陣之後，終於忍了下去。

朱若蘭道：「你還有話說？」

玉簫仙子道：「婢子有一事不明，想請教姑娘。」

朱若蘭道：「你說吧！什麼事？」

玉簫仙子道：「姑娘到水月山莊中去，何以不肯回天機石府？」

朱若蘭道：「我要和楊相公、趙師妹研究幾種武功，因此必得到水月山莊一行。」

玉簫仙子道：「姑娘把婢子等全都遣回天機石府，豈不是隨護無人了麼？」

朱若蘭道：「這麼吧！你回到天機石府之後，就在趙小蝶那花婢中，選帶一十二人，由你率領趕往水月山莊聽命。」

玉簫仙子道：「婢子遵命，但不知我等要幾時動身？」

朱若蘭道：「愈快愈好，你們立刻上路吧。」

玉簫仙子應了一聲，又欠身一禮，才回身而去。

楊夢寰道：「這玉簫仙子，真是姊姊一位很好的助手……」

朱若蘭道：「她才慧過人，武功、膽氣，皆非常人能及，我天機石府在她整理之下，已是今非昔比了。」

楊夢寰道：「昔年玉簫仙子縱橫武林，行蹤所至，人人敬畏，視作女魔，只有姊姊這等才智，雅量，才能把這一代女魔，改變成一個如此恭謹謙善之人。」

朱若蘭微微一笑，道：「玉簫仙子能夠改邪歸正，說起來又是和你有關了。」

楊夢寰茫然說道：「怎的又和小弟有關？」

朱若蘭道：「那玉簫仙子內心對你的情意，難道你一點也不知道麼？」

楊夢寰道：「昔年她救過小弟，小弟對此是念念不忘。」

朱若蘭歎道：「她心中對你愛慕之深，只怕不在趙小蝶之下，只是表達的方式不同罷了，也許她還有些自慚形穢的感覺，唉！你這人上一世不知造了什麼孽，這半生來鬧出了多少情海恨事。」

楊夢寰黯然垂下頭去，道：「小弟自知罪孽深重，常想以死謝罪武林，酬報紅顏知己……」

朱若蘭冷哼一聲，道：「胡思亂想，你向何人謝罪，又酬報哪一位紅顏知己？」

楊夢寰呆了一呆，道：「這個麼？小弟……」

朱若蘭接道：「不用小弟了，你既覺得有罪武林，就該想法子贖罪，你若是想酬報紅顏知己，就該想法子不要傷害她們。」

楊夢寰道：「姊姊說得是。」

朱若蘭道：「是！是什麼？」

楊夢寰啞然無言，半晌答不出一句話來。

朱若蘭接道：「我知道你還未聽明白，我言中之意，是要你作兩件轟轟烈烈的大事，消除武林中邪惡之人，雖不能要他們今後絕跡江湖，但最低限度，也該使江湖上有個數十年平安的日子好過。」

楊夢寰道：「小弟記下了，今生今世，自當全力以赴。」

朱若蘭道：「那很好，再說第二樁，你不能討上十房妻妾，廣建華廈，納盡天下對你傾心之人，那就該奮發鷹揚，助她們創下赫赫事功。」

楊夢寰道：「小弟知道了。」

朱若蘭道：「你要想法子讓她們移情作俠，互相輔用，必得多用一些心智……」

忽聽一聲長嘯傳了過來，打斷了朱若蘭未完之言。

朱若蘭仰臉望望天色，道：「我和琳妹妹約的時刻已到，咱們得快些走了。」

當先向懸崖下面奔去。

楊夢寰緊追朱若蘭之後，奔下削壁。

朱若蘭似是有意考驗一下楊夢寰的輕功，下奔之勢，快速異常，數十丈的削壁，轉眼間落在谷地。

回頭看楊夢寰，落後也不過丈餘左右。
楊夢寰奔到朱若蘭的身側，微微一笑道：「姊姊的輕功，愈見高強，小弟全力施展，仍然被姊姊摔落了一丈餘遠。」
朱若蘭微微一笑，道：「你也有了很大的進步。」
楊夢寰道：「說來慚愧得很，這幾年中，小弟一直苦苦求進，自信所下工夫之深，不在那陶玉之下，但就小弟和他幾次交手情形而論，似是不如那陶玉成就的迅快，最使人驚異的，是小弟每次和陶玉交手一次，就發覺他武功比上次強了許多，想這定然是天資上的差異了。」
朱若蘭沉吟了一陣，道：「據我的看法，你的天賦，決不在陶玉之下，不過那陶玉身懷『歸元秘笈』，每經過一次棋逢敵手的惡鬥之後，必將翻閱那『歸元秘笈』，尋找失敗之因，覓求致勝之道，這等由經驗中的求進之舉，自是事半功倍，你沒有那『歸元秘笈』爲範，縱然苦苦用心思索，進境終究有限，自是難及陶玉的進步神速了。」
楊夢寰輕輕歎息一聲，道：「這麼說來，陶玉遇上的對手越強，他的進步就越快了？」
朱若蘭道：「也可以這麼說吧！不過任何事情，都會有一個極限，行至那極限邊緣，再想寸進，勢將比登天還難……」
她長長吁一口氣，仰臉望天，緩緩說道：「我常想，天機真人和三音神尼雖是才華絕世的人物，但他們未必就是極限，我生有幸，趕上了這個『歸元秘笈』出世的時代，而且所學所本，大都由那『歸元秘笈』而來，我生無幸，面臨著身懷『歸元秘笈』的強敵，此後歲月，必將廢寢忘食，苦苦追求武學的登峰造極……」

忽然展顏一笑，回顧楊夢寰一眼，道：「兄弟，你說咱們是有幸還是無幸呢？」

楊夢寰沉吟了一陣道：「姊姊的看法呢？」

朱若蘭笑道：「你是越長越滑頭了，我是在問你的看法，你倒反問起我了。」

楊夢寰道：「姊姊一定要問小弟之見，我就胡亂說了。」

朱若蘭道：「嗯！我洗耳恭聽。」

楊夢寰道：「如若沒有姊姊這樣的人才，這該是武林中從所未有的一個黑時代，陶玉不必再用心求進，只要習得那『歸元秘笈』上十之七八的武學，就可橫掃武林，統一江湖了。」朱若蘭道：「你還少說兩個人，趙小蝶和你楊夢寰……」

淡然一笑，接道：「咱們得快些走了，只怕琳妹妹已經等急了。」

楊夢寰道：「她在何處？」

朱若蘭道：「就在這林外大道之旁。」

當先向前行去。

楊夢寰緊隨朱若蘭的身後，穿過一片茂林，果見沈霞琳帶著六寶和尙，在道旁等候著。

沈霞琳胸無城府，不善心機。經常總掛著一份怡然的微笑，使每個和她相處的人，都感受到一種親切歡愉，但此刻天使一般的人物，卻被那變幻的風波，折磨得有了愁苦，那經常浮現在嘴角間的笑意已經不見，眉宇間也布著一層淡淡的憂鬱。

朱若蘭輕輕歎息一聲道：「瞧到麼？琳妹妹有些變了，她本是純潔無慮的人，但此刻卻爲

愁苦困擾。」

沈霞琳已瞧到了兩人，飛一般的迎了過來，道：「蘭姊姊，陶玉有一封信要我給你。」雙手捧著一個白色封柬，遞了過去。

廿七　水月山莊

朱若蘭接過封柬，目光一轉，只見上面寫道：書奉朱若蘭姑娘親拆，下面是陶玉謹緘。

朱若蘭接過封柬，並未拆閱，一皺柳眉，問道：「這封信是陶玉親自送給你的？」

沈霞琳搖搖頭，道：「不是，他派了一個人，送來這封信，那人就立刻轉身而去。」

朱若蘭道：「什麼樣的人？」

沈霞琳道：「是一個中年大漢，他只告訴我把這封信交給姊姊，並且要姊姊最好在無人之時拆看。」

朱若蘭冷哼一聲，道：「又不知在鬧什麼把戲，這人陰險惡毒，我瞧也不用看他的信了。」

沈霞琳急道：「姊姊不能將此信毀去，那人給我此信之時，亦曾說過，此信關係重大，無論如何要我請姊姊瞧瞧內容。」

朱若蘭道：「那送信之人還說些什麼？」

沈霞琳道：「他再三囑咐，要我勸姊姊，不要毀去此信，讀完之後再作決定不遲。」

朱若蘭回顧了楊夢寰一眼，道：「楊兄弟，你先瞧瞧吧，如果這封信上寫的亂七八糟，我

就不再瞧了。」

楊夢寰道：「他既然要姊姊親拆，小弟如何可以代勞，還是姊姊自己看吧！」

朱若蘭隨手把封柬藏入袋中，道：「以後再瞧吧！其人詭計多端，說不定在信中有詐，瞧了或許要影響到咱們的計劃。」

六寶一直站在沈霞琳的身後，怔怔的瞧著幾人，一語不發。

沈霞琳道：「玉簫姊姊帶著彭姊姊和一群花娥，轉回天機石府了，姊姊知道麼？」

朱若蘭道：「我知道。」

沈霞琳道：「此刻咱們要去何處？」

朱若蘭道：「回你們水月山莊。」

沈霞琳道：「回到水月山莊去？」

朱若蘭道：「不錯，從今以後，那水月山莊將要變成領導當今武林的中心，和陶玉抗拒。」

沈霞琳道：「小蝶妹妹呢？還有鄧開宇、柳遠那些人，都去了何處？」

朱若蘭道：「分頭趕路，殊途同歸，他們都會在水月山莊中會面。」

沈霞琳想了片刻，忽然微微一笑，道：「姊姊還沒有去過水月山莊。」

朱若蘭道：「沒有，但今後數年中，水月山莊四字，將揚名於江湖之上。」

沈霞琳道：「是啦！姊姊要在水月山莊中大會群雄，以便和那陶玉決一死戰。」

朱若蘭笑道：「聽說那水月山莊的風景甚好，我也該去見識一番。」

沈霞琳道：「可惜姊姊無法見到婆婆了，她那慈愛的笑容，凡是和她接近之人，無不如浴春風。」

朱若蘭四顧一眼，道：「咱們上路吧！」一行四人，離開了百丈峰，直奔水月山莊而去。

一路上曉行夜宿，這日中午時分，行近水月山莊。

楊夢寰指著林木環繞的一堵紅牆，道：「那就是小弟的故居，水月山莊了。」

朱若蘭目光轉動，四顧一眼，只見群山環伺，流水瀑瀑，山泉匯集的清流，繞著那水月山莊而過，不禁讚道：「好一片居息之地。」

沈霞琳道：「莊院之中，植滿了翠竹花樹，清晨鳥語，撲鼻花香，我和紅姊每日請完了二老之安，就在那花樹林中習練拳劍，唉！如非陶玉興風作浪，爲害武林，這一生中我也不願再涉足江湖中了。」

楊夢寰道：「父母避險遠走，我又離莊甚久，不知莊中是否還有人打掃，小弟走前一步，進莊中瞧瞧去。」

突然加快腳步，向前行去。

朱若蘭伸手牽起沈霞琳的左腕，道：「琳妹妹，咱們也走快一些，去幫他打掃。」

幾人奔進莊院，只見籬門大開，莊院花木齊整，打掃得乾乾淨淨。

楊夢寰霍然停下腳步，高聲喝道：「什麼人……」

只聽一陣哈哈大笑之聲，打斷了楊夢寰未完之言，李滄瀾手執龍頭拐，緩緩走了出來。

楊夢寰急急奔上前去，拜伏於地，道：「怎敢勞岳丈大人……」

李滄瀾捋髯微笑，道：「快些起來，裏面還有客人。」

楊夢寰站起身子，道：「什麼人？」

李滄瀾道：「百毒翁。」

楊夢寰吃了一驚，道：「百毒翁到此作甚？」

李滄瀾道：「他受了陶玉的暗算，幾乎死去，故而未能按時赴約，特地找來水月山莊。」

楊夢寰低聲說道：「其人全身都是劇毒，岳父可得小心，別要受了他的毒算。」

李滄瀾不答楊夢寰的問話，卻拱手對朱若蘭道：「玉簫姑娘沒有來麼？」

朱若蘭道：「她回天機石府去了，老前輩有事找她？」

李滄瀾道：「就是那位百毒翁，他非得要見玉簫姑娘不可。」

朱若蘭道：「久聞他乃一代用毒的奇人，請告訴他就說晚輩要見見他。」

李滄瀾道：「這個老朽已對他說過，但他不肯答允，他亦知那玉簫姑娘，在姑娘手下做事，但他要先見過玉簫姑娘之後，再見姑娘。」

朱若蘭微微一笑，道：「有很多人都有他特殊的想法，我去見他也是一樣。」

緩步行入室中。

抬頭看去，室中空空，哪裏還有百毒翁的影子。

朱若蘭目光一轉，發覺後窗大開，分明那百毒翁已由後窗遁去。

李滄瀾道：「老朽早已想到他會逃走。」

朱若蘭道：「不要緊，玉簫仙子過些時要來，那時再和他見面不遲。」

李滄瀾道：「姑娘等旅途勞累，請到內宅休息一下，這一進院子，老朽借住了。」

朱若蘭道：「唉！老前輩年近古稀，正該悠遊林泉，享些清福才是，都因晚輩等無能，連累老前輩奔走江湖。」

李滄瀾哈哈一笑道：「不要緊，老朽一生中未為武林作過好事，如今垂暮之年，正該為武林正義稍盡棉力，以贖前愆。」

朱若蘭不再多言，緩緩轉身而去。

一路行入內宅，到處都已經被人打掃得十分乾淨。

朱若蘭回顧了楊夢寰一眼，道：「李滄瀾是何等英雄人物，風雲半生，到了古稀之年，卻為兒女之情所困，甘心為你們奔走效勞。」

楊夢寰道：「姊姊說得是，我不能盡孝膝前，反累老人家照顧，每思及此，常常終宵難眠。」

朱若蘭道：「你只要善待那李瑤紅，那就是最好的報答了。」

談話之間，到了一座靜室前面，楊夢寰推開木門，道：「姊姊，這是小弟家居之處，可要進去看看麼？」

朱若蘭緩步行人室中，只見一榻一案之外、堆滿一架的書籍，不禁微微一笑，道：「頗有書卷氣，但卻不見一點閨房之樂的氣氛。」

楊夢寰淡淡一笑，道：「姊姊請坐吧！」

朱若蘭依言坐下，四顧了一陣，低聲說道：「這幾年來，你都是一個人住在這裏麼？」

楊夢寰正待答話，瞥見沈霞琳捧著錫箔而入，道：「寰哥哥，咱們該去了。」

朱若蘭道：「到哪裏？祭奠何人？」

沈霞琳道：「寰哥哥的表姊，就葬在莊外不遠處。」

朱若蘭道：「我也去吧！」

出得水月山莊，到得一座青塚之前，沈霞琳燃起金銀紙錠，三人一排而立，面對青塚致敬。

這時，正是夕陽西下時分，返照的夕陽，拉長了三人的身影。

朱若蘭偷眼望去，只見楊夢寰雙目中，蘊含著晶瑩的淚水，面對青塚，一臉悲傷之情。

朱若蘭輕輕歎息一聲，低聲對沈霞琳道：「妹妹，這座青塚之內埋葬的姑娘，你可曾見過麼？」

沈霞琳搖搖頭，道：「沒有見過，但我知道她是寰哥哥的表姊，他們青梅竹馬，從小在一起長大，寰哥哥學藝玄都觀時，他表姊染病而亡。」

朱若蘭望了楊夢寰一眼，欲言又止。

楊夢寰呆呆的站了一陣，突然撩衣跪下，對青塚拜了兩拜，起身說道：「天色不早了，咱們也該回去啦。」

回到了水月山莊，已是掌燈時分。

沈霞琳低聲說道：「蘭姊姊，我帶你去瞧瞧你住的地方。」

朱若蘭奇道：「我還有住的地方？」

沈霞琳道：「早就有了，而且都是我和紅姊親手佈置的。」

朱若蘭嗤的一笑，道：「怎麼你們已經料定我定要來水月山莊是麼？」

沈霞琳道：「姊姊行動，一向是叫人難測，但我們心中卻一直盼望姊姊有一日回心轉意，和我們同住水月山莊。」

朱若蘭一皺眉兒，不再言語，沈霞琳也不瞧朱若蘭的神色，燃起燈火，接道：「我帶姊姊瞧瞧去吧。」

舉步向前行去。

朱若蘭緊隨沈霞琳的身後，緩步向前行去。

穿過了一叢花樹，到了一座雅室之中，沈霞琳舉手推開木門，當先而入。

這是一廳一房，廳中布設得簡單雅靜，靠後壁木案上，置放著一瓶插花，花色新鮮，香氣幽幽，分明是剛剛換過不久。

朱若蘭四顧了一眼，仍然是默不作聲。

沈霞琳推開臥室，舉燈而入，指著壁上一畫像，道：「我和紅姊姊都不擅丹青之術，但姊

姊這幅畫已然用盡了我們心血，畫得不好，姊姊不要見笑。」

朱若蘭目光轉動，四顧一眼，只見四壁都是粉紅色的，壁綾，連那床帳，被褥也是一律的粉紅顏色，輕輕歎息一聲，道：「你們這是幹什麼？」

沈霞琳道：「這是姊姊的新房啊！」

朱若蘭笑道：「琳妹妹，你也學壞了，胡說八道些什麼？」

沈霞琳道：「我說的千真萬確，我和紅姊姊每日早晨練完拳劍，總要到姊姊房裏來，對那畫像請安……」

朱若蘭歎息一聲，接道：「你們這等胡鬧，可有人知道麼？」

沈霞琳道：「自然是有人知道了，公公婆婆，內院女婢，都知道這件事了。」

朱若蘭道：「唉！你們這等胡鬧，叫我如何有顏見人？」

沈霞琳微露笑容，道：「婆婆再三提示我，要我想法子把姊姊請到水月山莊來給她看看。」

朱若蘭道：「有什麼好看的，還不是這個樣子。」

沈霞琳道：「婆婆常常聽我們談到姊姊，才貌雙絕，無所不能，心中對你愛慕已久了。」

朱若蘭道：「我真想不到你們會這樣胡鬧。」

沈霞琳正容說道：「姊姊，我和紅姊姊同寰哥哥結盟之日，已經決定讓出正室，虛位以待。」

朱若蘭道：「待什麼？」

沈霞琳道：「等待姊姊，我和紅姊姊都堅信有一天姊姊會同情我們，同意和我們生活在一起。」

朱若蘭臉色微變，冷冷說道：「這是誰的想法，是李瑤紅？還是你？」

沈霞琳道：「我和紅姊姊一般想法。」

朱若蘭冷冷說道：「琳妹妹，這等大事，你們竟然敢這般胡鬧，你可知道，這事關係我的名節？日後傳揚到江湖上去，好事之徒，必將加油添醋，說得難以入耳，你叫姊姊以後如何作人？」

沈霞琳看她臉色，忽青忽白，似是真的惱怒起來，不禁一呆。

朱若蘭望望那畫像，冷然接道：「你胸無城府，想到就做，那是難免有錯，但李瑤紅不但不阻止你，而且也跟著起哄，那就有些不能原諒了……」

語聲微微一頓，臉色更見肅穆的接道：「還有楊夢寰，明明知道此事關係重大，卻是充耳不聞，更是可惡至極……」

沈霞琳看她愈說愈火，心中大生驚怕，緩緩把手中紗燈放在梳妝台上，對著朱若蘭屈膝跪了下去，道：「姊姊，不關寰哥哥和紅姊姊的事，都是小妹的主意，責罰打罵，任憑姊姊，小妹決無怨言，但千萬不要怪到他們兩人身上。」

朱若蘭疾快的伸出雙手，挽起了沈霞琳，道：「立刻給我取下畫像，從今以後，不許再談起這件事了。」

沈霞琳抬起頭來，望了那畫像一眼，道：「姊姊，這幅畫像已經掛了很多年啦，畫得雖然不好，但我們都把它視作姊姊，每當遇上礙難之事，我們都到室中來，對著姊姊畫像祈禱，唉，有一次寰哥哥遇上了一件武功上的難題，窮思三日夜滴水未進，我和紅姊姊都急得要命，又不敢告訴公婆，後來他到了姊姊室中，對著姊姊畫像，盤坐苦思，不出半日，難題迎刃而解，從此之後，他每隔幾日總要到姊姊房中來坐息一番……」

朱若蘭接道：「那畫像不會說話，如何能使他解決了武功的疑問？」

沈霞琳道：「這個，我也說不出個所以然來，但精誠所至，金石為開，也許他看到姊姊的畫像，忽然多開一竅，福至心靈。」

朱若蘭道：「哪裏會有這種事，不用胡說了……」長長歎息一聲，拉著沈霞琳坐在木榻之上，接道：「你和李瑤紅這等作為，究竟是何用心呢？」

沈霞琳微微一笑，道：「用心很簡單，我們只想姊姊能和我們同住一起。」

朱若蘭搖頭笑道：「越說越不像話啦，我也來住在水月山莊，那成什麼名堂？」站起身來燃起妝台上的紅燈，熄去紗燈，重又坐回木榻。

沈霞琳握著朱若蘭的雙手，雙目中滿是乞求之色，緩緩說道：「姊姊，我知道寰哥哥心中很愛你，只是他不敢說出口。」

朱若蘭冷哼一聲，接道：「琳妹妹，你的膽子越來越大了，總有一天你把我惹火了。」

沈霞琳黯然說道：「姊姊就是打死我，我也不會還手，不過我心裏的話，今夜裏定要說完它，這些話我已經想了很多年，難得今夜這個機會，如不藉機一吐，只怕是永遠沒有再說的機

會了。」

朱若蘭正色說道：「咱們相處了很多年，難道你還不知道姊姊的爲人麼？……」

沈霞琳道：「我知道，正因爲姊姊爲人太好了，才使我和紅姊姊念念難忘，寰哥哥刻骨相思，我和紅姊姊能有今天，都是姊姊所賜……」

語聲微微一頓，接道：「你認我爲妹妹，一向原諒我年幼無知，我一生從沒有說過這樣多話，但今晚我一定要說完才行。」

朱若蘭無可奈何的歎息一聲，道：「你說吧，不過不許得寸進尺，口沒遮攔。」

沈霞琳道：「好吧！說我們夫婦的事。」

朱若蘭笑道：「這還差不多。」

沈霞琳道：「洞房花燭之夜，我和紅姊姊都不肯和寰哥哥同床共枕，害得他一個人獨眠書房，以後他就以書房作臥室，長住那裏。」

朱若蘭道：「胡鬧啊！胡鬧，夫婦大禮，你們豈可開這等玩笑。」

沈霞琳道：「我們給他出了一個難題，如是他辦不到，那就作一世掛名夫妻。」

朱若蘭道：「怎麼，他這五年就沒有解決你們的難題麼？」

沈霞琳笑道：「沒有。」

朱若蘭道：「那一定很難了，告訴我，我幫他解決。」

沈霞琳道：「嗯！這世上也只有蘭姊姊一個人可以助他。」

朱若蘭心生警覺，沉吟了一陣道：「可是武功上的難題？」

沈霞琳道：「不是，我們要他把蘭姊姊娶回水月山莊，才肯和他同房。」

朱若蘭顰起眉頭，搖手說道：「不要再談這件事了，我要瞧瞧陶玉那封密函上寫的什麼。」

沈霞琳道：「姊姊，既然話題觸到這些事，爲什麼不談一個明明白白？」

朱若蘭臉色嚴肅，不理會沈霞琳，伸手從懷中摸出密函，就在妝台燭光之下展閱。

只見上面寫道：書奉朱姑娘若蘭妝次：

朱若蘭冷笑一聲，對沈霞琳道：「過來，幫我一起看。」

沈霞琳依言繞在朱若蘭的身後，凝目望去，但見字跡端正，那陶玉書寫此信時，定然十分用心，只見寫道：「楊夢寰三生有幸，得姑娘全力相助，成名江湖，受盡武林同道尊寵，陶玉何其不幸，單人匹馬，逐鹿武林，放眼四顧，非我之敵，即我屬下，但天生我才，賜我機遇，展望霸業，前途雖然崎嶇，但陶玉自信必有統率全局之日，然其殺伐慘烈，必將是開先古未有之例……」

沈霞琳輕輕歎息一聲，道：「好大的口氣。」

朱若蘭道：「陶玉猖狂，一至於斯，此人不除，江湖是永無寧日了。」

言罷，繼續向下看去。

「就目下形勢而論，能和玉頡頏者，自非姑娘莫屬，楊夢寰碌碌庸才，難望肩負大任，趙小蝶已達造極之頂，諒也難再寸進，唯姑娘才情縱橫，浩瀚無涯，只可惜天不助美，致『歸元秘笈』落入我陶玉之手，玉才不及姑娘，但借天機真人和三音神尼才慧餘蔭，單以武功而論，一年內必將逾越姑娘，慧明如姑娘者，當知玉言之不虛。」

朱若蘭長吁一口氣，沉吟片刻，繼續向下看去：「玉自幼孤苦，依人籬下，縱無憤世之心，亦難免育生獨僻之性，楊夢寰何許人，橫刀奪愛，霸佔我青梅竹馬女友，玉滿懷憤恨，遁跡山腹密洞，此番重出江湖，原擬翻雲覆雨，血洗武林，但卻未料到百丈峰中再和姑娘一晤，竟然爲姑娘容色傾倒……」

朱若蘭看到此處，不禁心中動怒，冷笑一聲道：「這陶玉也不瞧瞧自己德行，胡言亂語，似有滿腹委屈，下面也不用瞧了。」

舉起素箋，遞向燭火。

沈霞琳一把奪下素箋，道：「看完它吧！」

搶過素箋，向下看去，但見寫道：「玉自知過去爲人，太過放任，難獲姑娘垂青，但細數當代武林人物，以姑娘的才貌，玉雖不足匹配，但強過我陶玉者，又有幾人？玉如得姑娘下顧，願立刻解散天龍幫，盡捐前嫌，化悲仇爲謙和，再不問江湖的是非……」

沈霞琳輕輕歎息一聲，道：「昔年童師姊爲陶玉叛離師門，跟著他奔走天涯海角，情意是何等真切，以後陶玉負心，竟要把童師姊置於死地，如今又來動姊姊的主意，這人真是壞透了。」

朱若蘭嗤的一笑，道：「琳妹妹，那陶玉的壞，我比你知道的更多一些。」

沈霞琳繼續向下看去，只見寫道：「姑娘如肯對我陶玉用情，那無疑是挽救了武林大劫，拯救了千百人命，則天下幸甚，陶玉幸甚，掬誠奉遠，不勝翹首企盼之至。」

下面是陶玉敬書。

沈霞琳看完素箋，道：「這封信留著呢？還是燒了它？」

朱若蘭道：「燒了它，不要把這件事張揚出去，也不要告訴楊夢寰。」

沈霞琳舉起素箋，就燭火焚去。

朱若蘭拿起封套，也就燭火燒去，低聲說道：「小蝶妹執有那『歸元秘笈』之時，年事很輕，而且她練習武功的方式，也和人大不相同。」

沈霞琳道：「哪裏不同了？」

朱若蘭道：「別人都由易入難，但小蝶卻是由難入易，因此她忽略了那『歸元秘笈』還有夾層，執有數年，竟未發覺，如若我判斷不錯，在那『歸元秘笈』上，除那真氣逆練之外，只怕還有別的武功。」

沈霞琳道：「這麼說來，那陶玉說一年要趕過姊姊的話，不是吹牛了。」

朱若蘭道：「因此我才到水月山莊來，我要借重小蝶妹妹和你們夫婦的智慧，和陶玉來一次習武競爭。」

沈霞琳道：「趙姑娘可以幫你，寰哥哥也可以幫你，只怕小妹無能助姊姊了。」

朱若蘭搖搖頭，道：「別這麼低估自己，你只是天性純善，並非是沒有才氣，等小蝶到來之後，咱們就找一處隱密之地，群策群力，和陶玉一爭進境，我心中已有了一個藍圖，只要能衝過幾個要關，咱們就不用怕陶玉了。」

沈霞琳道：「但願天祐姊姊，早悟大乘，能夠制服陶玉。」

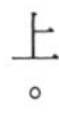

兩人秉燭夜談，直到天近五更，才各自盤坐調息。

就在兩人坐息入定時，楊夢寰已然起身漱洗完畢，練了拳劍，緩步行出莊外，負手而立瀏覽晨景。

太陽緩緩升起，東方天際，幻生出萬道金霞。

楊夢寰長長吁一口氣，正待回入莊中，遙見一匹快馬，流星飛矢而來。

馬行漸近，隱隱可見馬背上坐著一個勁裝大漢。

楊夢寰心中一動，暗道：這樣早的時候，怎會有人來此？

一面運功戒備，一面緩步向前迎去。

那快馬似是失去控制，直向楊夢寰衝了過來。

馬上人呆呆的坐著，一語不發，似是根本沒有瞧到楊夢寰。

楊夢寰身子一閃，橫讓兩步，舉手一把抓了過去。

那奔行的健馬，吃楊夢寰一把抓住馬韁，突然打了一個轉身，停了下來。

奔行中的快馬，陡然間停了下來，向前的衝擊之力仍然甚大，馬上大漢陡然離鞍而起，直向前面飛去。

楊夢寰右手抓住馬韁，左手疾快的伸了出去，一把抱住那馬上大漢。

伸手摸，只覺那人氣息微弱，似是已將斷氣，不禁吃了一驚，騰出右掌，按在那人背心之上。

那勁裝大漢得楊夢寰內力之助，長長吁一口氣，道：「楊大俠麼？」

楊夢寰道：「區區楊夢寰，兄台何人，如何受了此等重傷？」

那人張開嘴巴，似是很想說話，但卻說不出聲來，啊了半晌，吐了一口鮮血，暈了過去。

楊夢寰伸手摸他前胸，弱息一縷，仍未斷，既然未死，就不能不救，無可奈何的抱起那大漢，緩步走回水月山莊，找了一處空屋，把那人放在木榻之上，施展推宮過穴手法，推拿那人幾處大穴，但那大漢始終無法醒來。

楊夢寰停下手來，長長歎息一聲，緩步走出室外，直向內宅走去。

他已警覺到情勢有些不對，但一時又覺不出哪裏不對，必得和朱若蘭談談才是。

行入內宅，只見沈霞琳獨自在院中練習劍術，當下說道：「霞琳，蘭姊姊呢？」

沈霞琳道：「蘭姊姊到後面花園去了。」

楊夢寰道：「走！咱們一起去見她，我有事要和她說。」

沈霞琳道：「我劍法還未練完，恕不奉陪，你一個人去吧！你又不是不認識蘭姊姊。」

楊夢寰心中有事，也不再催霞琳，獨自向後院行去。

只見朱若蘭站在一片花樹叢旁，衣袂飄飄，望著盛放的奇花呆呆出神。

楊夢寰緩步走了過去，抱拳說道：「蘭姊姊。」

朱若蘭緩緩回過臉來，望了楊夢寰一眼，道：「什麼事啊——」

楊夢寰道：「小弟有一樁可疑之事，請教蘭姊姊。」

朱若蘭目注花樹，緩緩說道：「爲什麼不帶琳妹妹一起來呢？」

說者有意，聽者無心，楊夢寰也未想到，隨口應道：「琳妹妹正習劍，告訴我姊姊在此，要我一個人來見姊姊。」

朱若蘭緩緩回過臉來，望了楊夢寰一眼，只見他一臉茫然之色，似是對朱若蘭相詢一事大感奇怪。

看他茫然之情，不似裝作，心中甚覺歉然，微微一笑，道：「你遇上琳妹妹，她沒有和你談什麼？」

楊夢寰道：「沒有啊，琳妹妹正在練劍，只告訴我姊姊在這裏。」

朱若蘭道：「這就是了，你找我請教什麼事，說吧！」

楊夢寰道：「適才小弟在莊門口處眺望，有一位大漢騎馬而來，似是受了很沉重的內傷，一直在暈迷之中。」

朱若蘭道：「你認識那人麼？」

楊夢寰搖搖頭，道：「不認識。」

朱若蘭道：「這就有些奇怪了，那陶玉傷未痊癒，決不會再驚擾水月山莊，目下江湖，除了陶玉外，還有什麼人敢和你楊夢寰作對呢？」

楊夢寰道：「小弟也是這般懷疑，故而請教姊姊。」

朱若蘭道：「那人現在何處？」

楊夢寰道：「現在前廳。」

朱若蘭道：「這事必須要有豐富的江湖閱歷才行，令岳比我強得多了，爲何不去問他？」

楊夢寰心中暗道：不錯，岳父走了大半輩子江湖，對此等情勢，定然瞭解，我竟捨近就遠，來此驚擾於她，當下抱拳一禮，道：「姊姊說得是，我該去家岳處請教一下。」

轉身急步而去。

朱若蘭突然喝道：「站住，我還有話問你。」

楊夢寰道：「姊姊有何吩咐？」

朱若蘭道：「我並非世俗，但既到了你們家裏，不似在深山大澤中，咱們也該避些嫌疑，以後最好不要單獨見面。」

楊夢寰呆了一呆，道：「姊姊說得是。」

朱若蘭笑道：「帶著琳妹妹，不論清晨，黃昏，我隨時歡迎你們找我小敘。」

楊夢寰道：「小弟記下了。」

轉身緩步而去。

他雖然仍能保持著表面的鎮靜，但內心中卻是翻江倒海，不安至極，但搜盡枯腸，卻又想不出哪裏冒犯了朱若蘭。

忖思之間，已到前院，行到李滄瀾住宿之處，只見房門大開。

楊夢寰急急奔入，只見李滄瀾端坐在一張大師椅上，楊夢寰一揖到地，道：「見過岳父。」

李滄瀾一揮手，道：「你來得正好，我有事和你商量。」

楊夢寰垂手而立，恭恭敬敬的說道：「岳父有何吩咐？」

李滄瀾道：「適才川中四義和我談起，在這水月山莊四周，陡然出現了很多武林人物，不知是何緣故？」

楊夢寰道：「平常之日，從沒武林人物出沒，此事應該小心……」

李滄瀾道：「你和那朱姑娘談過陶玉麼？」

楊夢寰道：「談過了。」

李滄瀾道：「陶玉傷勢如何？近月之內，是否還有和人搏鬥之能？」

楊夢寰道：「據朱姑娘說，陶玉受傷不輕，數月之內，難以和人動手。」

李滄瀾道：「想想看除了陶玉之外，是否還有人和你爲敵？」

楊夢寰道：「這幾年來，小婿一直安居於『水月山莊』，很少和武林同道結怨，實在想不出誰要和我作對？」

李滄瀾點點頭，道：「也許陶玉在故弄玄虛，我已派川中四兄弟去查看詳情了，等他們回報之後，再作決定。」

談話之間，突聞蹄聲得得，傳了過來，似是有一匹健馬，直進入「水月山莊」。

李滄瀾冷哼一聲，突然一轉身，疾躍而出。

楊夢寰略一沉吟，緩步向外行去。

出得室門，抬頭望去，只見鄧開宇目光癡滯，呆呆的站在院中。

楊夢寰一抱拳，道：「鄧兄，一個人來的麼？」

鄧開宇木然地站著，宛如一具泥塑木刻的偶像，半晌不言不語。

楊夢寰緩緩行到鄧開宇的身前，慢慢的伸出右手，正待扣拿鄧開宇的脈門，忽見鄧開宇的身子搖了兩搖，一跤向前倒去。

楊夢寰右手疾伸，托住鄧開宇的身子，緩緩放在草地上。

伸手摸去，只覺他心臟仍然在微微跳動，氣息十分微弱，不禁一皺眉頭，右手揮動，推拿了鄧開宇胸前幾處穴道。

這幾處穴道都是人身大穴，和內臟相連，一般的人只要氣息尙存，推動這幾處大穴之後，定可緩過氣來。

那知鄧開宇卻似渾如不覺一般，仍然癡癡呆呆，似是毫無反應。

只聽拐杖觸地之聲，李滄瀾扶杖而入。

楊夢寰道：「岳父可曾發現敵蹤？」

李滄瀾道：「有一匹健馬把鄧開宇送來『水月山莊』之後，掉頭而去。」

楊夢寰道：「岳父可曾追上那匹健馬？」

李滄瀾點點頭，道：「那健馬已被我斃於拐杖之下。」

楊夢寰道：「看情形似是並非巧合，顯然是有人故意和咱們爲難了。」

李滄瀾：「不錯，那人用一種很特殊的手法，點傷了很多武林同道，然後再送入『水月山莊』中來，用心何在呢？」

楊夢寰緩緩站起身子，道：「加在咱們身上一種累贅……」

只聽蹄聲得得，五匹快馬，衝進大門，直向庭院中來。

每一匹馬上都坐有人，雖然年紀不同，但大都帶有兵刃，一望即知都是武林中人。

這些人端坐在馬鞍之上，一語不發，目光癡呆，顯然都已被人點了穴道。

五匹快馬，衝入庭院之後自動慢了下來，繞院而行。

楊夢寰掃掠了五騎快馬一眼，低聲對李滄瀾，道：「對付這些重傷垂死之人，岳父有何高見？」

李滄瀾道：「如若在十年之前，老夫是不用費心思了……」目光投注在楊夢寰的身上，接道：「但此刻賢婿乃是名揚天下的大俠，雖然明知別人故施暗算，但也只有硬著頭皮接下來了。」

楊夢寰道：「岳父說得是，先把他們扶下馬來再說。」

久走江湖，見過無數奇怪事情的李滄瀾，竟然也有些茫然失措，不知如何處理目下這紛亂的局面。

楊夢寰扶下五人，耳際間又響起了得得蹄聲，又是五匹健馬，衝入了庭院之中。

李滄瀾一頓龍頭拐，道：「這些馬的來處，距此不會太遠，老朽要過去瞧瞧。」

楊夢寰道：「川中四義，不是已經去了麼？」

李滄瀾道：「是啊！這四人作事，一向手腳迅快，何以還久久不歸？」

楊夢寰道：「既然接了下來，咱們就接到底吧！我倒要看看，他們有多少人來？」

說著話，又把那馬上人扶了下來。

只聽馬聲長嘶，又是四匹健馬奔來。

楊夢寰雙手伸展，又把來人抱下馬背，放在庭院之中。

這些人都一般模樣，扶下馬背之後，立時向後仰躺了下去。

健馬一批接一批馳來，不過半個時辰左右，庭院中已躺滿了人。

楊夢寰暗中數計一下，連同鄧開宇，共有二十四個。

李掄瀾搖搖頭，說道：「寰兒，情勢越來越不對了，咱們不能再收留了。」

楊夢寰道：「岳父可是說，這些人不是被人點了穴道？」

李滄瀾道：「不錯，不似被人點了穴道，似是一種藥物控制……」

楊夢寰道：「小婿亦是覺得奇怪，可惜那百毒翁不在此地，如若有他在此，定然可以瞧出是什麼惡毒藥物。」

李滄瀾道：「未必定是藥物，也許是另外一種奇異的手法，快去請朱姑娘來。」

楊夢寰應了一聲，急急奔向後園，但朱若蘭早已回到房中休息。

楊夢寰行到朱若蘭臥室前面，突然想起朱若蘭警告之言，只好又轉去找著沈霞琳，雙雙奔入朱若蘭的房中。

朱若蘭盤膝坐在木榻上，正在運氣調息，楊夢寰不敢驚擾，只好坐在旁側等候。

大約過了一頓飯工夫之外，朱若蘭才緩緩睜開雙目，望了兩人一眼道：「你們找我麼？」

楊夢寰恭恭敬敬的說道：「找姊姊請教一件事。」
朱若蘭道：「什麼事你說吧！」
楊夢寰道：「莊外連續不斷的衝來很多健馬，馬上人個個都似被人點了穴道，奄奄一息，不能言語呢。」
朱若蘭道：「這些事，令岳比我強得多了，爲何不去問問令岳？」
楊夢寰道：「家岳亦是覺著可疑得很，但卻找不出那些人傷在何處，特命小弟來請姊姊。」
朱若蘭道：「那些人都不會講話麼？」
楊夢寰道：「不錯，一個個都似是受了重傷。」
朱若蘭道：「你可試過推宮拿穴之法？」
楊夢寰道：「試過了，但卻收不到一點效用。」
朱若蘭起身說道：「好，我們一起瞧瞧去吧！」
楊夢寰當先帶路，直奔前面庭院。
只見十幾個衣著不同，有老有少的武林人物，一排橫陳，躺在青草地上。
李滄瀾手執龍頭拐，望著躺在草地的人，呆呆出神。
朱若蘭緩緩走了過去，欠身說道：「老前輩，可曾瞧過這些人了麼？」
李滄瀾道：「老朽已瞧過大半，但卻找不出一點傷痕來。」

朱若蘭道：「奇怪的是，他們怎會一個個都到這『水月山莊』中來？」

李滄瀾道：「這就是可疑之處了，因此老朽才叫寰兒去請姑娘，咱們仔細研究一下。」

朱若蘭蹲下身去，伸出手，按在一個黑衣大漢前胸之上，聽了一陣，道：「這傷勢確實有些奇怪啊！」

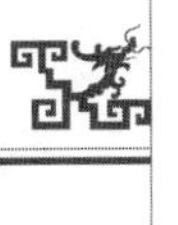

廿八　鑼鼓迷魂

李滄瀾見朱若蘭蹲下身子，伸出手去，按在一個黑衣大漢的前胸之上，聽了一陣，仍無結果，不由問道：「姑娘是否已瞧出他們傷勢內情，據老朽的看法，不似是點穴手法所傷？」

朱若蘭道：「目下晚輩不敢擅作結論。」連瞧了七八個人之後，才緩緩站了起來，道：「他們乘坐的馬呢？」

李滄瀾道：「他們乘坐的健馬，把人送來之後，大都退出了『水月山莊』，跑得蹤影全無。」

朱若蘭道：「老前輩對這些人物有何高見？」

李滄瀾道：「老朽的看法，這些人來此必然有什麼特殊用心。」

朱若蘭道：「晚輩亦是此見……」

楊夢寰接道：「奇怪的是，這些人不似被人點中穴道，不知何以竟氣息猶存，神智無知。」

朱若蘭仰臉望著天上一片白雲，沉吟了良久道：「你瞧過了？」

楊夢寰道：「瞧過了，小弟已仔細查過了他們全身穴道。」

朱若蘭道：「全身穴道無傷？」

楊夢寰道：「不錯，據小弟查驗所得，不見受傷的穴道。」

李滄瀾道：「會不會是一種藥物所傷？」

朱若蘭道：「不會是藥物所傷，應該是一種武功所傷。」

楊夢寰道：「這些人傷得很重，但不知何以氣息不絕。」

朱若蘭凝目沉吟了一陣，道：「你們這『水月山莊』，是否有堅牢的空房子？」

楊夢寰道：「要堅牢的空房作什麼？」

朱若蘭道：「你身負俠名，決不會把這些毫無抗拒之力的人，一次殺死……」

楊夢寰道：「小弟亦覺著這些人很有問題，但卻又下不得手，留在這裏只怕是一大禍患。」

朱若蘭道：「不錯，不但你下不得手，就是我和李老前輩，也無法施下毒手，因此，只好先找一處堅牢的房子，把他們關起來。」

楊夢寰道：「寒舍後園之中，有一座石屋，全用青石砌成，堅牢是足夠堅牢，只是，太過狹小，放下這許多人，可能太擠一些。」

朱若蘭道：「那就委屈他們一下吧。」

楊夢寰點點頭，道：「就依姊姊之意，小弟立時把他們移入後園石室之中。」

抱起兩個大漢，向後行去。

他動作迅速，十幾個人，不過片刻工夫，已然全部運完。

朱若蘭低聲問道：「最好能再派上一個人，守著他們。」

楊夢寰道：「水月山莊中人，都已經離開了此地。」

朱若蘭回顧了李滄瀾一眼，道：「李老前輩不是帶著川中四義麼？」

李滄瀾道：「他們四人已經出去了很久，迄今尚未歸來。」

朱若蘭道：「就晚輩的看法，天未入夜之前，不會有何變化，有變化，恐要在入夜之後了。」

李滄瀾道：「姑娘之意，可是說這些人都是偽裝成重傷的樣子麼？」

朱若蘭道：「晚輩目下也難斷定，不過就情勢而言，這班人，決非無因而來，咱們不能不防他們一著……」

語聲微微頓，接道：「川中四義回來之後，請他們輪流值班，守住這些人，靜觀變化。」

李滄瀾道：「他們回來之後，老朽就讓他們分班守住那石屋。」

朱若蘭道：「告訴他們，只要他們留心著那些人的變化，如若有了什麼警兆，要他們立刻傳出警號，晚輩也要趕來查看他們的變化。」

李滄瀾道：「老朽預料，他們四人在天黑之前，當可回來，萬一不回來時，老朽當親去後園之中，守住那座石屋。」

朱若蘭道：「如何能讓老前輩親往監視，如是川中四義不回，晚輩們輪流去監視他們就是。」

李滄瀾道：「老朽已經老邁了，已然無法再在武功之上求進，你們此刻寸陰如金，不用再在這等事情上，耗費精神了。」

朱若蘭回顧了楊夢寰一眼，緩緩說道：「如是天色入夜之後，仍不見川中四義回來，去告訴我一聲。」言罷，轉身而去。

楊夢寰望著朱若蘭背影消失不見，才低聲對李滄瀾道：「蘭姊姊近日對我，神情大變，似是很不喜看到小婿。」

李滄瀾微微一笑，道：「你們同輩姊弟間事，最好不要跟老朽訴說。」

說完話，竟自轉身行入房中。

楊夢寰仰起臉來，長長吁一口氣暗道：如若此刻，再有幾匹健馬馱著幾個重傷之人而來，那可是麻煩得很了。

幸好，並未再有受傷的人來到。

楊夢寰站了一個時辰之久，才緩緩轉回書房。

半日無事，匆匆而過，天色入夜時光，沈霞琳替楊夢寰送上晚餐。

原來，水月山莊中的廚師，早已避禍遠走，僕從傭人，盡皆他遣，沈霞琳只好親自下廚，作好飯菜之後，再分別替他們送上，招呼他們食用，整個水月山莊，她算是最為辛苦的一個人了。

沈霞琳匆匆而來，放下飯菜而去，行動似是十分忙碌，楊夢寰也沒有時間問她。

楊夢寰用過飯菜，燃起一枝火燭，秉燭看書，到深夜子時光景，仍然不聞警號，正想休息，突聞一聲尖厲的嘯聲，傳了過來。

這聲音淒厲刺耳，聞之驚心。

楊夢寰只聽得呆了一呆，放下手中書本，一口氣吹熄案上火燭，直向後園石屋跑去。

只見李滄瀾，手執龍頭拐，站在石屋窗前，向裏面探看。

楊夢寰急急奔了過去，道：「岳父，有變化麼？」

李滄瀾搖搖頭，道：「不見有何變化。」

楊夢寰目光一轉，掃掠了石屋一眼，只見那室中燭火高燒，景物清晰可見，十幾個大漢仍然靜靜的躺著未動，長長吁一口氣，道：「川中四義，還未回來麼？」

李滄瀾道：「這四人隨我多年，自然不會妄生他念，離我而去，不是遇上了什麼兇險之事，就是在追查一件事情，四人生性好強，查不到水落石出，決不會回來見我。」楊夢寰看得出李滄瀾對川中四義，有著一份深深的掛慮，心想安慰岳父幾句，又不知從何說起。

突然間，傳過來幾聲鼓響，劃破夜的沉寂。

李滄瀾怔了一怔，道：「哪來的鼓聲？」

楊夢寰道：「似是由正東方位傳來，小婿去查看一下……」語聲未落，又聞得噹噹噹幾聲鑼響。

這次的鑼聲，似是由正北方位傳來。

楊夢寰低聲說道：「今晚上情勢有些奇怪。」

李滄瀾道：「不錯，老夫生平經歷了無數兇奇事，但也很少遇到類似今夜的怪事，你聽出鑼聲的怪異麼？」

楊夢寰道：「小婿聽不出有何特異之處。」

李滄瀾道：「很像湘西趕屍的鑼聲。」

楊夢寰道：「難道和這些受傷之人有關麼？」探道向石屋望去。

高燃的火燭下，只見那靜臥的十幾個大漢，其中數人，正自緩緩伸動手腳，似是剛由大傷中甦醒過來，這一驚非同小可，正待告訴李滄瀾時，突聞一陣衣袂飄風之聲，李滄瀾已疾飛而起，撲向正北。

夜暗中傳過李滄瀾的聲音，道：「寰兒，好好的守住石屋，我去去就來。」

話說完，人已消失不見，楊夢寰想把所見情形告訴岳父，已是有所不能了。

回頭望去，只見石屋中的火光一閃而熄。

原來，那高燃的火燭，被人撞倒在地，因此火光一閃而熄。

石屋中，突然黑暗下來，楊夢寰縱然有過人的目力，也無法在極短時間內，瞧出石屋中的景物。

他伸手抓住門環，想推門入屋，查看一個明白，但他終於忍了下來，覺著入室之行，太過冒險，不如守在門口，以待變化。

哪知等了一盞熱茶時光，竟不聞石室中有何動靜，似是那幾人的舉動，只不過是一種體內潛能的反應。

這時，天上星月，都被陰雲掩去，更顯得陰森逼人。
楊夢寰目光一轉，瞥見正西方，一條人影，緩步向石屋行來。
楊夢寰一面暗中運氣戒備，一面低聲問道：「什麼人？」
只聽一個清脆的聲音：「是我！你是楊兄弟麼？」
楊夢寰一聞之下，立時辨出是朱若蘭的聲音，急急說道：「蘭姊姊快些來，情勢有些不對！」
朱若蘭疾躍而至，落在楊夢寰的身前，道：「什麼不對了？」
楊夢寰道：「適才一陣鼓、鑼交集的聲音，姊姊聽到了麼？」
朱若蘭道：「聽到了。」
楊夢寰道：「就在那鼓鑼聲後，兄弟發覺了石屋中昏迷的人，有幾個在伸動手腳。」
朱若蘭回顧了石屋一眼，道：「該在石屋中燃點一支火燭。」
楊夢寰道：「原本燃有一支火燭，大約是被那伸動手腳的人撞到了。」
朱若蘭道：「只有你一人在此麼？」
楊夢寰道：「小弟到此時，家岳已經先在此地了。」
朱若蘭目光一轉，道：「李老前輩現在何處？」
楊夢寰道：「聞得鼓鑼之聲，跑出去查看去了。」
朱若蘭突然揚手一指，掠著楊夢寰耳鬢點出。
楊夢寰回頭望去，只見石屋窗子大開，一個大漢跨上了窗沿，正待向外躍出。

朱若蘭天罡指力遙遙點出，那大漢哪裏能經受得了，身子一歪，已然向後倒去。

楊夢寰道：「這麼看來，這石屋中人，都是來作內應的奸細了？」

朱若蘭道：「目下我也難作斷言，也許他們是被迫而來，但那鼓鑼之聲，定和這些人有著很密切的關係。」

楊夢寰道：「小弟亦有此疑……」回顧了石屋一眼，接道：「爲了防患未然，咱們應該把石屋中人的穴道封住。」

朱若蘭搖搖頭，道：「此刻進入石屋中，太過冒險，還不如守在室外，以觀變化。」

楊夢寰凝神聽去，果然由那石屋之中，傳出了一陣輕微的悉索之聲，似是有人在掙扎而起。

陰森的黑夜，廣大的後園，獨立的石屋中，躺著很多暈迷的人，此刻，似是都要掙扎而起。

楊夢寰長長吁一口氣，道：「如若小弟能下得狠心，把他們遣來之人，全都殺死，或是廢了他們的武功，他們豈不是白費了一番心機。」

朱若蘭道：「如果你真的能夠作到，那也不叫楊夢寰了。」

只聽衣袂飄風之聲，一條人影，疾躍而至，停在石屋前面，正是海天一叟李滄瀾。

朱若蘭道：「老前輩可曾瞧到敵蹤？」

李滄瀾搖搖頭道：「情勢有些不對……」

朱若蘭回目掃掠了那石屋一眼，接道：「老前輩可是發現了什麼特異之事麼？」

李滄瀾道：「老朽巡視了東北兩個方向，左近一里，迄未發現敵蹤，不過，老朽聽得適才的鑼鼓之聲，其聲怪異，不似中原人物所有。」

朱若蘭道：「晚輩走過的地方不多，無能分辨那鼓鑼之聲，爲何處所有。」

李滄瀾道：「就老朽記憶中鼓聲，是從未聽過，鑼聲卻似湘西夜行趕屍鑼，因此，老朽懷疑他們的來路，不似正道人物。」

朱若蘭點點頭，道：「晚輩雖然無能辨出那鑼聲鼓聲爲何處所有，但亦聽出了聲音有些不對。」

李滄瀾臉色一整，道：「咱們不能再存婦人之仁，拖延下去了。」

朱若蘭道：「老前輩可是指這石屋中人而言？」

李滄瀾道：「不錯，咱們就算下不得毒手，把石屋中人一一擊斃，最低限度，也該點了他們的穴道，不能再拖延下去了……」

朱若蘭低聲說道：「有人來了，兩位見見他們，晚輩先隱起身子。」

李滄瀾回目望去，只見朦朧夜色中，高牆上落下三條人影，直奔而來。

三個人一色黑衣，面垂黑紗，左面一人，頸間掛著一面皮鼓，右面一人手中執著一面銅鑼，居中一人，赤手空拳，背上斜揹著一柄長劍。

李滄瀾看三人飛來身法，輕靈迅快，不是平庸之輩，立時生出了戒備之心，輕輕一頓龍頭拐，拱手說道：「三位朋友，不知是哪一道上人物？」

三個都是細高的身材，一排橫立，有如三個木刻泥塑的神像。

不知三人是否聽懂了李滄瀾的問話，竟然無人開口回答。

李滄瀾等了良久，不聞三人回答之聲，不禁大怒，厲聲喝道：「爾等可識得老夫麼？」

又等了良久時光，才由那居中一人，生硬的迸出三個字道：「不認識。」

李滄瀾先是一呆，繼而縱聲大笑，道：「從前江湖上的盜匪頭兒李滄瀾，爾等沒有見過，也該有個耳聞了。」

只見那居中黑衣人，搖了半天頭，道：「不知道，你們中原人物，有一個陶玉是男的，和一位朱若蘭……」

這幾句話，生硬艱澀，李滄瀾心中再無懷疑，已知來人果非中原人物，當下說道：「諸位字字句句，都說得十分困難，想來定非中原人物了。」

那居中黑衣人，點點頭，道：「我們來自西域。」

李滄瀾道：「諸位來自苗疆之區麼？」

居中黑衣人搖頭，說道：「非也，非也……」

李滄瀾聽他非也、非也的非也了半天，仍是說不出個所以然來，忍不住接道：「閣下非也，非也實是叫人難懂，既是不會說話，那也不用咬文嚼字了。」

那居中一人舉手在頭上拍了兩掌，才如彈琴一般的一字一句，道：「我們來自天竺國。」

李滄瀾道：「天竺國到我中國何事？」

那掛鼓執鑼的黑衣人，一語不發，一切都由那居中之人答話作主。

只聽他結結巴巴的說道：「找一位朱若蘭。」
楊夢寰道：「你們找朱姑娘有何貴幹？」
那居中黑衣人道：「我們大國師請她到我天竺國去，共研上乘武功。」
楊夢寰道：「咱們中原武功，種類繁多，深奧無匹，一生一世，都學不盡，那也不用到天竺國了。」
那居中黑衣人道：「不行，大國師之命，非去不可。」
楊夢寰望了李滄瀾一眼，低聲說道：「這事有些奇怪，岳父有何高見？」
李滄瀾道：「先問明他們用心再說……」語音微頓，高聲說道：「閣下怎麼稱呼？」
那居中黑衣人道：「我叫鐵羅法王。」
楊夢寰低聲吟道：「鐵羅法王，好怪的一個名字。」
鐵羅法王道：「我大國師手下有四大法王，我乃四大法王之一。」
楊夢寰心中暗道：誰管你金羅鐵羅了。
當下高聲說道：「貴大國師現在何處？」
鐵羅法王道：「現在我天竺國中。」
楊夢寰冷冷說道：「朱若蘭姑娘乃千金玉體，豈可跋涉邊睡，遠行異邦，你們大國師要找她研究，要他自己來吧！」
鐵羅法王道：「不行，我大國師目下正在求證兩種佛法，不能遠行。」
楊夢寰道：「朱姑娘也不能去，那就不用談了。」

鐵羅法王突然舉手一揮，左面一人突然揮手擊鼓，連敲三響。

右面黑衣人緊隨著連擊了三聲銅鑼。

鼓、鑼之聲不大，但卻有一種陰森慴人的感覺。

楊夢寰正待喝問，突聞石屋中響起一陣悉悉瑟瑟之聲，不禁心頭大震，暗道：原來，那些暈迷之人，在受著他們的鼓鑼控制。立時提聚真氣，全神戒備，既要防守這鐵羅法王等三人施襲，又要留心那石室中的變化。

幸好，石室中一陣響聲，重又歸於沉寂。

但鐵羅法王，縱聲大笑一聲，道：「號令鼓鑼。」

李滄瀾輕輕咳了一聲，道：「法王何以知道我們中原道上，有這一位朱若蘭朱姑娘？又何以知她在此？」

鐵羅法王道：「陶玉告訴我們大國師。」

楊夢寰道：「閣下怎知朱姑娘在此，也是那陶玉說的麼？」

鐵羅法王搖頭說道：「非也，非也，本法王找得兩個中原朋友，帶我到此。」

楊夢寰道：「那人現在何處？」

鐵羅法王回顧望了望，搖搖頭道：「不知跑向何處？」

李滄瀾突然一頓龍頭拐，道：「寰兒，不用多問了，這又是陶玉嫁禍之計，這三人來此，分明已有了準備，看來是難以罷休了。」

楊夢寰心中暗道：朱若蘭就藏在石屋之後，這番話必已是聽得清清楚楚了……心念轉動。

突聞步履之聲，朱若蘭已緩步走了過來，冷冷掃掠了三個黑衣人一眼，道：「我和你們天竺國師，素不相識，找我何事？」

鐵羅法王兩道目光，盯注在朱若蘭臉上瞧了一陣，道：「你是朱若蘭？」

朱若蘭秀眉一揚，冷冷說道：「不錯。」

鐵羅法王突然放聲大笑起來，聲如龍吟，響徹夜空，歷久不絕。

李滄瀾道：「姑娘小心了，這三人來意不善。」

楊夢寰聽他一直長笑不絕，心中大怒，厲聲喝道：「有什麼好笑的，朱姑娘已然現身，你有什麼話，還不快些說出。」

鐵羅法王停下大笑之聲，道：「我鐵羅法王找得了朱若蘭帶回天竺國去，那可是一件大大奇功。」

朱若蘭暗施傳音之術，道：「楊兄弟，他們的鼓、鑼，似是控制那些暈迷之人的工具，如若動手時，先把他們的鼓鑼奪下，也許那鼓鑼之中，可以找了一些奇怪事物，天竺向多異術，武功別走一路，不可輕視他們，萬一奪不下時，不妨下手毀去。」

只見鐵羅法王緩緩向前行走了兩步，在朱若蘭的身前，打了一個翻滾。

朱若蘭冷笑一聲，道：「你這是幹什麼？」

鐵羅法王道：「大國師有令，見著姑娘時，不可開罪，本法王特以我天竺大禮拜見，請求姑娘一件事。」

朱若蘭道：「什麼事？」

鐵羅法王道：「請姑娘隨同本法王立刻上路，同往天竺，去見國師。」

朱若蘭冷笑一聲，道：「你自言自語，說給哪一個聽。」

鐵羅法王道：「姑娘可是不肯去麼？」

朱若蘭正待答話，瞥見沈霞琳舉著一盞紗燈，如飛而來，停在朱若蘭的身側。

明亮燈光下，只見三幪面黑衣人、六道森寒的眼光，全部投注在朱若蘭的身上。

朱若蘭淡然一笑，道：「貴國師遣你來中原道上，除了要找我之外，還有什麼貴幹？」

鐵羅法王搖搖頭，道：「沒有別的事，專程來請姑娘。」

朱若蘭似是耐心奇大，緩緩回顧了石屋一眼道：「那些人是你們打傷的麼？」

鐵羅法王哈哈一笑，道：「那是咱們先遣派來此的助手。」

朱若蘭道：「他們受傷很重，一個個暈迷不醒，如何能夠助你？」

鐵羅法王道：「他們並非受傷，只是受一種道術控制，這是一種最爲可靠的助手，你們貴國人物，生性一向狡詐，但在這等情勢之下，也就無法再行用詐了。」

朱若蘭似在盡量利用言語，探索鐵羅法王胸中之秘，微微一笑，道：「久聞你們貴國奇妙難測的瑜珈術，和迷魂大法，想來，這些人都是你們施展『迷魂大法』所迷了。」

鐵羅法王道：「不錯，姑娘對敝國事物，知道很多。」

朱若蘭道：「久仰你們天竺國的文物奇術，我早已有去見識一番之心了。」

鐵羅法王道：「那是最好不過，本法王可以帶路了。」

朱若蘭道：「你叫鐵羅法王，可是你們天竺國的封號麼？」

鐵羅法王舉手揭下幪面黑紗，在沈霞琳高舉的燈允之下，只見他頭皮青光，臉長如馬，竟是一個和尙。

朱若蘭淡然一笑，道：「你們大國師，可是一寺主持，你們這法王之名，都是他封贈的了。」

鐵羅法王道：「那倒不是，大國師的封號，乃我天竺國王聖諭封賜，權位之高，一時無兩，他雖未出主國政，但我天竺國的大事，大都要請教國師。」

朱若蘭略一沉吟，道：「這兩位不知叫什麼法王了？」

鐵羅法王哈哈一笑，道：「姑娘可是認爲這法王之封，很易取得麼？」

朱若蘭道：「這個我就不清楚了，但想不會太難吧？」

鐵羅法王道：「大國師手下，弟子千萬，當得法王之封的，不過區區四個人而已。」

朱若蘭道：「這麼說來，你這法王之封，地位甚高了？」

鐵羅法王道：「一二人之下，千萬人之上。」

朱若蘭道：「大國師只派你一個人，來中原接我麼？」

鐵羅法王道：「還有一位。」

朱若蘭道：「那人現在何處？」

鐵羅法王道：「我們分頭尋找姑娘，他現在何處，連我也不知道了。」

朱若蘭沉吟了一陣道：「關於我的事，貴國師知道好多？」

鐵羅法王道：「敝國師對姑娘若是懷念不深，也不會派我等到中原道上了。」

朱若蘭道：「他和我素不相識，從未晤面，這想念從何而起？」

鐵羅法王探手從懷中摸出一幅白絹，絹上繪了一個女子畫像，那鐵羅法王，瞧瞧朱若蘭，又瞧瞧畫像，點點頭，道：「不錯，不錯。」

朱若蘭道：「那絹上畫的什麼？」

鐵羅法王道：「你的畫像。」

朱若蘭道：「什麼人畫的？」

鐵羅法王道：「這個我就不知道了，這畫像乃我家國師轉交在下。」

朱若蘭道：「可否給我瞧瞧？」

鐵羅法王略一沉吟，伸手遞了過，朱若蘭接過畫像一看，果然那上面畫著自己形貌，而且畫得十分傳神，栩栩如生，瞧了一陣，道：「貴國師有幾幅畫像？」

鐵羅法王道：「我家國師一見畫像，驚為天人，特地召集了我國幾位名匠，比著畫像繪製了十幾幅之多……」

朱若蘭道：「為什麼要那麼多？」

鐵羅法王道：「在下和另一位法王，同來中原尋找姑娘，各帶一幅。」

沈霞琳突然接口說道：「那三四幅也就夠了，為何要畫十幾幅？」

鐵羅法王道：「我家國師把朱姑娘的畫像，分掛在客廳、臥室，隨時都可以看到。」

沈霞琳道：「你們是和尚麼？」

鐵羅法王道：「不錯啊！」

沈霞琳道：「當和尚要六根清淨，你們怎麼可以把我蘭姊姊的畫像掛在你們的廟裏？」

鐵羅法王哈哈一笑，道：「在我天竺國中，大國師居住之地，比起王宮，那也未必遜色了。」

朱若蘭看了一陣，把畫像收入懷中，道：「這幅像畫得很好，我要照它描繪兩張……」

鐵羅法王：「時間不多，只怕是沒有時間讓你描繪了。」

朱若蘭淡淡一笑，道：「爲什麼？」

鐵羅法王道：「我要立刻帶你到天竺國去。」

朱若蘭道：「你忘記一件事了。」

鐵羅法王奇道：「什麼事，我專程東來，尋訪姑娘，能把你帶回天竺，就是一件天大的奇功了。」

朱若蘭暗中運氣，緩緩說道：「如是我不願去呢？」

鐵羅法王道：「我奉命非得帶你去不可。」

朱若蘭道：「你來中原之前，貴國師可曾告訴你……」

鐵羅法王道：「什麼事？」

朱若蘭道：「我們中原武林之中，有甚多奇奧武功，不在你們天竺之下。」

鐵羅法王凝目沉吟了一陣，突然縱聲大笑道：「這個，本法王早已聞名了，姑娘可是想和本法王一較武功麼？」

朱若蘭微微一笑道：「久聞你們天竺武功，招術詭異無比，今日能見識一番也好。」

鐵羅法王兩道目光，冷厲異常的投注在朱若蘭的身上，道：「姑娘在未見識本法王武功之前，可要先見識一番天竺的號令鼓鑼。」

朱若蘭略一沉吟，目光緩緩由李滄瀾、楊夢寰等臉上掃過，示意他們運氣戒備，口中卻緩緩說道：「好！你有什麼本領，儘管施展就是。」

鐵羅法王突然舉手一揮，口中嘰哩咕喀，呼喝了一陣，那掛鼓、執鑼的黑衣人，突然向後退開了四五尺。

朱若蘭知他是用天竺言語指揮兩人，雖然凝神傾聽，卻是一句也聽不懂。

只見那掛鼓的黑衣人，舉起右手，咚的一聲，敲在鼓上。

那執鑼黑衣人也擊了一聲銅鑼。

這鼓鑼之聲，聽起來十分怪異，靜夜中聽得人毛髮直豎。

朱若蘭暗施傳音之術，對李滄瀾和楊夢寰說道：「天竺多異術，諸位要護守心神，不要爲他們異術所惑。」

但聞鼓響、鑼鳴，交織成一片十分怪異的聲音。

朱若蘭暗自運起天罡指力，蓄勢戒備。

初聞那鼓鑼之聲，只覺怪異中帶著有一股陰森之氣，有如送葬哀樂，充滿著哀傷之氣。

李滄瀾見識廣博，細辨那鼓鑼之聲的怪異音調，除了充滿陰森，哀傷之外，似乎是另有一種激動的殺機，心中動了懷疑，不覺間，回目一顧石屋。

石屋中隱隱響起了一種悉窣之聲，只是聲音很小，被那強烈的鑼鼓聲所遮掩。

突然間，鼓鑼響聲一變，由緩沉陰森變得快速激昂。

一陣急促的步履之聲，自那石屋之中傳了出來，石屋中那些昏迷之人突然一個個奪門而出，直向屋外奔來。

這些人動作很快，李滄瀾發覺不對，要待攔阻時，十幾個勁裝大漢，都已奔出室外，直挺著身子而立。

李滄瀾舉起龍頭拐，正待出手，卻聽朱若蘭低聲說道：「老前輩暫勿出手，晚輩想查看一下，這些受迷魂大法所惑之人的情緒變化。」

沈霞琳目睹那些人暈倒在石屋，突然間一個個挺身而起，奔出石屋，心中本極害怕，但見朱若蘭、楊夢寰等一個個氣定神閒，毫無畏懼之色，心中驚懼頓消，變得十分泰然。

那奔出石屋的大漢，並無立即動手之意，各自瞪著雙目，打量李滄瀾和楊夢寰。

朱若蘭沉著無比，兩道冷電一般的眼神，投注在兩個黑衣大漢身上，查看他的神情變化。

但聞鐵羅法王縱聲一陣大笑，道：「這些人已受那號令鼓鑼，激起了強烈的殺機，他們幻念之中，身受千百種折磨痛苦，都是你們加諸在他們身上，此刻只要我下令鼓鑼聲音一變，他們立時以餓虎撲羊之勢，攻向諸位。」

朱若蘭道：「天竺奇技，至此而已麼？」

鐵羅法王道：「還有一事，本座忘記說了。」

頓了一頓，接道：「這些人此刻完全爲我鼓鑼控制，物存在忘我之中，他平日只能用出八

成武功，此刻可能要發揮到十成以上，有時，他們攻出的拳掌，其威勢更超出了他們本身的成就之上。」

朱若蘭心中暗道：這才是「迷魂大法」的厲害之處了。

口中卻冷冷接道：「可惜的是被你所迷之人，都非我中原武林道上高手，勢難當我一擊。」

鐵羅法王道：「本座奉諭東來之時，大國師亦曾面告本座，朱姑娘武功高強，已得阿爾泰山三音神尼不傳之秘。」

朱若蘭冷冷說道：「這都是陶玉告訴你們的了，何足為奇。」

鐵羅法王縱聲而笑，道：「那三音神尼的武功，也屬我天竺一支，姑娘是否知道？」

朱若蘭吃了一驚，暗道：那三音神尼武功，奇中寓正，並非全然旁門之術，如真是天竺一支，這些和尚，倒是不好鬥了……

李滄瀾冷笑一聲，道：「老夫倒是不信天竺武學能和我中土武學一爭長短。」

鐵羅法王道：「你們先見識一下天竺奇術。」舉起右手一揮。

只聽那快速激昂的鼓鑼之聲，突然又是一變，音調忽轉低沉。

那些呆立的黑衣人，突然一齊探手入懷摸出一把匕首，緩步向朱若蘭行去。

李滄瀾大喝一聲，當先出手，一招橫掃千軍，平掃過去。

只見那些黑衣人，突然散開，其中一半，圍著李滄瀾惡鬥起來，李滄瀾龍頭拐舞起一片攝影，獨鬥七個黑衣大漢。

另有一半黑衣人，卻繞過李滄瀾，疾向朱若蘭奔了過去。
楊夢寰一攔，攔住了幾人，右手迅如電火廠光，抓向當先一個黑衣人的右腕。
那黑衣人舉動仍甚靈活，眼看楊夢寰五指抓來，突然一沉右腕，匕首上挑，疾向楊夢寰腕脈之上劃去。
楊夢寰冷笑一聲，屈指彈出，右手五指一翻，抓住了那大漢右腕脈門。
那大漢脈門被楊夢寰一把扣住，依照常情，決然不會再行反擊，那知那人竟似是毫無所覺一般，左手一揚，一拳擊了過去。
楊夢寰身子一側，避開一擊，屈指一時，撞在那大漢肋間。
那大漢悶哼一聲，向後退了兩步，一咬牙，揮動左手，又是一拳劈下。
楊夢寰一皺眉頭，揮手擋開那大漢左臂，心中暗道：這人當真是剽悍得很，我這一肘，至少要撞斷他兩根肋骨，他竟然還有著再戰之能……
忖思之間，三把寒光閃閃的匕首，分由三個方向刺來。
楊夢寰一咬牙，右手向前一舉，擋住右面刺來的一把匕首，左手點出一指，封開了右面一把匕首，身子側轉，避開了右面一把匕首。
右面那大漢手中匕首攻勢甚重，一時收勢不住，嚓的一聲，刺入了同伴後背，閃閃刀鋒，直透前胸。
楊夢寰右手一鬆，放開了那大漢屍體，飛起一腳踢了過去，正中一個黑衣大漢的膝蓋之上，一條左膝，立即折斷。

那左膝折斷的大漢，仍是兇悍無比，連人舉著手中匕首，直向楊夢寰撲了過去。

楊夢寰怒喝一聲：「找死！」迎胸劈出一掌，正擊中那大漢前胸之上。

那大漢悶哼一聲，仰身向後倒去。

朱若蘭眼看雙方已然展開惡鬥，目注鐵羅法王，道：「閣下也可亮兵刃了，我要討教你們天竺國的武功。」

鐵羅法王眼看李滄瀾、楊夢寰出手後的凌厲招式，哪裏還敢存輕敵之念，唰的一聲，抽出長劍，冷冷說道：「你可是想見識一下天竺國的劍術？」

朱若蘭一側嬌軀，陡然間直衝而上，右手拍出一掌，逼住那鐵羅法王的長劍，左手連攻三招。

鐵羅法王吃了一驚，左手揮起封架，仍然被迫得退了三步。

但那鐵羅法王，果有非常武功，避開三招之後，立時展開反擊，長劍一揮，湧起一片劍花，直向朱若蘭攻過去。

朱若蘭三招快攻，未能制服了鐵羅法王，心中亦甚驚駭，暗道：這和尚武功不弱！施展空手入白刃的武功，突穴斬脈，和鐵羅法王展開搏擊。

這時，雙方的惡戰，已然十分激烈，但局面卻穩了下來。

朱若蘭一面封逼鐵羅法王的劍勢，一面遊目四顧打量四周形勢，只覺圍攻楊夢寰和李滄瀾的黑衣人，一個個奮勇無比，受傷不退，除非是擊中要害，或是耗消了他們全部的體能潛力，否則，依然是一直向前，毫不退縮。

這等剽悍的惡戰，真是聞所未聞，見所未見的怪事，不禁心頭駭然暗道：天竺奇術，不但能使一個人把本身武功，發揮到極致，而且似是還把平日無法用出的潛能，發揮出來，那是一個人武功，在天竺奇術的催眠之下，可以使武功增強數倍。

就這一分心神，連遇了兩次險招，幾乎傷在鐵羅法王的劍下。

朱若蘭一面凝神拒敵，一面暗施傳音之術，說道：「楊兄弟，這鐵羅法王的劍招奇中有正，並非全屬旁門之學，我要讓他盡量施展出來，以便觀摩，但你們卻不用和那些黑衣人惡鬥，他們全屬中原武林人物，只是受到了一種奇術控制，難以自禁，要緊的是那兩個擊鼓打鑼的人，必得想法子把他們捉住，從他們的鼓聲中，找出日後拒敵之策。」

在鐵羅法王長劍連綿不絕的迫攻之下，朱若蘭說了這多話，亦覺著十分吃力。

楊夢寰全力擋住繞過李滄瀾的黑衣人，回目一顧，卻見沈霞琳高舉著紗燈，並未助戰，立時說道：「琳妹，快些出手，不用和他們客氣，咱們要擒那擊鼓敲鑼的人。」

沈霞琳本來早想出手相助，但她知道這三人都是英雄性格，一時間倒是無法決定，是否該出手才是，聽得楊夢寰招呼之言，立時棄去手中紗燈，揮掌攻去。

沈霞琳近年來藝事大進，出手拳、掌，十分猛惡。

夫婦聯手，攻勢大強，直向那擊鼓、敲鑼之人衝去。

那擊鼓、敲鑼的黑衣人，似是瞧出了楊夢寰的用心，鼓鑼一變，突轉急促。

這時，圍攻楊夢寰的強敵，已然被重傷兩個，但餘下的五人，仍然兇悍無比，急促的鼓鑼聲，促起了五人猛惡的反擊，楊夢寰夫婦雖然攻勢強猛，但一時間竟然無法衝過五人的攔截。

在五個攔阻之人中，鄧開宇最是兇猛，手中匕首寒芒閃轉，招招攻向楊夢寰的致命所在。

楊夢寰對那鄧開宇不忍施下毒手，但此刻形勢所迫，如不先行設法擊倒鄧開宇，似是很難衝出五人阻攔之陣。

這時，那鼓鑼之聲，更見急促，那些黑衣人的攻勢，也隨著那鼓鑼之聲，更見凌厲。

楊夢寰心中暗自忖道：這兩個擊鼓、敲鑼的僧侶，十分重要，不但不能讓他們跑掉，而且還得生擒於他，此時此情，縱然傷了那鄧開宇，亦是顧不得許多了。

心念一轉，暗施傳音之術，說道：「琳妹，快攻旁側三人，我先收拾了鄧開宇再說。」

沈霞琳掌勢突然一緊，盡把那些黑衣人的攻勢接了過來。

楊夢寰騰出雙手，專攻鄧開宇，雙手各攻三招，才把鄧開宇的氣勢給壓了下去，迫得鄧開宇有些手忙腳亂，才施展擒拿手法，左手逼住了鄧開宇的劍勢，右手一把擒拿住了鄧開宇的右腕，微一加力，逼開鄧開宇手中匕首，左手疾快的一掌，按在鄧開宇的右肋上。

鄧開宇右腕脈門雖然受制，但仍然拚盡餘力反抗。

楊夢寰暗暗歎息一聲道：這天竺奇術果然厲害，竟能使一個人在受制之中，忘去了本身的生死，還有反抗之能！左手連揮，點了鄧開宇數處大穴，右手暗中用力一帶，把鄧開宇摔在五尺外花叢之中。

圍攻楊夢寰的黑衣人，已然有三個受傷，但餘下之人，卻是毫無懼怕之意，仍然猛攻不停。

楊夢寰奮起神勇，連出三拳，呼呼拳風，逼開了一條路來，縱身一躍，破圍而出，撲向鳴鑼大漢。

那鳴鑼大漢，眼看楊夢寰衝了過來，陡然踢出一腳，雙手仍然不停的擊打銅鑼。

楊夢寰心中暗道：他們鼓鑼配合，才能使那些黑衣人神志受制，如若我把這面銅鑼搶了過來，或是把這執鑼之人擊倒於地，鑼聲停下之後，單餘下一面皮鼓，不知是何局面？

心中念轉，施出險招，身子微微向旁一讓，右手斜裏抄了過來，立掌如刀，疾向那擊鑼大漢的腳腕之上切去。

那大漢突然一挺身子，踢出右腿，卻疾快的收了回來，左腳接著飛來，踢向楊夢寰的前胸。

楊夢寰暗道：天竺技擊之術，竟然也有連環腿法。橫移避開，擊出一掌。

兩人立時展開了一聲搏鬥。

那大漢始終不停鳴打銅鑼，單以連環腿法，抵擋楊夢寰的攻勢，竟然能擋了七八個回合，未曾落敗。

這時，合攻沈霞琳的四個黑衣人，突然分出兩個，攻向楊夢寰的後背。

楊夢寰兩面受敵，不得不改操守勢，分拒前後夾攻。

搏鬥中，突然響起了一聲慘叫，一個黑衣大漢，吃李滄瀾一拐擊中肋間，登時慘叫一聲，口吐鮮血，倒臥地上。

李滄瀾擊斃了一名敵人之後，高聲說道：「朱姑娘、寰兒，今日已勢成騎虎，不用顧慮到傷人的事了。」

楊夢寰低聲應道：「岳父盡請施下毒手。」

李滄瀾縱聲長笑，運起乾元指力，一指點出，又一個黑衣大漢，應手而倒。

沈霞琳亦似受了感染，辣手頻施，一把扣在一個黑衣大漢手腕之上，奪下了匕首，嬌叱一聲，揮動匕首攻去。

沈霞琳匕首在握，如虎添翼，不到五回合，已傷了一個黑衣大漢，衝開了一條路，奔到楊夢寰的身側，低聲說道：「寰哥哥，你對付那擊鼓僧人，這些黑衣人交給我吧。」匕首一展，把圍攻楊夢寰兩個黑衣大漢盡都接過。

楊夢寰騰出手腳，大喝一聲，直向那擊鼓僧人撲了過去，揮手一拳，猛搗過去。

這時，場中形勢，已然有了很大的變化，圍攻李滄瀾的幾個黑衣人，連經傷亡，只餘四個武功較高的人，還在苦苦奮戰，但已爲李滄瀾那重重拐影所困。

沈霞琳大展手段，獨鬥三個黑衣人。

朱若蘭和那鐵羅法王，也打到緊要關頭，雙方搏鬥之勢，看上去已不是剛才那等快掌急劍的打法，大部時間，相對而立，想上甚久，才攻出一招，表面上不夠火熾、激烈，打得十分悠閒，實則每一掌、一劍，都有著精妙，奇詭的變化，自蘊兇惡，毒辣。

楊夢寰全力攻向那擊鼓僧侶，已迫得那人全力迎敵，無法再騰出手去擊鼓。

鼓聲頓住，只有那噹噹的鑼聲仍然不絕於耳。

這時，那搏鬥中的黑衣人似是因鼓聲的停歇而鬥志大減，攻勢亦不似適才那等兇猛、靈活。

楊夢寰默察那擊鼓僧出手的拳掌，變化十分奇詭，心知遇上了勁敵，不能急躁求勝，當下靜下心神，全力施爲。

但聞李滄瀾連聲大喝，四個黑衣人，盡數傷倒於地，兩個爲李滄瀾的乾元指擊中，兩個傷在龍頭拐之下。

沈霞琳目光一轉，只見李滄瀾已飛身向那敲鑼的僧侶撲去，不禁大急，暗道：我如不能擊敗這三個黑衣人，定要被他恥笑我了。

心中轉動，突出奇招，匕首抵隙而出，刺入一個大漢的前胸之中，深及內臟，當場栽倒，氣絕而逝。

這時，場中的形勢，已有了很大的改變，那些受鼓、鑼操縱的黑衣人，已然有大半死傷，只餘下兩個人，還在和沈霞琳搏鬥不休。

兩個擊鼓、敲鑼的黑衣人，眼看受著鼓、鑼指揮的黑衣人，大部份已經傷亡，楊夢寰和李滄瀾攻勢又極猛惡，只好停手來封擋兩人的攻勢。

李滄瀾殺機已動，手中龍頭拐，有如狂風暴雨，招招擊向致命所在。

楊夢寰知岳父天生神力，無人可匹，當下低聲說道：「岳父不要傷了他的性命，最好能夠生擒於他。」

李滄瀾攻勢果然一變，大見緩和，右手龍頭拐圈住執鑼人，左手卻施展擒拿手法，點穴扣腕。

鼓鑼聲消失以後，兩個和沈霞琳動手的黑衣人，首先不支，不足十合，一個傷在匕首之

下，另一個被沈霞琳點了穴道。

朱若蘭眼看大局已定，兩個掛鼓、執鑼的黑衣人，已爲李滄瀾、楊夢寰掌指所困，被擒不過是顧盼間事，立時嬌叱一聲，放手搶攻，左掌右指，眨眼間連攻了十四五招。

這一輪急攻，奇幻強猛，迫得鐵羅法王連向後退了五六步。

只聽李滄瀾大聲喝道：「還不給老夫躺下。」左手抓住了那執鑼人的手腕，一扭一轉，格登一聲，生生把那執鑼人的腕子扭斷。

那黑衣人彪悍無比，左腕折斷，也不過冷哼一聲，右手一揮，銅鑼疾向李滄瀾頭上打來。

李滄瀾冷笑一聲，揮拐迎去。

但聞噹的一聲金鐵震鳴，那黑衣人手中銅鑼，脫手飛出，落在三丈開外，左手疾揮，點了那執鑼人的兩處穴道。

就在李滄瀾得手的同時，楊夢寰也點了那掛鼓人的穴道，全場中，只餘下朱若蘭和鐵羅法王還在惡戰。

鐵羅法王已被朱若蘭凌厲攻勢迫得有些招架不住，再看兩個同來屬下，已爲人所生擒，心中更是慌亂，一個失神，吃朱若蘭一掌擊在右腕之上，腕背一麻，手中長劍跌落地上。

朱若蘭左手一起，纖指直點過去。

鐵羅法王身子一側，避過一擊，左手疾攻一掌。

朱若蘭硬接一掌，鐵羅法王卻借勢轉向一躍，飛逃而去。

他動作奇快，兩個飛躍，人已消失在黑暗之中，待楊夢寰斜裏出手攔阻，已是晚了一步。

李滄瀾一頓龍頭拐，道：「老朽去擒他回來。」

朱若蘭道：「不用了。」

李滄瀾道：「放走了他，豈不是一大禍患？」

朱若蘭道：「不要緊，擒了他也未必能絕了天竺國師的妄念，何況他們共分兩路進入中原，我想他獨身逃走，必然會向另一路人手求救……」目光一掠兩個被擒的黑衣僧人，緩緩說道：「咱們目下要了然的一件事，是一對鼓鑼，爲什麼能夠控制著一個人的神智？」

楊夢寰道：「姊姊說得是，如若此事不能早日解決，中原武林人物，豈不是盡成了他們的助手？」

朱若蘭道：「勞你和李老前輩把兩個擒得的僧人，送入廳中，我要仔細的問他們一番。」撿起地上的鑼鼓，牽起沈霞琳，當先向大廳之中行去。

李滄瀾、楊夢寰，提起了兩個黑衣僧侶，隨後行入廳中。

楊夢寰放下了那黑衣僧人之後，突然想起了鄧開宇來，急急又奔入後園，從花樹叢中，抱起鄧開宇，重回大廳。

這時，廳中燭火高燒，照得一片通明，兩個黑衣和尙，盤坐地上，抬頭望著朱若蘭，臉上是一片茫然神情。

楊夢寰悄然放下鄧開宇，低聲問道：「姊姊問出了什麼消息麼？」

朱若蘭道：「問不出來。」

沈霞琳道：「這兩個黑和尚裝死，不理蘭姊姊的問話。」

朱若蘭道：「也許他們是真聽不懂。」

李滄瀾道：「讓他們吃點苦頭，就可以瞧出是真是假了。」

朱若蘭微微頷首道：「老前輩試試吧！」

李滄瀾大步行了過去，冷笑一聲，道：「你們那天竺國中，可有行血回聚內腑的武功麼？」

兩個黑衣和尚肘間幾處要穴都被點制，除了頸子可以轉動之外，全身都無法掙動。

只見兩個黑衣和尚，四隻眼睛，一齊投注在李滄瀾的臉上，眨動著眼睛，神情是一片茫然不解。

李滄瀾緩緩舉起手來，連點了那和尚前胸三處穴道，陡然一掌，拍在那和尚背心之上。

但聞那和尚口中一陣吱吱喳喳的亂叫，登時大汗淋漓的滾了下來。

李滄瀾重重咳了一聲，望著朱若蘭，道：「這痛苦很難熬受。」

朱若蘭道：「這樣看起來，他們是真的聽不懂咱們的話了，唉！果真如此，這鼓鑼之秘，只怕是很難揭穿了……」

李滄瀾疾快的一掌，拍活了那和尚身上的穴道，緩緩對朱若蘭道：「既是言語難通，留此兩人，也是無用的了，非得設法擒注那鐵羅法王不可。」

朱若蘭凝目沉思了一陣，道：「那和尚輕功不弱，如無後援，只怕一時間決然不會再來，待他重來此地時，必然已有準備，這一等，也不知等到好久時光。」

來。」

李滄瀾道：「姑娘之意呢？」

朱若蘭道：「以我之意，必得在這兩個被擒的和尙身上設法。」

楊夢寰道：「可是言語不通，咱們就算用出世間最慘酷的苦刑，也無法讓他們說出中原話來。」

朱若蘭道：「咱們是否可以從他們動作上，瞧出一點門道呢？……」

目光一掠鄧開宇，接道：「你是否還記得他們打鼓、敲鑼的聲音。」

楊夢寰道：「隱隱記得。」

朱若蘭道：「那就是了，如是你記得很有把握，豈不是和他們一般了。」

說話之間，伸手撿起皮鼓，隨手敲了幾下，望著李滄瀾，道：「老前輩，請聽聽晚輩的鼓聲如何？」

李滄瀾道：「有些相似。」

朱若蘭微微一笑，道：「楊兄弟，你去解了那人的穴道，咱們試試這鼓、鑼的神秘力量。」

楊夢寰大步行了過去，解開了鄧開宇身上的穴道。

凝目望去，只見鄧開宇雙目緊閉，有如睡熟了一般。

朱若蘭低聲說道：「楊兄弟撿起銅鑼，聽到我的鼓聲之後，就敲起你記憶中的鑼聲。」

楊夢寰應了一聲，順手撿起銅鑼。

兩人全憑適才聞聽鼓鑼的一些記憶，敲打起來，一面注視著鄧開宇的反應。

李滄瀾聽兩人敲打的鼓鑼，雖然有些相似，但其間卻似缺少了一點什麼，怎麼聽也不是那個味道。

再看鄧開宇時，仍然靜靜的躺著不動，那鼓鑼之聲，對他竟似毫無影響。

兩人敲打了將近一頓飯的工夫，仍是不見鄧開宇的反應。

朱若蘭停下手來，長長歎息一聲，道：「不成，咱們打得不對。」

李滄瀾道：「鼓鑼聲，驟聽來雖然有些相似，但卻缺少一種激動的力量。」

朱若蘭略一沉吟，道：「解開他們雙臂穴道，把鑼鼓交給他們。」

楊夢寰心知她的為人，想到之事非要作到不可，當下依言解開了兩個黑衣僧人的穴道。

兩個黑衣僧人望望朱若蘭，又望望躺在地下的鄧開宇，相視頷首。

楊夢寰緩緩地把鼓鑼遞了過去。

兩個黑衣僧人接過了鑼鼓，立時開始打了起來。

只聽一陣急亂的鼓響、鑼鳴，立時轉入了有節奏的規律之中。

朱若蘭低聲說道：「楊兄弟，留意那打鑼和尚的手法，李老前輩請監視著鄧開宇的反應，如若他清醒過來，請即告訴晚輩一聲。」言罷，全神貫注在那打鼓之人的手法之上。

大約過了一頓飯工夫之久，突聞那李滄瀾說道：「鄧開宇要清醒了。」

朱若蘭道：「好好的監視著他，不許他胡亂行動就是。」

只見兩個僧侶擊鼓、敲鑼的神情，十分嚴肅，全神貫注於鼓鑼之上。

又過片刻工夫，朱若蘭搖手喝道：「停下來。」

兩個黑衣和尚，望了朱若蘭一眼，又繼續打了起來。

楊夢寰先行出手，奪下那和尚手中的皮鼓，二僧才一齊停了下來。

轉眼看，只見鄧開宇已然站了起來，但那鑼鼓之聲驟停，鄧開宇也隨著木然不動。

朱若蘭輕輕歎息一聲，道：「楊兄弟，你記熟那敲鑼的手法沒有？」

楊夢寰道：「記是記下了，但不知是否有用？」

朱若蘭道：「他們的鼓鑼之聲，有著很多變化，咱們只記上一些，也許無用，但如能夠學會一點，就不難學會全部，你仔細想想，等一會咱們試試。」

李滄瀾伸手點了鄧開宇的穴道，接道：「老朽有一件不明之處，請教姑娘。」

朱若蘭道：「老前輩儘管請說。」

李滄瀾道：「這鑼鼓之聲，雖是節奏明朗，但何以對咱們全無影響，獨獨對那鄧開宇有著號令之能呢？」

朱若蘭道：「這也是一個關鍵，照晚輩的看法，他們可能先受了一種傷害，對這種號令鼓鑼有一種特殊的敏感，所以，咱們還得仔細檢查一下鄧開宇。」

這時，天色已然大亮，朱若蘭回身打開窗子，長長吁一口氣，隨手熄去火燭。

室中突然間沉靜下來。大約過有一刻工夫，朱若蘭突然說道：「有人來了。」

楊夢寰大步行出廳外，只見川中四醜，一排橫立院中，抱拳作禮。

楊夢寰喜道：「你們到哪裏去了，家岳一直在等著四位。」

川中四醜齊聲說道：「我等追蹤幾個可疑之人，是以延誤了時間，有勞老主人和姑少爺擔心了。」

李滄瀾緩步走了出來，望了川中四醜一眼道：「你們先退下去休息吧！」

四人應了一聲，欠身作禮而去。

楊夢寰見川中四醜步履蹣跚，和適才臉上流現的睏倦之色，想來定然遇上頑強之敵，經過了一番劇烈的惡鬥了。

直待四人背影消失不見，楊夢寰才緩步退回廳中。

朱若蘭望了李滄瀾一眼，說道：「川中四義，情義深重，此時此地，仍然能對你十分忠心，實是難能可貴了。」

李滄瀾道：「我也曾幾度奉勸四人，請他們自歸故里，但四人卻是執意不肯。」

朱若蘭點點頭，道：「疾風勁草，亂世忠良，如若此刻你仍然領導天龍幫，只怕也瞧不出川中四醜的義氣了。」

目光一轉，望著楊夢寰道：「楊兄弟，你帶著鄧開宇，留心他的變化，李老前請瞧著這兩個和尚，別讓他們逃走，咱們半宵惡鬥，也該好好休息一下了。」伏身撿起鼓鑼，帶著沈霞琳當先而去。

廿九 將計就計

且說楊夢寰帶著鄧開宇，回到書房之中，緩緩放開鄧開宇道：「鄧兄，在你神智未復之前，只好先委屈你一下了。」

伸手點了鄧開宇雙臂上的穴道，閉目靜坐，運氣調息。

不知過去了好多時間，突聞蓬然一聲，大門被人撞開。

楊夢寰不由一驚，睜眼望去，只見趙小蝶面帶微笑，緩步而入，急急站了起來，抱拳一禮，道：「趙姑娘。」

趙小蝶微微一笑，道：「驚擾你了？……」

目光一掠鄧開宇，接道：「這不是鄧家堡少堡主麼？」

楊夢寰道：「不錯，他受了一種奇怪的傷。」

趙小蝶道：「什麼奇怪之傷？」

楊夢寰把鐵羅法王相犯的經過，很仔細的說了一遍。

趙小蝶道：「有這等事？」

楊夢寰道：「蘭姊姊似是也被鬧得沒了主意。」

趙小蝶道：「你瞧那鐵羅法王的武功如何？」

楊夢寰道：「劍路詭奇，但奇中蘊正，不是好對付的人物。」

趙小蝶道：「好吧！我去瞧瞧蘭姊姊，也許她正有用我之處。」

楊夢寰道：「姑娘一個人來的麼？」

趙小蝶道：「不錯，未得蘭姊姊允准之前，我也不能帶人來此。」

楊夢寰站起身子，道：「我送你去見蘭姊姊。」

趙小蝶略一沉吟，道：「那就有勞了。」緩步行出書房。

楊夢寰緊隨身後而出，回手帶上房門，長長吁一口氣，道：「想不到陶玉竟然把咱們強敵移植到天竺國去，這人的厲害實非常人能及。」

趙小蝶：「無風不起浪，他們遣派高手，跋涉萬里，難道就沒有一個目的麼？」

楊夢寰道：「自然是有了，爲了蘭姊姊一幅畫像。」

趙小蝶道：「蘭姊姊的畫像？」

楊夢寰道：「陶玉找了一個丹青妙手，繪製了蘭姊姊一幅圖像，畫得活色生香，然後再派人送往天竺國，引來這一場紛爭。」

趙小蝶略一沉吟，道：「陶玉把圖像送給了什麼人？」

楊夢寰道：「天竺國的大國師。」

趙小蝶道：「這是借刀殺人之計，陶玉想坐收漁人之利，我去見過蘭姊姊之後，再作主意。」

談話之間，已到了朱若蘭住的精舍之外。
楊夢寰指著精舍說道：「你一人去吧！」
趙小蝶點頭直行入朱若蘭的房中。

只見朱若蘭面前擺著一鼓一鑼，正自望著鼓鑼出神。
趙小蝶行入房中，欠身一禮，道：「見過蘭姊姊。」
朱若蘭抬起頭，望了趙小蝶一眼，道：「你來得正好，我有事和你商量。」
趙小蝶依言行了過去，道：「姊姊有何吩咐？」
朱若蘭道：「你那遍及天下的暗樁，是否已經拆散？」
趙小蝶道：「幾處大站，都已被我下令散去，各處暗樁，還未盡撤。」
朱若蘭道：「那很好，不要再拆散了……」語聲微微一頓，道：「此時此刻咱們正需用人，妹妹建立的網形耳目，對咱們極端重要。」
趙小蝶突然站起身子，道：「既然如此，小妹要暫時告別。」
朱若蘭道：「到哪裏去？」
趙小蝶道：「我要到那兩處大站中瞧瞧，是否還有人在，只要還餘下幾人未走，我就通知他們設法去找那些散去的人。」
朱若蘭道：「茲事體大，我不留你了。」
趙小蝶道：「不敢有勞姊姊。」轉身向外行去。

朱若蘭送到門口，低聲說道：「你什麼時候可以回來？」

趙小蝶道：「多則五日，少則三天，定可趕回『水月山莊』，姊姊請留步，小妹去了。」

轉身一躍，人已到兩丈開外，接連兩個飛躍，已走得蹤影不見。

朱若蘭望著趙小蝶背影消失不見，才緩緩轉回室中，關上房門，重又研究那鑼鼓的聲調。

楊夢寰知她生性外和內剛，如若找不出其中的原因，決然不肯罷手，也不去驚擾於她，只告訴霞琳，按時給朱若蘭送上食用之物。

李滄瀾和川中四醜，表面上雖看不出什麼異樣，實是日夜用心戒備，水月山莊僻處於群山之中，而且佔地甚大，幾人日夜輪班巡視，還要看管那兩個和尚，實在是辛苦無比。

一連過去兩天，水月山莊平靜無波，自那鐵羅法王敗退之後，竟未再來搔擾。

第三天仍是平靜無事，沈霞琳爲朱若蘭送過中飯之後，行入楊夢寰的房中。

楊夢寰剛剛運息完畢，起身說道：「蘭姊姊情形如何？」

沈霞琳道：「蘭姊姊似是已陶醉在那鑼鼓聲中，日夜孜孜不倦於擊鼓打鑼。」

楊夢寰道：「六寶和尚呢？已經數日未曾見過他了。」

沈霞琳道：「我正要告訴你，那小和尚似是中了邪魔一般，一直盤膝打坐，不言不語，起初兩日，還進些飲食，近兩天來，竟然滴水不進，咱們水月山莊中鬧得天翻地覆，他竟是若無所覺一般。」

楊夢寰道：「有這等事，他現在何處？」

沈霞琳道：「他前日對我說過，三日中不能驚擾，明日中午限期才滿，我答應了他，自是不能失信了。」

楊夢寰心中暗暗忖道：那小和尚傻裏傻氣，難道參悟了佛門妙諦不成，不要是中了什麼邪才好。

心中念轉，口中卻對沈霞琳說道：「好，咱們明日中午再去看他，這幾日來，雖然平靜無事，但咱們不能不小心戒備，你一人煮飯洗衣，還要打掃庭院，實在很辛苦了。」

沈霞琳微微一笑，道：「婆婆教我這些事，我已學得十分熟悉，這幾個人，換洗吃飯，做起來十分輕鬆容易。」

楊夢寰道：「再過兩日，蘭姊姊找出鑼鼓的奧秘，咱們就輕鬆了。」

沈霞琳望望天色，道：「我該去洗衣服了。」緩緩轉身，漫步而去。

楊夢寰望著她長髮披垂的後肩，只覺她長大了很多，也成熟了很多，緩步出室，直向前廳行去。

流目四顧，只見前廳後院中偌大地方，不但打掃得十分乾淨，而且連花木也修剪得十分整齊。

行到廳前，只見木門緊閉，正待舉手推門，忽聞弓弦聲響，轉身望去，一顆彈丸，迎面打來。

楊夢寰一皺眉頭，橫向旁側閃開。

但聞砰然一聲，那彈丸擊在磚壁上，暴散出一片白色的粉末。

楊夢寰一皺眉頭，正待後退，突覺一股奇怪的香味，撲入了鼻中。

他已警覺到情形不對，趕忙運氣，閉住呼吸。

那強烈香味，已使楊夢寰意識到是一種烈性的迷魂藥物，只要再吸入少許，立時將無能抗拒而暈倒，只有暫時閉住呼吸，設法運用內功，把那吸入腹中的少許迷毒，排出體外，再行出手。

心念一轉，裝作中毒暈迷之徵，仰身向後倒去。

這當兒，一條人影，疾如鷹隼一般，躍入庭院，一把抱起了楊夢寰的身軀，疾向外面奔去。

行約二里左右，到了一處淺山之下，那人突然停了下來。

楊夢寰經他抱著一陣狂奔，藉機把吸入內腑的少許迷藥，逼出體外。

他本可在那人不知不覺中，出手點了他穴道，但一股好奇之心的驅使，卻使他忍了下去，憑仗精湛內功，控制住呼吸，裝作暈迷未醒之狀。

微啓一目望去，只見那淺山之下的草叢之中，突然站起了六七個人。

但聞其中一人說道：「得手了麼？」

那抱著楊夢寰的人傲然一笑，道：「幸未辱命，手到擒來。」

但聞那當先講話之人，說道：「恭喜張兄立此大功，此刻不宜停留，咱們得快些動身了。」

楊夢寰心中一動，暗道，看將起來，這些人都非首要人物，不入虎穴，焉得虎子，不如索性跟他們去瞧個明白，當下忍著未動。

他只迅快的啓目瞧了一眼，又立刻閉上雙目，生恐被人瞧出破綻。

那擒得楊夢寰的人，似是立了莫大之功，在同伴前護後擁之下，向前奔去。

楊夢寰只憑感覺，覺出了前後左右，都是強敵，不敢隨便睜眼瞧看。

當楊夢寰被擒時，李滄瀾正坐在廳中運息，聽得彈丸擊中牆壁之聲，心中已覺得出有異，但運息正值緊要關頭，又未聞其他聲息，也就忍了下去，待運息完畢，出來查看時，那迷魂彈藥力已然大部飄散，只留下一些餘味。

但這已使久走江湖的李滄瀾覺出不對，立時四下奔走尋找，但所有人都在水月山莊，單單少了一個楊夢寰。

沈霞琳把事情告訴了朱若蘭，朱若蘭驚愕之下，再也無心研究鼓鑼之秘，和沈霞琳聯袂趕往大廳。

李滄瀾早已在座，朱若蘭心中雖急，但禮仍未廢，欠身一禮，和沈霞琳並肩坐下，道：「老前輩可在水月山莊找過了麼？」

李滄瀾面色十分嚴肅的說道：「找過了，方圓五里內不見蹤影。」

朱若蘭微帶惱意的說道：「如若是經過一番惡鬥，楊兄弟不敵來人被擒，那總該驚動我們才是，如是他又中了別人暗算，被人擒去，那就太不小心了。」

李滄瀾道：「說來也是怪老朽大意了，我聽得一聲輕響，卻未能及時出去查看，寰兒為人雖是聰明，只是太過忠厚，在風險狡詐的江湖上，難免要吃大虧。」

沈霞琳道：「也許寰哥哥是受人暗算，沒有還手的機會。」

朱若蘭心中暗道：好啊！你們兩人都替他遮蓋掩護，倒要瞧瞧你們有什麼辦法找他？當下說道：「他既未留下一點痕跡，此刻要到哪裏尋他？」

李滄瀾道：「咱們此刻，就是要研究此事。」

沈霞琳道：「姊姊一向足智多謀，還望想個辦法才是。」

朱若蘭道：「這些事我也沒有把握，只有走一步說一步了。」

緩緩站起身子，接道：「大概小蝶就要回來，也許她會帶幾個助拳的人來，敵暗我明，咱們實在是人手缺乏，你們要好好的守住水月山莊，不能再出事情，我去附近查查看。」

李滄瀾道：「可要霞琳陪你去麼？」

朱若蘭道：「我一個人來去之間，還方便一些。」急急出廳，縱身兩個飛躍，行蹤頓杳。

且說楊夢寰被人揹著一陣狂奔之後，突然停了下來，緊接著蓬然一聲被摔在地上。

他雖然沒有睜眼瞧看，但感覺之中，四周都有人在監視，只好閉住氣，不敢睜眼瞧看。

這時，一個黑衣人左手探入懷中，摸出一粒丹丸，右手捏開楊夢寰的牙關，把丹丸投入了楊夢寰的口中。

楊夢寰不知是何藥物，不敢吞下，只好把它藏入舌底下面。

大約過了一盞熱茶工夫之久，突聞一個冷冷的聲音，說道：「張兄，這解藥效力一向神速，怎的這久時光，仍然不見效用？」

楊夢寰微微啓動雙目望去，只見四個黑衣大漢，團團圍在四周。

正面一人哈哈大笑，道：「這不是醒來了麼？」

楊夢寰緩緩挺身坐了起來，環顧了四人一眼，心中暗暗忖道：我如此刻出手，一舉間制服四人，並非難事，只是這番深入虎穴，未能探得敵人首腦，那未免是太不划算了。

心念一轉，又強自忍下去。

但見那正面一人伸手指著楊夢寰鼻子說道：「那解藥雖然很快的使你神志清醒，但也使你四肢軟弱無力，你如想挺身抗拒，那是自找苦吃了。」

楊夢寰心中暗暗忖道：好險啊！我如把那粒藥丸吞了下去，今日勢非聽人擺佈不可……當下冷冷的掃掠了幾人一眼，又緩緩閉上雙目。

只聽得一個粗豪的聲音，說道：「識時務者爲俊傑，免得皮肉受苦。」

楊夢寰裝聾作啞，不聞不理。

只聽迎面而立那大漢說道：「楊大俠在武林中名重一時，那是家喻戶曉的人物了，張某人不過是無名小卒，如是你被張某打了幾掌，那可是終身大恨大憾之事。」

楊夢寰冷肅的說道：「什麼事，你儘管說吧！」

那人哈哈一笑，道：「楊大俠果是聰明人物，一點就透，咱們兄弟也是情非得已，才冒著萬死之險，把你請來，只要你去見見一位奇人，那人問些什麼，還望你楊大俠能夠據實而

言。」

楊夢寰懶得多費口舌，冷冷的望他一眼，也不答話。

他這等豪邁無倫的氣度，果然把四個黑衣人全都震住，竟然不敢再多問話，轉身向前走去。

楊夢寰居中而行，前面有兩人帶，後面有兩人押後。

出了室門，那當先大漢取出一條黑布帶子，勒住了楊夢寰的雙目，楊夢寰也不抗拒，任他勒著雙目牽手而行。

行約數十餘丈，又停了下來，那黑衣人又從懷中取出一條繩索，縛了楊夢寰雙手，低聲說道：「到了。」

解開楊夢寰蒙在臉上的黑布帶子，揮手一推，把楊夢寰推入了一個秘室之中。

這時，楊夢寰早已把口中的藥物吐了出來，抬頭看去，只見這密室四週一片黑暗，不見天光，想來如不是深在地下，就在一座山腹密洞之中，因為室中幽暗，紅燭高燒，一個全身黑衣圓臉長眉的和尚，端坐一張木榻之上。

很大一間秘室，只有這和尚一人。

楊夢寰轉眼瞧了縛在雙手上的麻繩一眼，心中暗自估計，憑藉自己的腕力，不難把繩索掙斷，心中寬慰了甚多。

很大一座秘室中，只有一座木榻和那一個和尚，看上去顯得有些陰沉。

那和尚兩道森寒的目光，冷冷望了楊夢寰一眼，說道：「你就是名震中原的楊夢寰麼？」

楊夢寰冷冷說道：「不錯。」

黑衣和尚道：「你識得我麼？」

楊夢寰聽他說話吐字，十分緩慢，已然料他不是中原人物，定然是來自天竺的和尚，當下說道：「雖然不識，但卻知你的來歷。」

那和尚呆了一呆，道：「有這等事麼，你說我是來自何處？」

楊夢寰道：「天竺國。」

那黑衣和尚哈哈一笑，道：「不錯啊！你見過鐵羅法王麼？」

楊夢寰道：「不錯，見過了。」

那黑衣和尚道：「鐵羅法王現在何處？」

楊夢寰道：「棄下他同伴而逃。」

那黑衣和尚道：「他有術，有法，但卻缺少智謀，自是非敗不可。」

楊夢寰道：「閣下呢？」

黑衣和尚道：「本座智、勇、術，三者俱全，那是必然有勝無敗了。」

楊夢寰心中暗暗忖道：這和尚口氣如此之大，不知能耐比那鐵羅法王如何？

但聞黑衣僧人說道：「你認識一個朱若蘭麼？」

楊夢寰心中暗道：此刻必須要全力忍耐，以求了然他們全部的陰謀詭計，然後才能制敵機先。心中念轉，口中卻說道：「不錯。」

那黑衣和尚道：「那很好，咱們就談談那朱姑娘的事吧！」

楊夢寰道：「朱姑娘一代紅裝才女，有什麼好談的？」

黑衣和尚哈哈一笑，道：「你既知我來自天竺，但不知是否知道我因何而來麼？」

楊夢寰道：「受人之遣，奉命而來。」

黑衣和尚道：「不錯，我是奉命而來，要迎接朱姑娘，同回天竺。」

楊夢寰冷笑一聲，道：「只怕你此願難償。」

那黑衣和尚冷冷一笑，道：「咱們等一會再談吧……」微微一頓，道：「給我帶下去。」

只聽門聲呀然，兩個黑衣大漢衝了進來，架起楊夢寰出了秘室。

楊夢寰本著無比的沉著，任憑擺佈，一直未動，看看自己被推入另一個秘室，反綁在一根木樁上，兩個黑衣人，退了回去。

凝目望去，只見這座秘室中，共有四根木樁，每根木樁上，都綁著一個人，藉著壁上燭光望去，發覺那些人年歲、衣著，都和自己有些相似。

這秘室中的佈置，使楊夢寰大感奇怪，望了望另外三個被綁在木樁上的少年，說道：「諸位能夠說話麼？」

三人之中，兩個人閉著雙目，不言不語，最左的一個人望了楊夢寰一眼，道：「你也來了麼？」言罷，重又閉上雙目，舉動間，毫無一點生氣。

楊夢寰運足目力察看，三人絲毫不像練武之人，心中更是奇怪，輕輕咳了一聲，道：「閣下習過武功麼？」

那人搖搖頭，道：「如是習過武功，也不會被他這般輕易的抓來了。」

一個新的念頭，閃電般掠過楊夢寰的腦際，心中暗暗忖道：「是了，這些人都長得和我有些相似，他們被擄於此，定然是和我有關了，我必得設法救他們才是。」

心中念轉，口裏又緩緩問道：「諸位到此好久了？」

那人頗有不耐神氣，冷冷說道：「三天了，他們兩位更久一些，三天中，除了喝些白水之外，再未進過食用之物，我已經餓得沒有力氣說話了。」

楊夢寰微微一笑，道：「你耐心一點，在下必將設法，救助幾位脫險。」

那人對陶夢寰的話，漠然無動，淡淡一笑，道：「你如能夠救我們，也不會被人家抓來此地了。」

楊夢寰心知自己毫無表現之前，很難取得他們信任，當下不再言語，閉上雙目，暗中運氣調息，只覺真氣暢行，毫無阻礙，分明武功未失，登時信心大增。

這當兒，突然門聲呀然，一個勁裝大漢，背上插著單刀，高舉紗燈，引著那黑衣和尚，緩步而入。

楊夢寰望了那個和尚一眼，閉上雙目，暗中卻提緊真氣。

那黑衣大漢高舉紗燈，直行到楊夢寰身前，燈光逼注到楊夢寰的臉上，緩緩說道：「閣下神志怎麼樣了？」

楊夢寰睜開雙目，道：「很清醒。」

那大漢回顧了黑衣和尚一眼，道：「他很清醒。」

那黑衣和尚淡淡一笑，道：「你瞧到這些人了？」

楊夢寰道：「都瞧到了。」

黑衣和尚微微一笑，道：「楊大俠名重武林，人人欽佩，咱們想多製造幾個楊大俠出來，使人們無法分辨真假。」

楊夢寰心中暗道：果然是與我有關，這方法，可稱得上惡毒無比，口中卻問道：「他們雖然有些像我，但並非完全一樣，如何能夠充我楊某人。」

那黑衣和尚，哈哈一笑，道：「不錯，看上去他們和楊大俠有著很多不同之處，但如稍加易容，別人就無法分辨了。」

楊夢寰道：「要他們充作我楊夢寰，又有什麼好呢？」

黑衣和尚哈哈一笑，道：「這好處大極了，你楊夢寰此刻甚受江湖愛戴，如是你做了件大逆不道，不仁不義的事，同樣會引起武林同道的公憤。」

楊夢寰心中暗自罵道：「這和尚來自天竺異域，想不到竟是如此狡猾。」口中卻冷笑一聲，道：「需知真金不怕火，他們縱然真的能冒充我楊夢寰，做上幾件壞事，縱然能瞞人一時，也無法長久欺世亂真。」

黑衣和尚笑道：「只要能欺騙一時，那就夠了。」

楊夢寰暗中運氣，掙亂繩索，緩緩說道：「你們那迷魂藥力很強，可也是從天竺帶來的麼？」

黑衣和尚哈哈一笑，道：「那可是你們中原產物，和我天竺毫不相干。」

楊夢寰冷冷道：「你用了我們中原武林道上很多人？」

黑衣和尙道：「不錯，怎麼樣？」

楊夢寰道：「你可知道，他們明裏雖然助你，但暗中卻是聽命於我。」

黑衣和尙道：「我不信有這等事？」

楊夢寰道：「你可要我舉說幾個例子聽聽？」

黑衣和尙道：「願聞其詳。」

楊夢寰道：「他們可曾告訴你，那解毒藥物，有痲痺四肢之效，無能反抗，是不是？」

黑衣和尙道：「正是如此。」

楊夢寰道：「他們騙了你，那藥物根本沒有效用。」

黑衣和尙道：「這個我不信。」

楊夢寰道：「先讓我一件一件的說明之後，再拿證據給你看。」

那執燈黑衣大漢，怒聲喝道：「你這人信口開河，意存挑撥，不知是何用心……」

楊夢寰冷笑一聲，道：「你們這班人，竟然甘心爲異域和尙爪牙，對付我中原武林同道，其心可誅，其情可悲……」

那執燈大漢，就要發作，卻爲那黑衣和尙伸手攔住，道：「楊夢寰，你已經黔驢技窮，至此而已了……」

楊夢寰冷笑一聲道：「你可要見識一下麼？」突然翻腕一掌，拍了過去，擊向那黑衣大漢執燈手腕。

他出手奇快，力道又十分強猛，那黑衣大漢猝不及防之下，如何能夠閃避得開，手腕一陣急疼，啪的一聲，紗燈落地，火光一閃而熄。

楊夢寰縱聲笑道：「大和尚，現在你相信我的話了麼？」

就在楊夢寰劈落紗燈的同時，左手亦同時劈出一掌，擊熄了桌角上的燈火。

整個秘室突然間暗下來，伸手不見五指。

黑暗之中，聽得黑衣和尚冷笑一聲，道：「你說那藥物，靈驗無比，他如服用之後，全身功力立刻失去，何以還有此等能耐？」

但聞那黑衣大漢應道：「這個小的就不清楚了……」話未說完，突然悶哼一聲，緊接著砰然一聲大震，似是摔倒在地上。

楊夢寰心中暗道：好個惡毒的和尚，竟然猝然下了毒手！

口中卻哈哈大笑，道：「你們雖然甘心爲人爪牙，但卻落得這般下場，難道還要執迷不悟麼！」

他雙掌猝發，熄去火燭之後，立時閃到一側，口中在說話之際，仍然不停的移動方位。

自會過鐵羅法王之後，對來自天竺的異僧，楊夢寰已有著深深的戒心，不知他們會用出什麼手段，是以小心異常，時時變動停身之位。

那黑衣和尚出手傷了隨來的黑衣大漢之後，手中控制著兩三顆毒釘，但因楊夢寰停身之位，一直是變換不停，始終沒有機會發出手中的毒釘，當下說道：「楊夢寰，本法王聽得你們中原武林道上傳言，閣下極受武林同道的尊仰，武功高強，不知何故一味躲閃。」

楊夢寰經過一陣遊走，覺著氣血甚暢，全無中毒之徵，不禁膽氣大壯，停下身子，說道：「閣下有能耐，儘管施展就是。」

那黑衣僧人眼看好好的計劃，盡遭破壞，心中早已十分激怒，知楊夢寰停下身子，立時揚手打出三枚毒釘。

楊夢寰早已留心戒備，幽暗中見那和尚一揚手腕，立時還擊一掌，人卻閃避開去，三點寒光，疾如流星，飛了過來。

但聞砰砰砰三聲輕響，三枚毒釘，盡釘在牆壁之上。

楊夢寰冷笑一聲，道：「這就是你們的天竺奇技麼？」

那黑衣和尚厲喝一聲，突然撲了過來，口中喝道：「可敢接我一掌？」

楊夢寰右手揮起，硬接一擊。

雙掌接實，響起了一聲輕震，楊夢寰冷笑一聲，道：「大師還有什麼奇異的武功，儘管出手吧！」

那黑衣和尚心中早已激怒難耐，也不答話，雙掌疾揮，猛攻過去，兩人在暗室之中展開了一場激烈的惡鬥。

楊夢寰一面和那黑衣和尚動手，一面暗自忖思道：朱若蘭因為言語不通，雖然生擒了兩個和尚，仍然無法問出那鼓鑼之秘，這和尚可以講中土之言，我必得設法把他生擒才行。

心中念轉，手下未免有了顧慮，不敢下手太重，生恐一掌之下，把那和尚傷斃掌下。

要知高手過招，由不得絲毫的猶豫，楊夢寰心有所慮，出手多了一層顧慮，掌指之間，大受限制，但那和尚卻是無所顧慮，招招掌掌，盡都攻向楊夢寰致命所在。

這束縛的放縱之間，楊夢寰自然吃了大虧，立時被迫落下風，失去先機。

那黑衣和尚的攻勢愈來愈是凌厲，招術也更見惡毒，楊夢寰一著失錯，被逼入險境，鬧得手忙腳亂，不得不放棄生擒對方之念，展開反擊。

他這一放手施爲，果然把劣勢穩住。

雙方，展開了一場搶制先機的劇烈之鬥。

不大工夫，雙方已惡鬥了四五十合，仍然是一個不勝不敗之局。惡鬥之間，突然聞得砰然一聲大震，緊接著火光一閃，亮起了一支火把。

楊夢寰轉臉望去，只見沈霞琳高舉火把，當門而立，朱若蘭緩步向室中行來。

朱若蘭目光轉動，打量了室中的景物一眼，道：「楊兄弟，你退下來，我來收拾這和尚。」

楊夢寰知她武功高出自己甚多，聞聲而退，橫跨三步。

朱若蘭右手一揚，迅快無比的點出了一指。

那黑衣和尚眼看楊夢寰橫向一側閃去，正擬出手追擊，卻不料一縷指風，急襲而至。

待他縱身讓開一擊，朱若蘭已如迅雷而至，迎面劈出三掌。

黑衣和尚眼看來了一個美貌絕倫的少女，疾衝而至，帶來一股香風，不禁微微一怔，就這一怔神間，朱若蘭掌影已重疊攻到。

他來不及多加思索，立時揮掌迎去。

朱若蘭放手搶攻，掌指並施，一招快過一招。

那和尚失去先機，雖然極力想扳回劣勢，但朱若蘭幻起的掌影，有如波起浪湧一般，簡直沒有他還手的機會，被迫得團團亂轉。

惡鬥了十餘合，突聞朱若蘭嬌叱一聲：「躺下！」右手快速絕倫的點出一指，正中那黑衣和尚肋間，但聞悶哼一聲，黑衣和尚應手而倒。

楊夢寰急行兩步，又點了那和尚幾處穴道。

朱若蘭目光一掠四面木樁上捆的少年道：「放了他們，帶一個回水月山莊中去。」楊夢寰應了一聲，解下木樁上捆的少年，道：「你們哪位願意和在下同回水月山莊一行？」

三個少年望了望楊夢寰，齊齊點頭答應。

楊夢寰一皺眉頭，暗道：留下一人已足，想不到三人都願回去。

忖思之間，突聞一聲金鐵交鳴傳了過來。

轉頭看去，只見那火把高插壁間，沈霞琳卻已不知去向，不禁心中大急，轉身一躍，飛近了秘室門口。

凝目望去，只見沈霞琳揮舞長劍，擋在秘室門口，抵擋七八個黑衣大漢的猛攻。

近年來沈霞琳藝業大進，獨鬥七八個人，仍能從容應付。

楊夢寰正待出手相助，卻聽朱若蘭嬌聲喝道：「楊兄弟，你照顧著這和尚，他如有逃走之心，不妨震斷他的雙腿。」

她這幾句話，明裏說給楊夢寰聽，實則無疑警告那黑衣和尚。

楊夢寰望了黑衣和尚一眼，冷冷說道：「大師如是想多活一些時日，最好別妄動逃走之念。」

那黑衣和尚閉上雙目，理也不理楊夢寰的問話，也不知他是將生死置之度外，還是早已胸有成竹。

朱若蘭道：「帶上他，咱們走了。」

楊夢寰抱起那黑衣和尚，回頭對三個少年說道：「諸位請緊隨在下身後而行。」轉身向外行去。

朱若蘭縱身一躍，飛掠秘室門口，說道：「琳妹妹，退回來，讓姊姊對付他們。」

沈霞琳應了一聲，倒躍而退。

朱若蘭雙掌疾起，連環擊出。

她武功高強，又非沈霞琳能望項背，赤手空拳，對付七八個黑衣大漢，不過轉眼工夫，已有四人傷在她掌指之下。

餘下四人，眼看朱若蘭武功高強，自知難以抵擋，呼嘯一聲，齊齊退走。

朱若蘭冷笑一聲，道：「原來是一群烏合之眾。」當先向前行去。

楊夢寰舉著那黑衣和尚，居中而行，沈霞琳仗劍斷後。

一行人回到了水月山莊，李滄瀾正在門口張望，眼看楊夢寰無恙歸來，心中暗暗念佛，卻故意一沉臉色，道：「寰兒，你也未免太過大意了，處處都勞動朱姑娘為你們的安危擔心……」目光一掠楊夢寰背的黑衣和尚，和身後三個少年，道：「這些都是什麼人？」

楊夢寰欠身一禮，笑道：「當時情勢迫急，小婿已無暇對岳父說明，還望岳父大人恕罪……」目光一轉，回顧了身後三人一眼，道：「岳父可曾瞧出可疑之處了麼？」

李滄瀾仔細看去，只見三人身材形貌，竟然和楊夢寰有些相似，不禁一呆，道：「這是怎麼回事？」

楊夢寰道：「天竺和尚詭計多端，不知要搞什麼鬼，不過此人會講中土言語，不怕問不出詳細內情了。」

談話之間，已行入了大廳之中。

朱若蘭瞧了楊夢寰一眼，道：「把他放下來。」

楊夢寰應了聲，把那黑衣和尚放在大廳中間。

那和尚四肢幾處要穴被點，無法行動，望了幾人一眼，緩緩閉上雙目。

朱若蘭牽著沈霞琳並肩在一側坐下，望著李滄瀾道：「老前輩也請坐下，咱們合力審問這和尚一番。」

李滄瀾回顧楊夢寰一眼，道：「你也坐下來吧！」

這時，朱若蘭、沈霞琳合坐一側，李滄瀾、楊夢寰坐在一側，那黑衣和尚卻盤膝坐在地上。

朱若蘭冷笑一聲，道：「你如不想皮肉受苦，那就據實回答我的問話。」

那和尚睜開雙目，望了望朱若蘭，冷冷一笑，道：「那要看姑娘問什麼了？」

李滄瀾怒道：「先讓他吃些苦頭再問，」一伸龍頭拐，點了過去。

但聞一聲悶哼，那黑衣和尚，滿頭大汗，滾滾而下。

原來李滄瀾伸手一拐，錯開了那和尚左臂一處關節。

朱若蘭道：「老前輩審問他吧！我懶得和他多說話了。」

李滄瀾輕輕一頓龍頭拐，道：「大和尚，這滋味如何？」

那黑衣和尚抬頭望了李滄瀾一眼，欲言又止。

李滄瀾右手一抬，接上那和尚斷骨，緩緩說道：「這不過是一點教訓，你如不肯據實回答老夫問話，有你的苦頭好吃。」

那和尚緩緩說道：「你問吧！」

李滄瀾道：「你可是來自天竺？」

黑衣和尚道：「不錯。」

李滄瀾道：「你們有幾人進入中原，你的法號如何稱呼？」

那和尚道：「第一批共有六人，由鐵羅法王率領……」

李滄瀾道：「第一批，那是說還有第二批了？」

那黑衣和尚傲然一笑，道：「不錯，咱們每隔十日，就有一批高手出發，來到中原，而且一批比一批武功高強。」

李滄瀾心中暗道：他說的也不知是真是假，天竺國中人物，心智用謀，或將和中原不同，用常情測度，只怕是難以作準。

心中念轉，口中卻冷冷說道：「那鐵羅法王現在何處？」

黑衣和尚搖搖頭，道：「不知道。」

李滄瀾道：「你是什麼身分？」

黑衣和尚道：「鐵羅法王領了第一批天竺奇士進中原來，我奉國師之命，以副首領的身分，隨他而來。」

楊夢寰心中暗道：「原來他是那鐵羅法王的屬下之士，我還認爲是另一批人呢！」

李滄瀾道：「鐵羅法王和你還有兩位敲鼓打鑼的人之外，還有兩人，現在何處？」

黑衣和尚道：「一個負責和後一批人聯絡，另一個到了何處，那就不得而知了。」

李滄瀾察看他的神情，不似虛言，一時之間，倒不知是該如何問他，問他些什麼才是？

正感爲難之間，忽聞朱若蘭說道：「問問他，那鑼鼓之聲何以能夠使一個人忘其來歷，奮不顧身？」

李滄瀾高聲說道：「朱姑娘的話你聽到沒有？」

黑衣和尚道：「聽到了。」

李滄瀾道：「好，那你說出內情。」

黑衣和尚搖搖頭，道：「不知道。」

李滄瀾冷笑一聲，道：「老夫不怕你不說。」

前行兩步，點了那黑衣和尚雙肩關節，只痛得那和尚汗如雨下。

只見那黑衣和尚連連搖頭，道：「快解開我穴道，我說內情。」

李滄瀾道：「老夫不信你銅打鐵鑄的人。」揮掌推活他被點穴道。

那黑衣和尚長長吁一口氣道：「我們雖是同出一源，但卻是所學各有不同，他們學的號令鼓鑼，我學的改容大法。」

朱若蘭道：「什麼改容大法？」

那黑衣和尚哈哈一笑，道：「我能把一個人的容貌，改成另一個人，連他父母子女，也是無法辨認得出。」

李滄瀾道：「何足爲奇，不過我們中原道上的易容術而已。」

那黑衣和尚道：「易容術乃雕蟲小技，改容大法，和易容術大不相同，一個人經過我改容之後，他這終生一世，也別想再回復本來的面目了。」

楊夢寰心頭一凜，道：「被改容之人，可要長得有些相似？」

那黑衣和尚洋洋得意的接道：「不錯，改容不比易容，他們的體型和形貌，本來要有些相似才行，才可能改得天衣無縫，人所難辨……」

回顧了站在大廳門口處的三個少年一眼，道：「這三人的形貌，不用我說，你也瞧出來了，他們和你有些相似，是麼？」

楊夢寰道：「正是，你要把他們改作我楊某的容貌，以圖混人耳目。」

黑衣和尚道：「你只算猜對了一半，我要他們的容貌改得和你一般，並把你容貌也要改過，我以改容大法，造成三個人人敬重的楊夢寰，但卻毀了真正的楊夢寰。」

他侃侃而談，說得十分輕鬆，但廳中諸人，無不聽得倒抽一口冷氣。

朱若蘭輕輕咳了一聲，道：「你創造出三個楊夢寰來，用心何在？」

黑衣和尙道：「自有妙用，一個派來你們水月山莊，縱然被你們覺出有些可疑，但也無法確定他不是楊夢寰，另一個派出江湖，到處爲非作歹，使武林中改變對楊夢寰的看法，至於第三個麼，我們將安置在一個隱密之地，傳授絕技，派以大用。」

沈霞琳長長吁一口氣，道：「好惡毒的辦法啊！簡直是聞所未聞，幸好你被我們生擒而來。」

朱若蘭道：「還有一件事請教你。」

黑衣和尙道：「什麼事？」

朱若蘭道：「你把那真的楊夢寰改了容貌，用心何在？」

黑衣和尙道：「用處大啦，我要他看著三個假人，作盡了壞事，但卻無法阻止。」

朱若蘭道：「嗯！辦法倒是惡毒得很，只可惜已經沒有機會施展了。」

黑衣和尙道：「我要說的話，大都已經說完了。」

朱若蘭目注楊夢寰道：「廢去他的右手，先使他不能再動改容手術。」

楊夢寰應聲而出，揮手一掌，擊在那和尙右肘之上。

那和尙疼得悶哼一聲，右臂不由自己的一抬。

楊夢寰等此機會，右掌乘勢切下。

這一掌落勢奇重，那和尙整個肘骨都被這一擊震碎。

只聽那和尙悶哼一聲，疼得暈迷了過去。

朱若蘭道：「點了他的暈穴。」

楊夢寰應聲出手，點了那和尚穴道。

朱若蘭道：「看來這些人很難對付，必得想個法子……」

只見趙小蝶白裙飄動，步入大廳，接道：「什麼人很難對付？」

朱若蘭抬起頭來，望了望趙小蝶一眼，道：「你來得正好，我們正感人手太少。」

趙小蝶微微一笑，道：「因此我帶來了一十二個女婢，聽候姊姊差遣。」

朱若蘭道：「怎麼，她們還沒有散去？」

趙小蝶道：「已然散了一半，小妹再晚到半日，我那貼身四婢即將率領一部份不願散去的女婢，回到百花谷去了。」

朱若蘭道：「那很好，把她們安頓下來，先讓她們休息一日。」

趙小蝶道：「不用休息了，小妹已作主把她們分配成四組，各負一方地區的安危職司。」

朱若蘭道：「你瞧瞧這個和尚。」

趙小蝶凝目望了一陣，道：「除了黑一些，似是和其他和尚沒有不同。」

朱若蘭道：「我是要你瞧他的來歷，這些和尚，都來自天竺國，武功十分詭奇，還可對付，但他們每個人似乎都習有一兩種奇怪的武功，什麼號令鼓鑼，改容大法，聽起來簡直不可思議。」

趙小蝶道：「姊姊不用急慮，小妹即然來了，自當盡我全力，助姊姊對付他們。」

朱若蘭望了楊夢寰一眼，道：「暫把這和尚帶下去，放了那三位無辜的人，小心看守，別

讓他再逃離此地……」

目光一轉，望著趙小蝶，道：「小蝶妹妹帶來了十二個女婢，增強了咱們不少實力，老前輩近來一直未得休息，也可借此機會，養息一下了。」站起身子，帶著趙小蝶和沈霞琳，起身而去。

楊夢寰把黑衣和尚送入石室，放了三個少年，回到自己書房，盤坐休息，想到陶玉嫁禍手法的惡毒，哪裏能夠入定，直到天色入夜時分，才澄清了心中雜念。

坐息醒來，已經是初更時分。

只見沈霞琳坐在身邊，旁側放了一個盛裝飯菜的木盒。

沈霞琳伸出右手，打開木盒，說道：「吃晚飯時，你正在入定，我不忍叫你，只好讓你吃點冷飯菜了。」

楊夢寰道：「不要緊。」拿過碗筷，冷飯冷菜的大吃起來。

沈霞琳看他一口氣吃了三大碗冷飯，才放下碗筷，忍不住嗤的一笑，道：「早知你如此愛吃冷飯，以後就留下冷飯給你吃了。」

望望天色，接道：「該去了，蘭姊姊有事找你。」

楊夢寰道：「找我什麼事？」

沈霞琳道：「我不知道，這幾日中，我瞧蘭姊姊似有滿腹心事，愁鎖眉尖，見她時，不要惹她生氣啊！」

楊夢寰站起身子，抖抖衣衫，直向朱若蘭房中行去，只見房門半開，燭火高燒，朱若蘭對著燭光出神，當下輕輕咳了一聲，抱拳一禮，道：「姊姊叫我麼？」

朱若蘭道：「嗯！你進來，我有話跟你說。」

楊夢寰應了一聲，緩步行入室中，道：「蘭姊姊有何吩咐？」

朱若蘭指指對面的木椅說道：「你坐下，我有一件事和你商量，而且今夜裏非要說個明白不可。」

楊夢寰道：「姊姊有什麼事，只管吩咐就是，為什麼竟用商量二字。」

朱若蘭舉手理一下鬢邊長髮，緩緩說道：「只要能和你商量個結果出來，那已經算是不錯了。」

楊夢寰聽她語氣，看她神色，已猜出茲事體大，非同小可，沉吟了一陣，道：「姊姊請說吧！只要小弟力能所及，決不推辭就是。」

朱若蘭道：「事情你是一定能夠辦到，只是你肯不肯答應而已。」

楊夢寰道：「關於哪一方面？」

朱若蘭道：「好吧，紙裏難藏火，早些使你心中明白也好……」語聲微微一頓，道：「你看到過趙小蝶了？」

楊夢寰心中一凜，暗道：就怕她談起此事，果然就談起此事，沉吟了一陣，點點頭，道：「看到了。」

朱若蘭道：「你準備怎麼辦？」

楊夢寰苦笑一下，道：「什麼事啊？」

朱若蘭道：「你不用和我裝迷糊了，唉！男女間很多事太過微妙，連我也想不明白！……」

楊夢寰接道：「琳妹妹很賢淑，她本是什麼也不懂，但這幾年來，卻很用心去學烹飪之術，姊姊這幾日吃過她作的菜了，雖是幾樣小菜，但卻燒得味道很好。」

朱若蘭道：「我吃過果然不錯。」

楊夢寰又道：「紅妹妹斷去了一條臂，但她仍是不肯休息，除了幫忙琳妹妹忙著廚中事情之外，還要兼顧女紅，一隻手能繡出龍鳳奇花，難得有一陣清閑，亦伴在家母身前，侍奉長輩，克盡孝道。」

朱若蘭道：「李瑤紅生性很野，想不到氣質竟能變化得如此快，實是難得的很。」

楊夢寰微微一笑，道：「姊姊，小弟何幸，能兼得魚與熊掌，兩房賢妻，各極美艷，而且一般溫婉嬌柔，下愚如小弟者，享此齊天之福，當真是兢兢業業，難以安下心來。」

朱若蘭道：「你在教訓我？」

楊夢寰道：「這個小弟不敢。」

朱若蘭冷冷說道：「我問你，既然是你已經滿足了閨房之樂，為什麼在你們水月山莊中，替我安排一間雅室，難道這都是作給我看看的麼？」

楊夢寰料不到她會一下子扯到了自己頭上，呆了一呆，道：「這個，這個，都是琳妹妹等胡鬧，小弟怎敢生此妄念。」

朱若蘭淡淡一笑道：「那麼在這裏爲我設下此房，全是琳妹妹她們的主意了，你是既不知道內情，亦未同意，是麼？」

楊夢寰怔了一怔，道：「這個，小弟倒是事先知曉。」

朱若蘭道：「那你爲什麼不阻止她們胡鬧。」

楊夢寰道：「這個，這個……」只覺這事很難說得清楚，這個了半天，還是這個不出個所以然來。

朱若蘭兩道冷電一般的目光，逼注在楊夢寰的臉上，仍是在等他答覆，只瞧得楊夢寰緩緩垂下頭，不敢再和朱若蘭目光相觸。

這尷尬的場面，延續了一盞熱茶工夫之久，朱若蘭才輕輕歎息一聲，正容說道：「楊兄弟！陶玉未死，而且又練成『歸元秘笈』上的武功，他爲人的惡毒，陰沉，使剛剛平靜下來的武林紛擾，又掀起了一場風波，最爲可恨的是，他竟然勾引了天竺惡僧，陰謀嫁禍，使我們鷸蚌相爭，他好坐收漁人之利，目下形勢已成，頗有回天乏術之感。」

楊夢寰歎道：「姊姊先天之憂，使小弟敬服得很。」

朱若蘭淡淡一笑，道：「我麼？一個女流，而且又早已勘破了塵俗煩惱，江湖上誰爲雄長，與我何干，我可以在天機石府那險要山谷之中，設下重重埋伏，建一座世外桃源，與世隔絕，時至今日，我還不能擺脫江湖上的是非，大都是爲你牽累……」

語聲微微一頓，接道：「楊夢寰，你自已感覺著我對你有情呢？還是無情？」

楊夢寰道：「姊姊對我楊夢寰情如海深，恩比天高……」

朱若蘭接道：「你可是由衷之言？」

楊夢寰道：「字字出自肺腑。」

朱若蘭道：「嗯，那你要如何報答我？」

楊夢寰道：「姊姊只管吩咐，要我舉劍自絕，決不敢易繩吊頸。」

朱若蘭輕輕歎息一聲，道：「楊兄弟，我不是要你怕我。」

楊夢寰道：「小弟是感恩莫名，但願有以相報。」

朱若蘭道：「聽我的話，好好對待趙小蝶，你就算報答了我……」

長長吁一口氣，接道：「她情所鍾、一心繫你，五年來遊戲江湖，以多情仙子自居，但她始終未能遇上一個心愛情郎，你可以容下李瑤紅和琳妹妹，為什麼不能再多一個趙小蝶，何況，對付陶玉，依仗她之處甚多，你不能太傷她的心，如是她傷情生變，我也沒有力量收拾殘局，我知道你的為人，外貌謙和，內心剛烈，不願別人說你為依賴脂粉嬌妻的軟丈夫，唉！其實，那都是妒恨中傷的流言，他們內心中真正對你卻是羨慕萬分。」

楊夢寰面現難色，起身抱拳說道：「姊妹容小弟想想再說，好麼？」轉身向外行去。

朱若蘭冷喝道：「回來！」

楊夢寰依言轉回身，說道：「姊姊還有什麼吩咐！」

朱若蘭道：「我不是為了你一個人……」

楊夢寰道：「我知道，姊姊是為整個武林著想。」

朱若蘭道：「你明白就好，……」語聲微微一頓，道：「告訴我，你幾時答覆我？」

三十　移魂大法

楊夢寰對朱若蘭替自己與趙小蝶撮合之事，甚難答覆，只得道：「三日之後答覆姊姊如何？」

朱若蘭道：「太久了。」

楊夢寰道：「至少也要兩天時間。」

朱若蘭道：「你要仔細想個明白，別說出了心中又生出後悔之感。」

楊夢寰道：「這個小弟明白，姊姊還有什麼吩咐麼？」

朱若蘭道：「沒有了，你去吧。」

楊夢寰欠身一禮，轉身出門，直回到自己書房之中，隨手掩上房門，也懶得再點火，盤膝而坐，運氣調息。

他心有所思，難以靜下心來，好不容易坐息片刻，天色已經大亮，當下站起身來，信步離室，直向莊外行去，他有了上次的經驗，心中雖有所思，也是不敢大意，一邊走一邊留心著四下的動靜。

突然間，一陣急促步履之聲，傳了過來。

抬頭看去，只見趙小蝶衣袂飄飄，正在追趕一黑衣幪面人。

楊夢寰身子一閃，隱到一株大樹之後，暗道：這人青天白日之下，還幪著面孔，不知是何用意，擒住他問個明白才是。

正待閃出身來相助，忽聽嬌叱一聲，趙小蝶身子凌空而起，捷如鷹隼，撲了下來，那幪面人奔行雖然很快，但仍是無法逃避開趙小蝶撲擊之勢，悶哼一聲，被趙小蝶擊中穴道，一跤摔倒地上。

楊夢寰閃身而出，道：「好俊的身法。」

趙小蝶微微一笑，道：「楊兄見笑了。」

楊夢寰伸出手去，拉開那人臉上黑布一瞧，登時為之一呆。

趙小蝶目光一掠楊夢寰，問道：「你認識他麼？」

楊夢寰點點頭道：「認識，他是……他是……」

趙小蝶微微一笑道：「既然相識，你們也該好好的談談，我還要到別處瞧瞧。」說罷，轉身而去。

楊夢寰一掌拍活那人穴道，說道：「師兄怎會到此？」

那人低聲道：「一言難盡，我要找楊師弟，希望你能不念舊惡，助我救一個人，不料被那姑娘認作奸細……」

楊夢寰道：「師兄既是有事要尋小弟，何不堂堂正正而來，為何要用黑布蒙在臉上？」

那大漢道：「師弟此刻名震江湖，天下武林同道，有誰不知師弟大名，如果我堂堂正正的登門造訪，只怕難以得見師弟。」

楊夢寰心中暗道：我楊夢寰豈是這等人麼，分明是有意搪塞。但他為人忠厚，雖然心有所疑，也不當面揭穿，淡然一笑，道：「這也罷了，師兄適才言道，要小弟相助你救個人，不知是救哪一個？」

那黑衣人道：「師弟已非崑崙門中人，小兄此來，只是想以私情相求。」

楊夢寰對那黑衣大漢抱拳一揖，道：「小弟出生崑崙門下，怎敢忘本，師兄有事但管吩咐，此地不是談話之處，請入水月山莊一坐吧！」

這黑衣人正是崑崙派掌門人玉靈子門下首座弟子黃志英，昔年楊夢寰被玉靈子逐出門牆，不認他為崑崙門下弟子。

黃志英抬頭望望天色，道：「好！師弟盛情，小兄就叨擾一次了。」

楊夢寰道：「自己師兄弟，這話未免是太客氣了。」

黃志英道：「唉！師弟此刻天下聞名，如論在江湖上的聲望，小兄固是難及萬一，就是崑崙派也是難和師弟比擬。」

楊夢寰道：「師兄言重了。」當先帶路，直入水月山莊。

沈霞琳正在庭院之中，瞥見楊夢寰和一個黑衣人並肩而來，急急迎上去。

楊夢寰笑道：「琳妹妹，還認得黃師兄麼？」

沈霞琳打量黃志英一眼，急急說道：「怎麼不認識，師兄你好啊！」說話之中，盈盈拜了下去。

黃志英急急還了一禮，道：「沈妹妹，小兄如何敢當。」
沈霞琳道：「大師伯我見過了，我師父他老人家好麼？」
黃志英道：「慧真師叔很好。」
楊夢寰道：「掌門師尊好麼？」
黃志英道：「小兄此來，就是爲掌門師尊的事。」
楊夢寰停下腳步，道：「怎麼一回事？」
黃志英道：「掌門師尊此番東來，帶了小兄和另外三個弟子，在距離兩百里外，突然失蹤不見，小兄費時五日踏遍方圓數十里每一寸地方，始終找不到師尊和三位師弟。」
楊夢寰道：「有這等事嗎？」
黃志英道：「小兄想來思去，除了找尋師弟之外，別無他途，因此，不揣冒昧，還望師弟不念舊惡，助小兄一臂之力。」
楊夢寰長長吁了一口氣，道：「這件事當真是有些奇怪了。」
黃志英道：「如果簡簡單單的事，我也不敢來麻煩師弟了。」
楊夢寰道：「師兄先請客室待茶，小弟還要細聆教益。」
抱拳把黃志英讓入廳中。
沈霞琳落後兩步進門，手中已捧著香茗。
楊夢寰端起茶杯，道：「師兄請用茶。」
黃志英喝了一口，放下茶杯，道：「師弟可有空暇？」

楊夢寰道：「掌門師尊突然間行蹤不明，小弟縱然無暇，也得去查個明白。」

黃志英心中似是甚急，起身說道：「不知幾時可以動身？」

楊夢寰道：「掌門師尊失蹤，自是難怪師兄心中焦急，不過，事情已經發生，師兄急亦無用，此事恐非小弟一人力能所及，最好能和家岳商量一下。」

沈霞琳接口說道：「我去請李伯伯來。」轉身出室而去。

黃志英道：「李老前輩也在此地麼？」

楊夢寰道：「百丈峰陶玉大敗之後，武林中原有一段沉靜時日，卻不料陶玉勾結了天竺妖僧，數度侵犯水月山莊——」

說話之間，沈霞琳已帶著李滄瀾緩步而入。

楊夢寰、黃志英齊齊起身，長揖拜見。

李滄瀾揮手說道：「你們請坐……」當先在一張大師椅上坐了下去，接道：「玉靈子劍術精絕，決非普通之人能夠謀算，……」兩道炯炯目光，逼注黃志英的臉上，接道：「可否把令師失蹤的事，詳盡述說一遍？」

黃志英略一沉吟，道：「晚輩隨家師東來，同行中還有三位師弟，夜宿客棧，因一路奔走，那一夜晚輩甚覺睏倦，醒來時，家師和三位師弟已經不見。」

李滄瀾沉吟良久，才緩緩說道：「這樣簡單麼？」

黃志英急道：「如若晚輩說的謊言，那就不會如此簡單了。」

楊夢寰沉默不語，一切事似乎都要李滄瀾去作主。

李滄瀾望了黃志英一眼，緩緩說道：「事情確有些奇怪，以那玉靈子武功之高，竟然會無聲無息的被人擄去麼？」

這時，突見一個身著黑衣，足登多耳麻鞋的人，奔近廳門之處，急急說道：「有人來了。」來人正是川中四醜的老大。

楊夢寰霍然起身，直向莊外奔去。

抬頭看去，只見一個灰袍中年和尚，直向水月山莊行來。

楊夢寰緩步迎了上去，道：「大師有何貴幹？」

那和尚打量了楊夢寰一眼道：「求見朱若蘭姑娘。」

楊夢寰道：「在下楊夢寰，什麼事告訴我也是一樣。」

那和尚打量了楊夢寰一陣，道：「你是楊夢寰？」

楊夢寰道：「不錯，大師父來自何處？」

那和尚搖搖頭道：「在下奉命而來，不便多言，這裏有繪圖一幅，敬請轉交朱若蘭姑娘，要她按時赴約。」

說罷，探手從懷中摸出一幅白絹，丟在地上，轉身而去。

楊夢寰拾起白絹，只見絹上畫著一座突起的高山，山下有一道小溪，山腰、山根，都長滿了古松，但山頂之上，卻是一片平闊之地，寫道「不見不散」四個小字。

瞧過絹上圖畫，再抬頭瞧那和尚，卻是早已走得不見。

那和尚既是指明了要給朱若蘭，楊夢寰自是無法作得主意，拿起了白絹，直奔朱若蘭的閨房。

朱若蘭正在和趙小蝶對坐清談，看楊夢寰行了進來，齊齊起身相迎。

楊夢寰道：「姊姊隱息天機石府時，清閒逍遙，但一出現江湖哄動四海，麻煩也接踵而至。」

朱若蘭道：「什麼事啊？」口中說話，兩眼卻盯注了楊夢寰手中的白絹。

楊夢寰緩緩把白絹遞了過去，道：「姊姊自己瞧吧！」

朱若蘭接過白絹瞧了遍，道：「有人約我在圖上所示的山峰相見，旁側既有說明，那是不難找了……」語聲微微一頓，又道：「什麼人送來的？」

楊夢寰道：「一個和尚，看樣子又是天竺僧人。」

朱若蘭點點頭，道：「也許他們來了主腦人物，我去會會他們也好。」

趙小蝶道：「姊姊一個人之力，武功再好，也是雙拳難敵人多，小妹和你同行如何？」

朱若蘭略一沉吟，道：「你帶來了很多助手，只要不是陶玉親來，防守此地，那是綽綽有餘了……」目光轉到楊夢寰的臉上，道：「你去告訴令岳，小蝶妹妹帶來的花娥，全都聽命於他，要他小心防守水月山莊，任何事情，都等我們回來之後再作決定，琳妹妹留此助他，我和小蝶妹妹在莊外等你。」

楊夢寰應了一聲，轉身出室而去，告訴沈霞琳好好招待黃志英，暫時不要他離開，並代為轉告李滄瀾，簡略收拾了一下，帶上寶劍出莊而去。

到達莊外，朱若蘭已和趙小蝶先在等候。

三人一起上道，按圖索驥，急急赴約而去。

半夜緊趕，二更時分已找到山峰之下。

此際明月在天，光潔如水，朱若蘭道：「楊兄弟在峰腰等候，如若有變，也好接應。」牽著趙小蝶聯袂登上峰頂，只見八九個黑衣和尚，橫七豎八的躺在峰頂之上。

朱若蘭對來自天竺的奇詭武功，並無絲毫輕視之意，陡然停下了腳步，四下瞧了一陣，說道：「小蝶，天竺武功，奇中蘊正，而且異法奇術，非我中土可比，你要小心一些，不可大意。」

趙小蝶道：「小妹記下了。」

朱若蘭兩道目光，緩緩由躺在地上的和尚臉上掃過，道：「小蝶，你說這些人是死的還是活的？」

趙小蝶道：「我瞧瞧看。」伏下身子，伸出右手，按在一個和尚的口鼻之上，良久之後，才搖頭說道：「奇怪呀！」

朱若蘭道：「什麼事？」

趙小蝶道：「我瞧他們不像死人，可是氣息似是已經絕了。」

朱若蘭四顧了一眼，道：「他們應該都是活的才對……」

趙小蝶接道：「既是活的，何以竟然裝死？」

朱若蘭道：「如果咱們能夠下得狠心，借此機會下手，點了他們的死穴，他們如想活回

來，那就是大難之事了。」

趙小蝶搖搖頭，道：「蘭姊姊說得甚是，不過小妹自信，任何裝作死去的人，也不易逃過小妹的查看，但這些和尙，不但氣息已絕，心臟也停止跳動了。」

朱若蘭飛起一腳，踢在一個和尙身上，那和尙被踢，連翻了七個滾，仍然是僵直而臥，動也未動一下，不禁心中也動起疑來，暗道，難道這些人當真是死了不成，但這幾乎是不可能的事啊。

但聞趙小蝶說道：「螳螂捕蟬，黃雀在後，他們約咱們來此，消息洩露，被人先行趕來，在這峰頂之上，設下埋伏，出手傷了這幾個和尙……」

朱若蘭道：「不對。」

趙小蝶道：「爲什麼？」

朱若蘭道：「如是他們爲人所傷，怎的不見一處傷痕呢？」

趙小蝶道：「也許他們和我們一般心意，出手點了這些和尙的死穴。」

朱若蘭道：「不論他們是死是活，咱們既然來了，總該等等那約咱們來此之人。」

趙小蝶道：「如果就是這些和尙呢？」

朱若蘭搖搖頭，道：「就是他們真的是死人，但每人衣著、顏色，都是一樣，自然是身分一般，決不是那約咱們來此的人。」

趙小蝶心中雖然不贊同，但卻不敢出言反駁，舉步向峰頂正中行去，一面說道：「借此刻時光，小妹瞧瞧這峰頂之上，是否可以設伏。」

朱若蘭點點頭，道：「瞧仔細一些，咱們不能有絲毫大意。」

趙小蝶這些年來，在江湖之上遊盪，對江湖的風險，早已了然甚深，和昔年初出百花谷時的天真，已是大不相同。

她繞著山峰邊緣，走了一週，不見有埋伏之人，才緩緩走了回來，道：「姊姊，就是這幾個和尚，江湖上陰險鬼詐，無所不有，小妹之見，那首腦之人，可能就在這幾人當中。」

朱若蘭微微一笑，道：「這些年來，你變得比姊姊還要強些了，這見解，確實高人一等，咱們仔細查查這些黑衣和尚，有沒有可疑人物。」

趙小蝶道：「不用查了。」

朱若蘭道：「爲什麼？」

趙小蝶道：「無論這些人用的什麼方法，心機，咱們給它個一體誅絕，如若是死人，那也不在乎，咱們再點他一次死穴，如若是活人，咱們把他一體處死，不管他們要用什麼詭計，都是白費心機了。」

語聲甫落，突聞一聲冷笑傳了過來，道：「好惡毒的手段。」

朱若蘭轉頭望去，只見一個全身白衣，頭戴白色高帽的怪人，站在峰邊一座大石之上，明月照著他一身怪異的裝束，看上去更顯得陰氣森森。

趙小蝶冷冷說道：「你是什麼人？」

那白衣人緩緩向前走來，一面說道：「兩位中哪一位是朱若蘭朱姑娘？」

朱若蘭道：「我，閣下有何見教？」

那白衣人緩緩行近到趙小蝶和朱若蘭的身側，對著朱若蘭抱拳一禮，道：「今日幸會朱姑娘。」

趙小蝶緩緩提起右手，道：「你定是這些人中的首腦了？」

朱若蘭伸手攔住了趙小蝶，道：「閣下可是來自天竺麼？」

那白衣人一伸手，脫下了頭上的白色高帽子，露出青光的頭皮，道：「在朱姑娘的面前，小僧不敢說謊，貧僧雖是由天竺來此，但卻非天竺國人。」

朱若蘭聽他說話流暢，當下說道：「你是中土人士？」

那和尙道：「貧僧在嵩山少林寺中剃度，十五歲遠行西藏，在天竺住了一十八年。」

朱若蘭道：「是了，你在天竺住了一十八年，所以，就幫助天竺國和中原人物爲敵了。」

月光下只見那和尙方面大耳，只是雙顴高突，把一張富貴之相，完全破壞。

只聽他輕輕歎息一聲，道：「姑娘娛會了，就因貧僧亦是中土人士，所以才約姑娘到此，有幾句良言相勸。」

朱若蘭略一沉吟，道：「什麼事？」

那和尙微微一笑，道：「貧僧等此來中原，姑娘想已知曉內情了。」

朱若蘭緩緩說道：「不知道。」

那和尙道：「姑娘是真不知道麼？」

趙小蝶冷冷說道：「你這人怎麼這樣囉嗦。」

那和尙轉頭望了趙小蝶一眼，道：「這位姑娘是什麼人？」

朱若蘭忍下心中怒火，淡然一笑，道：「她叫趙小蝶。」

那和尚輕輕歎息一聲，道：「大國師只知朱姑娘之美，艷絕人寰，卻不知趙姑娘竟也是如此動人。」

趙小蝶道：「臭和尚，你在胡說什麼？」揚手一掌，拍了過去。

朱若蘭右手一伸，攔住趙小蝶道：「不可造次。」目光轉到和尚臉上，接道：「天竺國中甚多高僧紛紛進入中原，究是為了何故，可是想在武林中爭上一席之地麼？」

那和尚搖搖頭道：「不是，天竺國師，富可敵國，中原風物雖好，也未必能動他之心，至於名位二字，他已是天竺國師，那是用不著再到中原爭名了，此次遣人進入中原，全是為了姑娘。」

朱若蘭心中暗罵道：六根不淨的臭和尚！口裏卻說道：「為了我？那就奇怪了，我和他素不相識，遙隔萬里，他怎會為了我呢？」

那和尚哈哈一笑，道：「這話倒也不錯，如非中原有人，把姑娘的形貌，繪製在白絹之上，送往天竺國，那大國師絕不知世間竟有姑娘這般的美人。」

趙小蝶道：「什麼人繪製了我蘭姊姊的圖像？」

那和尚道：「陶玉。」

趙小蝶冷哼一聲，道：「又是他。」

那和尚接道：「大國師見得姑娘圖像，驚為天人，貧僧還不相信世間確有其人，今日一見，才知那美人畫像還難及姑娘萬一。」

朱若蘭暗暗吁了一口氣，按下心火，道：「因此，他就遣派高手，進入中原。」

那和尚道：「何止是遣派高手，就貧僧所知，他本人亦將親自趕來……」

語聲微微一頓，又道：「那大國師，不但武功高強，胸羅奇術，更是人所難及，貧僧在那天竺國住了一十八年，深知內情，決非胡言。」

趙小蝶道：「那我們就把你宰了，再找那大國師算賬。」呼的一掌劈出。

那白衣和尚縱身避開，突然舉手互擊了三掌。

只見躺在地上的八個和尚，齊齊挺身而起，團團把趙小蝶和朱若蘭圍在中間。

趙小蝶環掃了四下群僧一眼，道：「你還有什麼能耐？」

那白衣和尚哈哈一笑，道：「單以武功而論，咱們中土和天竺，也許是各有所長，但天竺國有很多奇異之術，那就非中原武林人物所能思議了。」

趙小蝶冷冷說道：「你是說這些人裝死的功夫？」

白衣和尚道：「天竺國的瑜珈術，如是有了成就，可以埋在水土之中，十日半月毫無損傷。」

趙小蝶冷冷說道：「如若以我之意，趁他們裝死之時，就點了他們的死穴，此刻也無人會幫助於你了。」

白衣僧人笑道：「在這山沿四周，除了貧僧之外，還潛伏有很多高手，如若兩位姑娘真下毒手，只怕亦難得逞。」

趙小蝶望了朱若蘭一眼，道：「姊姊，我不信天竺國的武功奇術能強過我們中原很多，你

替我掠陣，我來試試。」

也不待朱若蘭答話，雙掌齊出，分向身前兩個黑衣和尚攻去。

她說打就打，出手快如閃電，兩個黑衣和尚封架不及，齊齊向後躍退數尺。

趙小蝶冷笑一聲，道：「天竺奇術，只此而已麼？」口中說話，雙手卻連環劈出，分向群僧攻去。

八個黑衣和尚，被趙小蝶快速的掌勢，分別攻擊，迫得群僧閃避還擊，繞著兩人團團亂轉起來。

朱若蘭一直站著不動，看著趙小蝶和群僧動手。

但她這站著不動，卻是大大的防礙了趙小蝶的手腳。

那白衣和尚冷冷的站在一側，看著趙小蝶攻出的拳掌，亦無出手相助之意。

趙小蝶連攻了出二十四招之後，見仍不能傷到那些黑衣和尚，不禁心頭火起，低聲說道：「姊姊你退出圈外好麼？我要在一百招內，將這八和尚一齊打死。」

朱若蘭道：「不要慌，我還要問那白衣和尚幾句話。」

趙小蝶心中暗道：爲什麼不等到生擒他之後再問呢？

但雙手卻依言停了下來。

朱若蘭望著那白衣和尚道：「要他們退開一些，我有話問你。」

那白衣和尚哈哈一笑，道：「姑娘吩咐，貧僧是無不遵辦。」

語聲微頓，接著又嘰哩咕嚕的說了幾句，四周的黑衣和尚，立時齊齊向後退去。

朱若蘭望了四周那些黑衣和尚一眼，道：「他們可聽懂我說的話？」

白衣和尚道：「不懂。」

朱若蘭道：「那很好，你是少林門中何字排輩？」

白衣和尚沉吟了一陣，道：「我已離少林一十八年，往事已過，不說也罷。」

朱若蘭道：「那我們如何稱呼你？」

白衣和尚略一沉吟，道：「姑娘叫我白衣老二就是。」

朱若蘭眨動了一下圓大的眼睛，道：「白衣老二，這名字很奇怪，哪裏像一個和尚的名字。」

白衣和尚笑道：「這是天竺文翻譯出來的名字，其中自有道理，這道理只是姑娘不知內情罷了。」

趙小蝶冷冷說道：「不論你是白衣老二也好，白衣老大也好，今天你就別想生離此地了。」

白衣和尚搖搖頭道：「兩位姑娘武功高強，貧僧進得中原，早已有了耳聞，但今宵情勢不同，俗語道：識時務者爲俊傑，逞一時豪強，落得終身大憾……」

朱若蘭接道：「你既是生長在中土之人，爲何要甘爲異族驅使，何不棄暗投明……」

白衣老二搖頭笑道：「那大國師如若是那等簡單人物，貧僧也不會在天竺一住十八年了。」

趙小蝶冷冷說道：「姊姊，這人執迷不悟，不用和他多費唇舌了，我先把他宰了再說。」

語未說完，已縱身而起，直向那白衣和尚撲去。
白衣老二身軀突然向旁側一閃，避了開去道：「兩位姑娘，可想見識一下天竺奇術麼？」
趙小蝶道：「什麼奇術？」
白衣老二舉手互擊一掌，說道：「兩位姑娘可是真要見一下天竺奇術麼？」
朱若蘭略一沉吟，道：「小蝶，咱們瞧瞧他們要些什麼花樣，小心一些了。」
趙小蝶道：「我不信世上真有什麼邪法。」
朱若蘭道：「我也不信，所以咱們今夜要見識見識。」
只聽那白衣老二口中唸唸有詞，講的都是天竺語文，兩人也聽不懂。
趙小蝶暗中運集了天罡指力，凝神戒備。
只見那退下去的八個黑衣和尚，突然脫去了身上的黑袍，露出了一身色彩鮮明的衣服，八個人分穿著不同的顏色，緩緩向兩人身前逼來。
每個和尚手中，都拿著一個明亮的銅鏡，月光耀照下閃閃生輝。
趙小蝶目光轉動，掃視了八個和尚一眼，忽然生出一種睏倦的感覺。
朱若蘭低聲說道：「久聞天竺有種移魂大法，今日咱們或已遇到，快些坐下，姊姊要自行一試定力如何？」
趙小蝶道：「我瞧了八人一眼，忽生睏倦之感，姊姊別瞧他們就是。」
說話之間，兩人已盤膝坐了下去，八個和尚團團圍在兩人四周，不住幌動手中銅鏡，月光由鏡中反射，不住在兩人臉上閃動。

朱若蘭暗施傳音之術，低聲說道：「對天竺的奇異之事，姊姊所知不多，有一種『移魂大法』卻是傳諸中原甚久，百年之前，那『移魂大法』曾在中原武林道上享譽甚隆，但不久卻又日漸衰微，近年中，已是不再聽人講起，一種奇術破敗如此之快，定然是有它的缺點，妹妹看了他們一眼，忽生倦怠之感，正是中了『移魂大法』之證，快些調勻真氣，掃清靈台，姊姊替你護法。」

趙小蝶也施展傳音之術，答道：「多謝姊姊美意，小妹此刻睏倦已消……」語聲微微一頓，又道：「如若咱們此刻反擊，突然出手，不難在一舉間先傷四人，餘下四人，就不難一舉殲滅了。」

朱若蘭道：「不可妄動，我們以靜觀變，瞧瞧天竺奇術究竟有什麼厲害之處，對付那大國師，才不致手忙腳亂。」

這幾句話，用意深遠，趙小蝶聽得大為敬服，說道：「姊姊深謀遠慮，實是常人難及。」

兩人都用傳音之術交談，盤膝而坐，各運罡氣護身。

朱若蘭待真氣調息均勻之後，才睜開眼睛，瞧了那些和尚一眼。

只見八個和尚，各執銅鏡，不停在兩人臉上照射，不知在鬧什麼鬼，朱若蘭心中自忖道：天竺奇術，至此而已，那確實沒有什麼可以畏懼的了。

且說楊夢寰在峰腰等了良久，不見朱若蘭和趙小蝶下來，不禁急了起來，暗道：難道兩人被困峰頂不成，我該上去瞧瞧才是。

心念一轉，舉步登峰。

上得峰頂，只見朱若蘭、趙小蝶盤膝閉目而坐，周圍七八個黑衣僧人，手執銅鏡，不停在兩人臉上照射，心中大爲奇怪，暗道：難道那銅鏡真有奪人魂魄的威力不成，何以不見兩人出手反擊。翻腕抽出長劍，大聲喝道：「兩位不要驚慌。」仗劍向前衝去。

他心想兩人如是被困那裏，這一聲大喝，定可使兩人精神振奮一些。

這時，那白衣和尚，正在袖手而觀，聽得楊夢寰大喝之聲，探手從懷中，拔出一支銀笛，迎了上來，攔住去路，冷冷說道：「你是什麼人？」

楊夢寰道：「楊夢寰。」長劍一起「迎門三擊浪」，劍尖閃起兩朵銀花，直向白衣和尚刺了過去。

白衣和尚銀笛一起，擋的一聲，封開了楊夢寰的長劍，反手搶攻，點出三笛。

楊夢寰心中暗道：天竺和尚武功竟都不弱，揮劍封笛，三笛來，三劍擋，響起了三聲金鐵脆鳴。

那白衣和尚和楊夢寰三招硬打過後，突然收笛而退，冷冷說道：「你是那『水月山莊』的楊大俠了？」

楊夢寰道：「不錯，區區正是楊某。」心中卻暗道：此人怎知我的姓名？

那白衣和尚冷冷說道：「閣下如若死了之後，那兩位姑娘即可歸依我大國師了。」

楊夢寰怒道：「你胡說的什麼話，朱、趙兩位姑娘，乃是中原武林最爲敬重之人，於我楊某何干？」

白衣和尚笑道：「你可是認爲貧僧久年未回中原，對中原情勢一點也不知道麼？朱若蘭對你芳心早屬，你如戰死，她既心無所倚，那時我大國師自是易獲芳心。」

楊夢寰心中暗道：這定是陶玉的鬼計，今日必得生擒此僧，問個明白不可。

偷偷看去，只見朱若蘭和趙小蝶，在群僧環繞之下閉目而坐，似是被一種奇術所困，心中大爲不安，忖道：朱姑娘修爲深厚，或是要存心一試天竺奇術威力，故而未曾出手，但那趙小蝶卻難有這份耐心，難道兩人，當真已在天竺奇術之下，失去了主宰自己之能麼？

一念及此，頓覺熱血沸騰，陡然一振長劍，直向白衣和尚刺去。

白衣和尚揮笛架開楊夢寰的長劍，冷笑一聲，道：「我對兩位姑娘手下留情，但對你卻是不用顧慮你的生死了。」

楊夢寰也不答話，凝神運劍，一味搶攻。

他心中明白，如是那朱若蘭和趙小蝶當真的被困於天竺奇術，那也只有先把這和尚生擒之後，才有救出兩人之望。

那白衣和尚，初和楊夢寰動手之時，口中不停出言戲弄，手中銀笛變化，也十分瀟灑自如，但鬥到了二十合之後，情勢已然大有不同，只覺楊夢寰手中劍勢，沉穩中漸增凌厲，自己已被圈入了劍網之中。

待他警覺到處境漸危時，已經是後悔已遲。

楊夢寰的劍勢，分由四面八方的壓了下去。

那白衣和尚手中銀笛，已爲楊夢寰劍勢控制，無能反擊。

陡聞楊夢寰大喝一聲：「著。」砰的一劍，正擊在那白衣和尚的手腕之上。

白衣和尚只覺手腕一疼，手中銀笛跌落著地。

楊夢寰劍尖顫動，抵在那白衣和尚的前胸之上，冷冷說道：「你如不想死，就好好的答我問話，聽我吩咐。」

楊夢寰看他一臉狡猾之色，心知不給他一點苦頭吃吃，只怕他不肯服貼，暗運腕勁，劍尖一挑，那白衣和尚，登時衣衫破裂，劍尖深入肌膚數分，鮮血順著長劍，淋漓而下。

那劍尖所抵之處，正是一個人的心臟要害，不論武功如何高強，如被刺中，也是必死無疑。

面臨著生死關頭，那和尚忽然露出恐懼之情，緩緩說道：「楊大俠要問什麼，在下是知無不言。」

楊夢寰目光一掠朱若蘭和趙小蝶道：「她們怎麼了？」

那白衣和尚道：「被移魂大法所制，至多睡上一覺，別無傷害。」

楊夢寰冷笑道：「她們如有毫髮之傷，自有你替她們償命。」

白衣和尚急道：「她們毫髮無損，只是受一種催眠之術所困。」

楊夢寰道：「什麼人要你來和我們作對？」

白衣和尚道：「貧僧奉那大國師之命而來。」

楊夢寰道：「天竺大國師，距中原遙遙數萬里千山萬水，如何知道中原之事，定然有人蠱惑於他了。」

白衣和尚：「這個貧僧就不大清楚了。」

楊夢寰道：「好！那我就挖出你的心肝瞧瞧，你是否真的不知。」

白衣和尚急急說道：「貧僧真的不知詳情，聽說是一位姓陶的送了他幾幅絹畫，畫上就是那位姑娘，才引動我們國師東來中原之心。」

楊夢寰心中暗道：大約他只知道這些，遂不再問，搬轉話題，道：「如何才能救了兩位姑娘？」

那白衣和尚道：「如若她們都被那移魂大法所制，只怕是必得睡上一覺才成。」

其實，朱若蘭和趙小蝶，內功精湛，都未爲那移魂大法所困，神志仍然十分清醒，聽得兩人答問之言，心中暗笑，故用傳音之術道：「小蝶，準備出手了，這移魂大法也不過如此，那也不用再試他了。」

說話之間，暗運功力，施用「彈指神通」武功，右手屈指一彈，一縷暗勁飛去，震飛了一個和尚手中的銅鏡。

趙小蝶挺身而起，左手遙拍一掌，右手發出了天罡指力。

八個和尚，只道兩人已爲那移魂大法所困，卻不料兩人陡然挺身施襲，一時間手忙腳亂，不知該如何應付。

朱若蘭、趙小蝶在群僧忙亂之中，連發指力，施出奇招，掌拍指點，片刻間，八個黑衣和尚，盡爲兩人點中了穴道。

楊夢寰正爲二女擔心，忽然見她們挺躍而起，連發掌力，盡傷八個執鏡的黑衣和尚，不禁

對白衣和尚微微一笑，道：「怎麼？你們那移魂大法，失去了效用麼？」
　　那白衣和尚呆了一呆，道：「這就奇怪了？」
　　楊夢寰看他臉上的茫然之色，並非裝作，以不再多問，伸手抓住了那和尚脈穴，冷冷說道：「你如想活下去，那就別生妄念。」
　　這時，朱若蘭和趙小蝶已退到了一塊大巖石邊，並肩而坐。
　　趙小蝶高聲說道：「楊兄，把那和尚帶過來，我要問問他。」
　　那大岩石在這片山頂之上，形勢最高，坐在巖石上，可見峰上景物。
　　楊夢寰把那和尚牽到大巖石之下，低聲喝道：「坐下去。」
　　那白衣和尚四顧了隨來的群僧一眼，緩緩坐了下去，楊夢寰右手疾出，點了他兩臂穴道，退到一側。
　　趙小蝶道：「姊姊問問他吧！」
　　朱若蘭道：「你問他也是一樣。」
　　趙小蝶目光投注到那白衣和尚的臉上，笑道：「那就是你們天竺奇術麼？我們算開了眼界……」
　　語聲微頓，忽轉冷漠，接道：「和你同來的那些和尚，凡是我傷的，都被我點了死穴，你如是不想死，那就據實答我問話。」
　　白衣和尚抬頭瞧了趙小蝶一眼，道：「問吧。」
　　趙小蝶道：「你們那大國師現在何處？」

白衣和尚道：「這個貧僧不知，不過他已率領了幾個弟子，東來中原，那是不會錯了。」

趙小蝶道：「如若他帶來之人，個個都和你們一般的酒囊飯袋，那就好對付了。」

那白衣和尚搖搖頭，道：「我被他們留在天竺國中，主要是教他們講咱們中土語言，地位雖然不高，但卻極受隆待——」

趙小蝶道：「我問你他們的武功如何，誰問你這些瑣碎事了？」

那白衣和尚沉吟了一陣，道：「那大國師的武功，我只見過一次。」

趙小蝶道：「怎麼樣？有何出奇之處？」

白衣和尚道：「那日貧僧在天竺護國寺中後院，聽那大國師講述奇術武功，適有一隻飛鷹，從頭頂飛過，那大國師抬手一招，那飛鷹應手而下，落在大國師的身前……」

趙小蝶道：「那飛鷹距那大國師有多高距離？」

白衣和尚道：「三丈以上。」

趙小蝶道：「可是暗器擊傷的麼？」

白衣和尚搖搖頭，道：「不是，如是暗器，小僧自信也可辦到，那就不足爲奇了。」

趙小蝶道：「那也是一種奇術麼？」

白衣和尚道：「不是，那該是一種武功。」

楊夢寰心中暗道：如若此人所言虛，那大國師的武功果是非同小可。

久未講話的朱若蘭，此刻突然睜開雙目，兩道湛湛眼神直逼那白衣和尚的臉上，冷冷說道：「你如果不想受苦，那就據實答覆我的問話。」

白衣和尚道：「好！朱姑娘有什麼話，儘管請問。」

朱若蘭冷冷說道：「那大國師現在何處？」

白衣和尚道：「他已動身東來，現在何處，在下是一點不知。」

朱若蘭冷冷說道：「你當真不知道麼？」

白衣和尚道：「當真不知。」

朱若蘭道：「你們分批進入中原，難道就沒有聯繫之法麼？」

那白衣和尚沉吟一陣，道：「聯繫的方法倒有，只是一種繪製的暗記。」

朱若蘭道：「好！告訴我，你們聯絡的方法。」

那白衣和尚道：「此秘一旦洩露，貧僧非被千刀分屍不可。」

趙小蝶道：「但如你不肯說出實話，立時就要嘗到那分筋錯骨的滋味。」

朱若蘭道：「天涯無限遼闊，何處不可以安身立命，你如很怕死，就該藉機會退出江湖。」

趙小蝶道：「一個先死，一個後死，先死的是死定了，後死的是還不一定，你自己想想看吧！」

那白衣和尚凝目沉思了一陣，雙目盯注在朱若蘭的臉上，瞧了一陣，道：「似姑娘這等才貌，如若真被大國師搶了去，實在可惜得很。」

楊夢寰道：「怎麼？那大國師生得很難看麼？」

白衣和尚道：「不錯，生得很難看，和朱姑娘比起來，當真鳳凰配烏鴉了。」

朱若蘭一皺眉頭，道：「快些說出你的聯絡之法，我耐性有限。」

那白衣和尚果然把和那天竺國師聯絡的暗號，很詳細的說了一遍。

朱若蘭抬頭望了楊夢寰一眼道：「你記熟了麼？」

楊夢寰道：「記熟了。」

朱若蘭道：「你脫下他的衣服，自己穿上。」一拉趙小蝶衣袖，雙雙別過頭去。

楊夢寰依言脫下了那和尚衣服，穿了起來，笑道：「兩位瞧瞧我像是不像。」

二女緩緩轉過頭來，打量了楊夢寰一陣，趙小蝶道：「衣服大小，勉強可以，可是你總不能剃個和尚頭啊！」

朱若蘭道：「不要緊，咱們依他聯絡暗號，留下圖記，誘那大國師進入絕谷，然後和他決戰，此事必得早些解決，而且要轉變敵暗我明的力勢。」

趙小蝶道：「既然要和他們決戰，咱們必得先作一番佈置才是。」

朱若蘭道：「眼下先要瞧瞧他們的聯絡暗記是否有效，然後咱們才能佈置一處決戰之處。」

趙小蝶道：「姊姊說得是。」

朱若蘭目光轉到楊夢寰的臉上，道：「你可記下了那聯絡的方法麼？」

楊夢寰道：「記下了。」

朱若蘭過：「據我推想，天竺來人，只怕已不在少數，而且都是以水月山莊爲中心，散佈這百里方圓之內，他們地勢不熟，能夠找到此地，必然要借重我中原武林中人的引導……」

趙小蝶道：「這麼說來，咱們得要設法不讓中原武林同道替他們引路才是。」

朱若蘭微微一笑，道：「那人如若是陶玉手下的人呢？」

趙小蝶微微一怔，道：「姊姊說得不錯，那些人既爲他們引路，自然是已存心和咱們爲難了。」

朱若蘭道：「不錯，因此，咱們必得好好掌握這次機會不可。」

趙小蝶望了躺在地上的群僧一眼，欲言又止。

朱若蘭道：「楊兄弟，你要先行試驗一下他們那聯絡之法，是否真的有用，咱們才能預作部署。」

楊夢寰道：「小弟明白。」

朱若蘭道：「多多小心了。」

楊夢寰欠身對朱若蘭一禮，轉身而去。

趙小蝶道：「這些人如何處置？」

朱若蘭道：「姊姊沒有陶玉那份殺人的能耐，點了他們的穴道，移放在一處隱秘之地，讓他們試試運氣吧！」

趙小蝶微微一笑，起身而去，把八個黑衣和尚丟入懸崖，指著脫了衣服的和尚，道：「這人該如何處置？」

朱若蘭目注那和尚道：「叫你老幾好呢？」

那和尚急急說道：「貧僧在少林寺剃度出家之後，曾經取了一個法名。」

朱若蘭道：「好啊！你的名字也想起來了，這樣說來你還有些不忘宗啦，不知你的法名如何稱呼？」

那和尚道：「不敢、不敢，小僧法號心傳。」

朱若蘭道：「你尚記得自己的出身，法號，那還未盡忘身分——」

語聲微微一頓，接道：「此刻，你如想代罪立功，還有機會，願不願意在你，我們決不勉強。」

心傳大師突然輕輕歎息一聲，四下瞧了一陣，道：「姑娘要在下如何代罪立功？」

朱若蘭道：「你如真心悔悟，只要你設法把那大國師等一行高手引入我等指定之處，就沒有你的事了。」

心傳大師略一沉吟，道：「小僧極願一試。」

朱若蘭道：「小蝶，解開他身上穴道。」

趙小蝶道：「姊姊，他在天竺國一住十八年，早已把咱們傳統的信義二字忘去，說話如何能夠相信呢？」

朱若蘭道：「我要你解開他的穴道。」

趙小蝶不敢再行多言，站起身子，行到那心傳大師身後，解開他身上穴道。

朱若蘭揮手說道：「你去吧！此後爲敵爲友，全在你心念之間了。」

心傳大師略一沉吟，轉身而去。

趙小蝶望著那心傳大師的背衫，一付躍躍欲動的樣子，但見朱若蘭神情嚴肅，不敢貿然出

手，直待那心傳大師背影完全消失，才緩緩回身說道：「姊姊就讓他這麼去了麼？」

朱若蘭微微一笑，道：「要他對我們甘心效忠，必得先讓他嘗試到那大國師一點苦頭才行。」

趙小蝶聰明絕倫，朱若蘭稍為一點，立時了然用意所在，微微一笑，道：「姊姊，可是那天竺國師重罰他一頓之後，要他自行投歸我等所用？」

朱若蘭道：「正是如此，他率領了八個天竺僧侶到此，全軍覆沒，只有他一人回去，不論他說得如何好聽，都難免要引起別人的懷疑，就算那大國師被他說動，但他們門下弟子的冷言冷語，亦夠他受的了。」

趙小蝶道：「姊姊思慮深遠，人所難及，小妹幾乎壞了姊姊的大事了。」

朱若蘭站起身子，道：「咱們也該走了。」緩步向前行去。

趙小蝶亦不多問，隨在朱若蘭身後行去。

且說楊夢寰穿著那和尚身上脫下的白衣，卻又想不出朱若蘭的用意何在，如不能剃去頭上青絲，自是無法扮作那天竺和尚。

下得山峰，找了一處清靜所在，坐息了一陣，待天色亮了之後，才起身而行。

行約十餘里，到了一處十字路口，楊夢寰打量了四下形勢，拔出懷中匕首，在路旁一株巨松之上刻下了暗號，然後，藏在兩丈外一株松樹之上。

這座十字路口，乃是出山入山的要道，楊夢寰刻下暗記不久，已有人行了過來。

但見來來往往之人，大都是樵子腳夫，不見武林中人物，楊夢寰正自感到不耐，忽見一個黑衣人行了過來，望了那記號一眼，停足不行，凝神瞧看起來。

這時，楊夢寰正藏身在一株松樹之上，瞧看著樹下情形。

只見那黑衣人凝目在松樹上瞧了一陣，突然轉身而去。

楊夢寰心中暗道：不知他們那聯絡圖記之中，是否別有暗號，我繪的這圖之中，是否有錯，會不會被他們瞧出破綻來。

心念一轉，悄然下了巨松，先向正東行去。

原來，他奉朱若蘭之命而來，在路上留下暗號，以證實那和尚說出的聯絡圖記，是真是假。

那暗記去向，指向一處絕谷。

楊夢寰先行奔向那絕谷處，藏身在一處大巖石之後。

等了約半個時辰之久，果見四五個黑衣大漢，魚貫向山谷之中行去。

這些人雖然都是穿著中原人的衣著，但仔細看去，立即瞧出，皮膚之色，和中原大不相同。

四五個大漢滿臉嚴肅，一語也不交談，匆匆進入絕谷之中。

楊夢寰又等了片刻，不再見有人來，也向絕谷中行了過來。

朱若蘭只要他留下圖標暗記，把來人引入絕谷中去，但朱若蘭在這絕谷中有些什麼佈置，楊夢寰卻一無所知。

他隨後而行，直到盡頭，卻未再見那四五大漢行向何處，心中大感奇怪，暗道：難道這處山谷，早已作了那天竺來人的秘居不成。

忖思之間，突聞一縷柔細的聲音傳了過來，道：「楊兄弟，你畫得好，那六個人都已傷在我的天罡指下，咱們佈置未成，不宜引來強敵過多，有勞你毀去那些圖記，我還有要事待辦，一分一刻時光都很重要，不和你見面了。」

楊夢寰已聽出是朱若蘭的聲音，流目四顧，卻不見朱若蘭芳蹤何處，心中暗忖道：聽她傳音之術，蘭姊姊的內功，是愈發精進了……

正在出神之間，朱若蘭的聲音，又傳了過來，道：「此刻時光不早，你還是快些去吧，站在那裏出什麼神。」

楊夢寰口齒啓動，欲言又止，匆匆轉身而去。

急急奔行到那留下暗記之處，只見一個身披紅色袈裟的和尚，正在瞧著那留下的圖記。

楊夢寰回顧，正好四下不見行人，心中忖道：這和尚大約是天竺來人之一，他既然瞧出了這座圖記，勢必要殺他滅口。

念轉意決，緩步行到那和尚身側道：「大師父。」

那和尚一轉身，楊夢寰右掌已迅如電火般，劈了下來。

那和尚武功不弱，迫急中右手一抬，擋了過去。

蓬然一聲，雙掌接實，楊夢寰感覺如同擊在一塊堅冰冷鐵之上，震得手腕發麻。

那身披紅色袈裟的和尚，也被楊夢寰強猛的內力，震得向後連退了三步。

楊夢寰略一怔神，立刻迅如電火石光一般，搶攻過去。

那紅衣和尚也同時展開反擊。

兩人展開了一聲搶制先機的快攻。

楊夢寰用天罡掌法攻敵，他年來功力大進，同是一套天罡掌，在他用來，威力又是不同。

那和尚習的是大手印，雙掌堅硬如石，招招如鐵錘擊巖一般，惡鬥三十合，楊夢寰連出兩招奇學，拍中那紅衣和尚左臂一掌。

那紅衣和尚雙掌堅如鐵石，身上亦似有金鐘罩一類武功，雖然楊夢寰掌勢擊中，竟是沒有大礙，但他心中似是已知難是楊夢寰的敵手，不再戀戰，轉身狂奔而去。

楊夢寰冷笑一聲，道：「想逃麼？」縱身急追。

那和尚一路急奔，轉向正南一條道上逃去。

楊夢寰心中暗道：這和尚相貌不似中土人氏，定然是和那天竺大國師等有關，如是被他逃走，豈不是洩去隱秘，不論施展何等手段，亦得把他殺死才行……忖思之間，突聽蓬然一聲大震，那紅衣和尚高大的身軀，突然摔倒在地上。

楊夢寰一吸氣，停住了向前奔行之勢，凝目看去，才瞧出那和尚的後背，插著一把短劍，深沒及柄，端端正正的刺入命門穴中。

不禁暗暗讚道：好準的手法。只見一個手提竹籃，身著青布褲褂的村女，站在一丈開外處，微笑說道：「楊兄，不認識小妹了麼？」

楊夢寰道：「你是趙姑娘？」

趙小蝶道：「不錯啊！」

緩步行了過來，伸下拔出地上紅衣和尚命門穴上的短劍，就他衣上抹去血跡，右腳一挑，把那和尚的屍體踢入了草叢之中。

楊夢寰笑道：「這和尚練有橫練氣功，若非姑娘的腕勁，別人實難傷得了他。」

趙小蝶微微一笑，道：「我倒忘記告訴楊兄了，我這裏有七把短劍，都是天山千年寒鐵所鑄，雖不能切金斷玉，但卻有貫鐵穿石之能，雖然他有著可避一般刀劍的橫練工夫，但也難擋得這種利刃。」

楊夢寰道：「話雖如此，但姑娘那投劍的手法，腕力，亦非一般人能夠作到。」

趙小蝶微微一笑道：「誇獎了。」目光轉在楊夢寰的身上，道：「蘭姊姊讓你穿這和尚的衣服，用心無非在引起他們注意罷了。」

楊夢寰道：「原來如此。」

趙小蝶突然凝神靜聽了一陣，道：「有人來了，蘭姊姊告訴我，只要能夠確定他們是天竺國人，只管出手殺了他們就是，不過，要設法把他們的屍體藏起來。」

楊夢寰道：「原來如此。」

趙小蝶突然舉手一揮，道：「快藏起來，八成是天竺國的來人。」

楊夢寰知她武功強己數倍，目光聽覺都非己所能及，當下也不多言，藏起身來。

趙小蝶舉手整了整頭上秀髮，疾快的退後兩丈，又緩步向前行來。

三一　天竺怪僧

楊夢寰心知她的用心，無非是希望自己瞧得清楚一些。

轉臉望去，果見三個黑衣大漢，魚貫而來。

趙小蝶故意裝作不敢瞧看三人，垂下頭去，站在道旁。

如是她一直走了過去，也許還引不起三個黑衣人的注意，這一停下，反而使那三個黑衣人留上了心。

只聽其中一人嘰哩咕嚕的說了兩句話，三個人一齊停了下來。

趙小蝶打量了一下四周形勢，突然舉步向前行去。

三個黑衣人突然打了一聲呼哨，疾快的散佈開去，團團把趙小蝶團了起來。

趙小蝶緩緩把右手伸入了竹籃之中，道：「你們三人好像都到了該死的時辰了！」

三個黑衣人，兩個不知她說些什麼，相顧大笑，但居左一人，卻用著中國言語道：「你這丫頭罵哪個該死？」

右面一人突然伸手向趙小蝶手腕之上抓去，那居中一人，卻伸手在抓趙小蝶的竹籃。

那居左一人，聽懂了趙小蝶的話，似較持重，竟是未肯出手輕薄。

趙小蝶冷笑一聲，疾快的一轉嬌軀，巧妙絕倫的閃到了那居中黑衣大漢的身後。

只聽那人冷哼一聲，一跤跌摔在地上。

居右一人微微一怔，伸手向同伴抓去。

趙小蝶右手一招，道：「你也跟他去吧……」

寒芒一閃，電射雷奔，擊中那人前心，屍體一晃而倒！

那居左一人看出苗頭不對，突然轉身向前跑去。

趙小蝶道：「站住。」右手連揚，兩道寒芒飛出，那人突然一屈雙膝，跪了下去。

楊夢寰見趙小蝶一擊得手，飛身一躍而出道：「姑娘好厲害的暗器……」

趙小蝶微微一笑，道：「這幾年來，我雖然在江湖上遊盪，丟下了武功，但卻練成了一種暗器。」

楊夢寰道：「什麼暗器？」

趙小蝶道：「是幾支短劍。」伸手掀開竹籃。

楊夢寰凝目望去，只見那竹籃中，並放著幾把寒光閃爍十分鋒利的短劍。

只見趙小蝶伸出纖纖的玉指，從兩個死去大漢身上，各拔出一支短劍，就著他們的衣服，抹去血跡，放入竹籃中，低聲說道：「有勞楊兄，把這些人的屍體放入草叢中去。」

楊夢寰應了一聲，抓起兩人屍體，投入草叢之中。

這時，那跪在地上之人，突然身子搖了兩搖，倒在地上死去。

趙小蝶緩緩走到那人身側，探手從他雙膝之上，拔出短劍，輕輕歎息一聲，道：「這人在

三人之中，較爲老實一些，我原想留下他一條活口，想不到他竟然也死了。」

楊夢寰看那人所中短劍，雖是雙膝彎節要害，但尚不致死去，如今竟然死去，定然是自絕而亡。

趙小蝶抓起那人屍體，投入草叢之中，舉手時楊夢寰招了一招，緩步向前走去。

楊夢寰隨在趙小蝶的身後，行到一座懸崖下大松之旁。

趙小蝶坐了下去，拍拍草地，道：「坐下來休息一會兒吧！」

楊夢寰依言坐下，道：「你的暗器手法，有異於常人，出手如雷奔電閃，實是無法讓避。」

趙小蝶：「你可是覺得出手太毒辣一些麼？」

楊夢寰道：「就目下咱們的處境而論，實是不得不施用毒手。」

趙小蝶：「這是蘭姊姊的命令，她說天竺國大批高手，湧來此地，咱們不用手下留情。光殺他們一些，使他們心生畏懼，再作計議。」

楊夢寰道：「正該如此。」

趙小蝶微微一笑，道：「你看我的暗器手法如何？」

楊夢寰道：「迥異尋常，別具一格。」

趙小蝶道：「我已經下了很多年的工夫，這次才出手施用，雖是以暗器手法投出短劍，但個個卻別有著一種馭劍的真力，以你功力，也可運用此種手法……」

語聲微微一頓，接道：「我自知才慧定力，都難及得蘭姊姊，就算窮盡畢生精力，也無法

在武功上超過蘭姊姊了，因此別走蹊徑，我要在暗器上獨創一格，使之流傳後世。」

楊夢寰心中暗道：看來她是成熟多了，已知謙虛之心，口中卻說道：「你和蘭姊姊各有所長，秋色平分……」

趙小蝶接道：「我如何能和蘭姊姊比呢？她是金枝玉葉之軀，才慧冠絕一代，我只配作她的丫頭罷了。」

楊夢寰微微一笑，道：「姑娘不用如此，據我所知，蘭姊姊不但對你很好，而且她對你的期望很大，你不要辜負她一番用心才是。」

趙小蝶抬起頭，望了楊夢寰一眼，幽幽說道：「過去我年紀小，有些糊塗，塑造出一個多情仙子，在江湖上胡作非爲，唉！如今年紀這樣大了，如何還能這樣糊塗呢？我要全力報效蘭姊姊，媽媽遺言，我這作女兒的豈能不聽。」

楊夢寰道：「那很好，就目前江湖情勢而論，除非你和那朱姑娘合力同心，才能維持武林中的平靜局面。」

趙小蝶道：「你也很重要。」

楊夢寰道：「附隨驥尾，全力以赴。」

突聞嗤的一聲嬌笑，傳了過來，道：「不用這樣客氣。」

楊夢寰轉頭望，只見朱若蘭面帶微笑，站在七八尺外。

她輕功卓絕，已到爐火純青之境，兩人竟然不知她幾時趕到。

趙小蝶起身一禮，道：「蘭姊姊，適才我殺了三個天竺國人。」

朱若蘭道：「不要緊，姊姊已殺了七個人，這次咱們多殺他幾個人，先挫挫他們的銳氣。」

趙小蝶道：「姊姊可知道他們來了好多人麼？」

朱若蘭搖搖頭，道：「這個我也不清楚了，不過，他們的耳目很靈敏，顯然有中原武林人物，居中相助。」

楊夢寰道：「那定是陶玉的人了！」

朱若蘭道：「大概是了，他自知目下處境危惡，必得設法使咱們無暇兼顧於他，引得天竺人和咱們作對，他可藉機會喘息一陣，再研究歸元秘笈和武功……」

語聲微微一頓，又道：「不過，他又少算了一件事。」

楊夢寰道：「什麼事？」

朱若蘭道：「如是他和那天竺國師結爲一體，合力對付咱們，只怕是一件很麻煩的事了，他想借人作盾，以求喘息，卻正好授咱們以各個擊破的機會。」

楊夢寰豪氣忽生，說道：「擊敗天竺大國師後，咱們再一鼓作氣，追殺陶玉。」

朱若蘭突然舉手一揮，道：「快快藏起來。」

楊夢寰四顧一下，匆匆閃入一座大巖石之後。

朱若蘭卻一提真氣，縱身而起，飛上一株巨松，隱於枝葉茂密之處。

三人剛剛藏好身子，耳際已響起了衣袂飄風之聲，四個黑衣大漢，疾奔而至。

只見那四個黑衣大漢，行色匆忙的回顧了一陣，又轉身退了回去。

趙小蝶和楊夢寰同隱在一座大石之後，低聲問道：「楊兄，他們怎麼來了又去，是何用心？」

楊夢寰道：「這個在下也不明白，也許這幾人是開道的先鋒。」

趙小蝶道：「那是說，後面還有人來了。」

楊夢寰道：「大約如此。」

趙小蝶輕輕歎息一聲，道：「但願早些遇見那大國師，決戰一場，也好早些了去這個心願，全心全力的去對付陶玉。」

楊夢寰道：「咱們已經佈置好了麼？」

趙小蝶道：「還沒有佈置。」

楊夢寰微微一怔，道：「蘭姊姊不是說要設法調集人手，一舉盡殲天竺來人麼？」

趙小蝶道：「話雖如此，但對方來得太快，蘭姊姊的屬下，遠在天機石府，我的十二花娥又在水月山莊，調集人手，豈是易事，因此，我想遇上那大國師後，不待蘭姊姊出手，我單獨和他決戰一場，如能僥倖勝了那大國師，也不用這樣麻煩了。」

楊夢寰道：「綜觀近日情勢，那大國師似非弱手，如是你萬一勝他不了呢？」

趙小蝶道：「我如傷在他的手中，他亦將累得筋疲力盡，那時，再有蘭姊姊或你出手，就不難對他了。」

楊夢寰道：「在下只怕是力所難及，蘭姊姊如肯出手，自是不難傷他，不過這其間有兩個死結，只怕是難以解決。」

趙小蝶道：「什麼死結？」

楊夢寰道：「蘭姊姊決不會同意你未謀而動的冒險辦法，此事不能讓她知道……」

趙小蝶道：「我如死傷在那大國師的手下，難道她真的不管麼？」

楊夢寰道：「問題也就在此了，那大國師一旦臨敵，必有很多天竺高手隨行相護，你如傷在那大國師的手中，蘭姊姊縱然出手，難道那大國師豈肯再以疲累之身，和蘭姊姊再行拚鬥麼？」

趙小蝶道：「不錯，這倒是一個難題，看來我這一戰，只許勝不能敗了……」

突然頓住，側耳聽了一陣，道：「有人來了。」

楊夢寰探頭看去，只見兩個灰和尚，抬著一張軟籐子編成的軟榻，軟榻上坐著一個身著黃色袈裟的和尚，閉著雙目，雙手分放在兩膝之上，似是在靜息養神。

趙小蝶道：「這人派頭很大，大約是那國師了。」

楊夢寰道：「我瞧有些不像。」

趙小蝶道：「爲什麼？」

楊夢寰道：「那大國師怎麼這樣年輕？」

趙小蝶仔細瞧了一陣，果然覺著那軟榻上身披黃色袈裟的和尚，看上去，只不過三十左右。

兩人談話之間，突見那軟榻停了下來，那身披袈裟的和尚，轉目一顧楊夢寰停身之地，冷冷說道：「什麼人？」

楊夢寰聽他吐字清晰，毫無番音，心中甚感奇怪，暗道：江湖上盡多奇行怪僻的人，這人也許不是天竺國的和尚。

趙小蝶低聲說道：「這人耳目很靈，他既然知道了，爲什麼不出去瞧瞧他？」

楊夢寰點點頭，站起身子一抱拳，道：「大師……」

下面的話還未說出口，驟見那坐在軟榻上的和尚右手一揚，一串白芒，疾向楊夢寰打了過去。

來勢猛惡，帶起了輕輕的嘯風之聲。

楊夢寰身子一側，急急又隱入大石之後。

只聽一陣劈劈啪啪之聲，一串白芒盡擊在楊夢寰身後的一塊青色大巖石上。

白色的佛珠深嵌在石中，那暗器明明一串飛來，但外面看去，只見一顆。原來，那佛珠一線飛來，顆顆相接，深入石中。

趙小蝶道：「這人腕力驚人，非同小可，你和他動手之時，可要小心一些。」

楊夢寰點點頭，脫去了那身白色外衣，無常白帽，暗中提氣，陡然一躍，橫鑾飛出八尺，站在一塊大石之上。

轉眼望去，只見那披黃色袈裟的和尚，仍然端坐在軟榻之上，閉目而坐，神定氣閑，似是剛才那串佛珠，全然和他無關一般。

楊夢寰暗中提氣戒備，緩步向前行去，口中冷冷說道：「閣下什麼人？」

那和尚仍然閉目而坐，恍如未聞。

楊夢寰冷笑一聲，說道：「閣下不用裝模作樣，在下聽你口音，似是中土人氏。」

那和尚緩緩睜開眼睛，淡淡一笑，道：「你能避開我的佛珠一擊，足見武功不錯了，先說說你的身分吧。」

楊夢寰道：「大丈夫行不更名，坐不改姓，區區楊夢寰。」

那和尚陡然轉過臉來，雙目神光逼注在楊夢寰的臉上，道：「閣下就是楊夢寰？」

楊夢寰道：「不錯，大師如何稱呼？」

那和尚緩緩說道：「你認識朱若蘭？」

楊夢寰道：「認識，大師何以問起朱姑娘？」

那和尚冷厲的說道：「我問你是否認識她？」

楊夢寰凝神戒備，怒聲反問道：「我問你來自何處？」

那和尚冷笑一聲，道：「貧僧來自天竺。」

楊夢寰道：「區區認識那朱姑娘。」

那和尚臉上突然泛現出一股喜氣，但不過一轉眼間，又恢復鎮靜之色，淡淡問道：「那朱姑娘現在何處？」

楊夢寰道：「閣下可是那天竺國的大國師麼？」

那和尚搖搖頭道：「貧僧不是。」

楊夢寰吃了一驚，暗道：這和尚武功如此高強，仍然不是那大國師，這麼看來那大國師武功猶過此人了。

心中念轉，口中卻緩緩說道：「大師認得那大國師麼？」

那和尚冷笑一聲，道：「咱們各答一句，那是誰也不吃虧了，但閣下已經問了兩句。」

楊夢寰心中暗道：這和尚生性倔強，想從他引出內情，非得和他舌戰一場不可，當下說道：「那朱姑娘就在此地。」

那和尚抬頭四顧了一眼，道：「茫茫雲山，玉人何處！」

楊夢寰道：「那大國師息居之處，不知離此好遠？」

那和尚冷冷說道：「就在十里之內。」

楊夢寰道：「那朱姑娘麼？遠在天邊無覓處，……」

只聽趙小蝶緩步繞過大石，道：「近在眼前不相識。」

那和尚目光轉注到趙小蝶的臉上，打量了一陣，只見她玉容如花，美豔絕倫，雖是布衣荊裙，但卻掩不住那天姿國色，個禁瞧得一呆。

趙小蝶舉手掠一下頭上的秀髮，嫣然一笑，直向那軟榻行去。

她昔年化身多情仙子，攪得整個江湖天翻地覆，凡是見她之人，無不心醉神迷，這天竺和尚，見她盈盈一笑，不禁心神一蕩，心中想問之言，竟是忘記說出口來。

楊夢寰冷眼旁觀，看那趙小蝶故作嬌態，果然是嬌媚迷人，亦不禁爲之一怔。

趙小蝶緩緩步行到了那和尚身前，微微一笑，道：「小和尚，你是大國師的什麼人？」聲音婉轉，清脆悅耳。

那和尚輕輕咳了一聲，道：「貧僧乃大國師座前首座弟子……」，忽然心神一清，停了下

來，語聲一變，冷冷說道：「你是朱若蘭？」

趙小蝶道：「就憑你這付模樣，還想見那朱姑娘麼？」突然躍起，一掌直向那和尚前胸拍去。

那和尚料不到她突然出手，匆忙間，揮手接下一擊。

雙掌相觸，波然一聲輕響，趙小蝶身影飄飄，有如柳絮飛空一般，飄落實地。

那和尚坐的軟榻，突然向下一沉，又彈起很高，但那和尚卻未離過籐榻半步。

楊夢寰只瞧得吃了一驚，暗道：這和尚內功不弱！

兩個抬著軟榻的灰衣和尚，也如釘在地上的木樁一般，肅然而立，動也不動。

楊夢寰心中暗道：那大國師的一個弟子，竟有如此能耐，那大國師更是非同小可了！

趙小蝶呆呆的望著那和尚出神，心中既驚服他的武功，又在想著此人既是那大國師的弟子，定然知道甚多隱秘，如是能把此人生擒過來，定可問出那大國師武功來路，那就不難設法對付他，但此人武功高強，要想生擒於他，只怕不是容易的事。

心中念轉，主意暗定，忖道：這兩個抬軟榻的和尚，武功亦是不弱，必得先把這兩個和尚殺死。

意念既決，冷冷說道：「小和尚，你下來，咱們一決生死。」

那身披黃色袈裟的和尚，也不知是否聽到了趙小蝶的話。

不言不動，兩道眼神卻盯住在趙小蝶的臉上瞧看。

趙小蝶看他一片沉醉神態，心中暗道：這和尚不知在想什麼心事，看樣子不似在想什麼好

事，不禁一皺眉頭，道：「你可是不敢和我決戰麼？」

那和尚微微一笑，答非所問的說道：「你當真不是朱若蘭了？」

趙小蝶怒道：「我爲什麼要騙你。」

那和尚道：「那就好了。」

趙小蝶道；「好什麼？」

黃衣和尚道：「我見過那朱姑娘的畫像，那當真美艷得很，不過，姑娘美貌，決不在那畫像之下。」

趙小蝶冷笑一聲道：「你在胡說什麼，快些給我滾下來。」

那和尚也不生氣，望著趙小蝶微笑不語。

趙小蝶道：「哼！你不下來，我有辦法要你下來。」

那和尚仍然望著趙小蝶微笑不言。

趙小蝶突然雙手齊揚，兩道寒芒疾射而出，擊中了兩個抬榻的灰衣和尚。

但聞兩聲悶哼，兩個灰衣和尚，齊齊向下倒去，那籐榻也隨著兩人倒摔的身軀，跌摔地上。

那身披黃色袈裟的和尚，在籐榻掉落地上之後，仍然端坐榻上。

趙小蝶心中暗道：這和尚好生冷酷，兩個抬榻的和尚死了，他竟然連瞧也不瞧一眼。

那身披黃色袈裟的和尚實有著人所難及的沉著，雙目盯注在趙小蝶的臉上，淡然說道：

「我這兩個弟子，都有著橫練氣功，尋常的刀劍，很難傷得了他們，你能一舉把他們刺死劍

下，那是足見高明了。」

趙小蝶心中暗道：好啊！我刺死了他兩個抬榻之人，他不但不見生氣之狀，反而把我誇獎一番！口中卻冷冷說道：「我久聞你們天竺和尚，藝走旁門，精通奇術，武功卻是平常得很，不知是真是假？」

她存心激他出手，以試天竺武功。

那和尚不知是有意拖延時間呢，還是自知難是趙小蝶的敵手，有意逃避，不願出手，沉吟一陣，道：「姑娘一定要和我動手可以，不過咱們要定個規矩出來。」

趙小蝶道：「彼此出手打架，還有什麼規矩，你這人當真是囉嗦得很。」陡然欺身而上，雙手一齊拍出。

掌勢挾著一片疾風，直攻過去。

那和尚暗中一提真氣，原式不變地離開籐榻，笑道：「姑娘的掌法不錯。」

趙小蝶怒道：「誰要你來誇獎了。」欺身追進，踢出一腳，拍出兩掌。

那和尚挺身而起，衣袂飄飄的避開了趙小蝶的掌法功勢，仍是沒有還手。

趙小蝶看他閃避自己掌勢的身法，輕靈精妙，心中暗道：這和尚武功實是不弱，不知他何以不肯還手，停身說道：「你爲何不還手？」

只聽那和尚說道：「姑娘不是想見識一下天竺奇術麼？」

趙小蝶略一沉吟，道：「不錯啊。」

那和尚道：「好！那就請姑娘退後十尺，貧僧顯露一點天竺奇術，給姑娘開開眼界。」

趙小蝶心中暗道：萬一那天竺奇術有靈，我們傷在他手下，那可是划不來了，當下冷笑一聲，道：「我先見識過你的武功，再瞧你們天竺奇術不遲。」

黃衣和尙道：「好！如是我一直不肯還手，姑娘倒認爲貧僧害怕了。」

趙小蝶道：「這一次你先出手。」

那和尙不再客氣，沉聲說道：「小心了。」陡然躍飛而起，懸空挫腰長身，頭下腳上，直向趙小蝶撲了過來，左掌平直，向前擊出，右手五指半屈半伸，似要施展擒拿手法。

趙小蝶身軀微微一閃，施出「五行迷蹤」步，避開了那黃衣和尙一擊，回手反擊三掌。

兩人立時展開了一場激烈的搏鬥，雙方掌勢交錯，各極凌厲。

趙小蝶心想借此機會試試那天竺國的武功如何，是以也不施展毒手。

轉眼之間，雙方已搏鬥五六十招。

趙小蝶看那和尙武功和少林一派武學有些類似，但招術變化之間，又有些不同，手法稍見詭異，不若那少林武學正大。

趙小蝶大略瞭解那和尙武功路數之後，立時展開反擊，全力搶攻。

那和尙亦非平庸之輩，趙小蝶全力反擊之後，那和尙掌勢亦是大見增強，剎那間潛力激盪，波及丈餘外的楊夢寰停身之處。

轉眼間，兩人又互拆百招之上。

趙小蝶連出兩招奇學，都被那和尙化解開去。

楊夢寰冷眼旁觀，看那和尙手法竟和歸元秘笈上記載的武功，有很多大同小異之處，心中

大爲駭然，暗道：「難道天竺武功，也和那『歸元秘笈』有關麼？」

就這一分心神，未留心到場中搏鬥形勢，雙方已然硬拚了兩掌。

但聞波波兩聲輕響，各自震得向後退了一步。

趙小蝶冷笑一聲，道：「咱們只怕無法在三兩百招內分出勝敗……」

那和尚拂拭一下頭上的汗水接道：「如此美貌，如此武功，當真是舉世少見了。」

趙小蝶怒道：「咱們彼此爲敵，生死相搏，誰要你來讚我了。」

黃衣和尚道：「姑娘容色絕倫，豈可不讚。」

趙小蝶冷冷道：「你再讚我，我也是一樣的殺你。」

黃衣和尚道：「這倒未必了。」

趙小蝶道：「招術上咱們一時間難分勝敗，我瞧只好以內力相拚了。」

黃衣和尚搖搖頭，道：「各以內功相搏，那是不死不休，似姑娘這等才貌，萬一傷在貧僧手中，不是太可惜嗎？」

趙小蝶冷笑一聲，道：「那就不妨試試了。」突然一提真氣，雙目神光閃動，逼注在那和尚的臉上。

那黃大和尚已知趙小蝶的武功，哪裏敢絲毫大意，趕忙凝神提氣，全神戒備。

兩人相對而立，凝神地相注片刻，趙小蝶緩緩舉起右手，慢慢向那和尚拍去。

這一招看去很慢，實則暗藏著天數的變化，蓄蘊了千斤內力。

楊夢寰心中暗道：朱若蘭現隱身在那樹上，定然看得十分清楚，如是趙小蝶不是他的敵

手，蘭姊姊定然會出手相助，或是出言阻止。

忖思之間，兩人的掌力已經接實，蓬然輕震聲中，以掌觸接一起。

那和尚身軀高過趙小蝶甚多，掌勢居高臨下，看上去似是佔盡優勢，趙小蝶嬌小玲瓏，和那和尚比起來，吃虧甚大。

雙方相持約一盞熱茶工夫，情勢有了劇烈的波動，那和尚身著的黃色袈裟，無風自動，臉上汗水滾滾而下。

趙小蝶頰紅如火，眉宇間也隱隱見了汗水。

楊夢寰長長吁了一口氣，納入丹田，全神戒備，如是趙小蝶稍有不支之狀，立時出手搶救。

只見兩人接觸的手掌，倏然間抖動起來，又過了片刻工夫，那身披黃色袈裟的和尚，突然向後一仰，一屁股坐在地上。

趙小蝶微微一笑，道：「天竺武功，也不過如此而已。」玉指伸出，點了那和尚雙肩穴道。

朱若蘭一躍而下，拱手對趙小蝶道：「妹妹，你辛苦了。」

趙小蝶長長吁了一口氣道：「我幾乎不是他的對手。」

朱若蘭道：「姊姊看來，你還有很多潛力，其實你不用和他比拚內力，一樣可以勝他，只是求勝之心過切，不願久戰罷了。」

趙小蝶道：「姊姊誇獎了。」

朱若蘭道：「我是由衷之言……」目光轉注到楊夢寰的身上，道：「楊兄弟，有勞你帶著這個人了。」

楊夢寰應了一聲，提起那和尚道：「咱們要到哪裏去？」

朱若蘭道：「跟我來吧！」轉身向前行去。

趙小蝶、楊夢寰緊隨朱若蘭的身後，向前行去，到了一處群山環繞的夾谷中，停了下來。

朱若蘭四顧了一眼，道：「此地很隱密，放他下來吧！」

楊夢寰放下那黃衣和尚，那和尚仍然盤膝而坐，朱若蘭、趙小蝶、楊夢寰環繞那和尚而立。

朱若蘭舉手理了一下鬢前散髮，緩緩說道：「你很想見朱若蘭是麼？」

那和尚抬頭打量了朱若蘭一眼，道：「你就是朱若蘭朱姑娘麼？」

朱若蘭道：「不錯……」聲音突轉冷厲，接道：「你如是不想吃苦，那就據實答覆我的問話。」

那黃衣和尚道：「我如據實答你的問話，你們要把我如何？」

朱若蘭道：「放了你，不讓你有毫髮之傷。」

黃衣和尚道：「你們中土人一向言出必踐……」

朱若蘭道：「不錯，你如說的句句實言，那就不會對你有毫髮之損，但如你說了一句虛言，當心皮肉之苦。」

那黃衣和尚抬頭瞧了朱若蘭一眼，道：「好！你問吧！」

朱若蘭聽他口齒清晰，暗道：此人講話字正腔圓，只怕不是天竺國人，當下問道：「你是不是中土人氏？」

那和尚搖搖頭，道：「不是，貧僧出身天竺國中。」

朱若蘭道：「了不起，天竺國人說我們中原言語，能講得如此流利，那確實少見得很。」

黃衣和尚道：「貧僧在貴國住了十八年，故而對貴國風俗人情，瞭如指掌。」

朱若蘭略一沉吟，道：「咱們不談這個，貴國大國師現在何處？」

黃衣和尚道：「山下劉家村，劉員外家。」

朱若蘭道：「我去瞧瞧，如果你所言不錯，回來就立刻放了你，如果隨口胡謅，那你就別想活了。」

黃衣和尚道：「我那師父目光如炬，洞察細微，去了你就別想回來。」

朱若蘭道：「不勞費心，諒他也無法擋得住我……」低聲對趙小蝶和楊夢寰道：「我先去會會那個大國師，你們押著這和尚，暫時躲起來，不可和敵人動手。」

趙小蝶道：「姊姊一人去麼？」

朱吉蘭道：「不錯，一個人去，人多了反而不便，我自有應付之策，你們好好照顧這人，瞧他武功必能自行運氣解穴。別讓他逃走了，如果他有逃走的企圖，那就廢了他的武功。」

趙小蝶、楊夢寰齊聲說道：「姊姊要多多小心。」

朱若蘭道：「曉得了。」

轉身大步而去。

朱若蘭行到一處僻靜所在，脫去女裝，換了一身小廝裝束，臉上塗了一些黑煙，對著溪水照了一陣，轉身向前前行。

依照那黃衣和尚之言，行到劉家村中。

這是座緊依山旁的村落，但村中人都很富裕，大都是蓋的瓦屋。

朱若蘭找了一個村人詢問之下，很容易的找到了劉員外的家。

那是一家高大宅院，氣勢十分宏偉。

朱若蘭行到那大宅前面，只見一對黑漆大門緊閉，打量了一下四周的環境，伸手扣動門環。

只聽呀然一聲，木門大開，一個中年大漢當門而立。

那大漢打量了朱若蘭一眼，道：「有何貴幹？」

朱若蘭粗著嗓子道：「在下奉朱姑娘之命而來，求見那大國師。」

大漢看朱若蘭面色灰污，青衣小帽，似是人家小廝一般，不禁一皺眉頭，道：「你是那朱姑娘的什麼人？」

朱若蘭道：「守門小廝。」

那人點點頭，道：「可有朱姑娘的函件？」

朱若蘭道：「函件倒有，但朱姑娘交代，必要面交大國師。」

那人沉吟了一陣，道：「你稍候片刻，我去稟告大國師，看他是否肯接見你？」

朱若蘭道：「有勞了。」仰臉望天，不再瞧那大漢。

那大漢行入室中，片刻之後，重又走了出來，道：「大國師請閣下入內相見。」

朱若蘭道：「帶路吧。」

那大漢冷哼一聲，但卻無可奈何，只好帶著朱若蘭大步向前行去。

朱若蘭緊隨那大漢身後，行入一座大廳之中。

請續看《風雨燕歸來》（四）

臥龍生武俠經典珍藏版 19

風雨燕歸來（三）

作者：臥龍生
發行人：陳曉林
出版所：風雲時代出版股份有限公司
地址：10576台北市民生東路五段178號7樓之3
電話：(02) 2756-0949　　傳真：(02) 2765-3799
執行主編：劉宇青
美術設計：許惠芳
行銷企劃：林安莉
業務總監：張瑋鳳
出版日期：臥龍生60週年珍藏版 2022年6月
ISBN ：978-986-5589-64-6
風雲書網：http://www.eastbooks.com.tw
官方部落格：http://eastbooks.pixnet.net/blog
Facebook：http://www.facebook.com/h7560949
E-mail：h7560949@ms15.hinet.net
劃撥帳號：12043291
戶名：風雲時代出版股份有限公司

風雲發行所：33373桃園市龜山區公西村2鄰復興街304巷96號
電話：(03) 318-1378　　傳真：(03) 318-1378
法律顧問：永然法律事務所 李永然律師
　　　　　北辰著作權事務所 蕭雄淋律師

行政院新聞局局版台業字第3595號 營利事業統一編號22759935

定價：320元　

國家圖書館出版品預行編目資料

風雨燕歸來／臥龍生 著. -- 臺北市：風雲時代出版股份有限公司，2021.06- 冊；公分（臥龍生武俠經典珍藏版）
ISBN：978-986-5589-62-2（第1冊：平裝）
ISBN：978-986-5589-63-9（第2冊：平裝）
ISBN：978-986-5589-64-6（第3冊：平裝）
ISBN：978-986-5589-65-3（第4冊：平裝）

863.57　　110007327